Zu diesem Buch

«Das Buch ist unglaublich angenehm und einladend geschrieben» (Emil Belzner in der «Frankfurter Rundschau»).

Eric Malpass, geboren am 14. November 1910 in Derby, war lange Jahre Bankangestellter in Mittelengland. 1947 wurde er Mitarbeiter der BBC und namhafter Zeitungen, so des «Observer», dessen Kurzgeschichten-Wettbewerb er 1954 gewann. «Beefy ist an allem schuld» (rororo Nr. 1984) wurde 1960 in Italien mit der Goldenen Palme für das beste humoristische Buch des Jahres ausgezeichnet. Zu einem phantastischen Erfolg, vor allem in der Bundesrepublik, wurden seine Romane über den Schlingel Gaylord: «Morgens um sieben ist die Welt noch in Ordnung» (rororo Nr. 1762), «Wenn süß das Mondlicht auf den Hügeln schläft» (rororo Nr. 1794), «Lieber Frühling komm doch bald» (rororo Nr. 4745), «Schöne Zeit der jungen Liebe» und die Erzählung «Fortinbras ist entwischt» (rororo Nr. 4075). Weiten Anklang fanden auch die lebendig-humorvolle und, wie mehrere Gaylord-Romane, verfilmte Familiengeschichte «Als Mutter streikte» (rororo Nr. 4034), die Zeitromane «Und der Wind bringt den Regen» und «Liebe blüht zu allen Zeiten» sowie seine Shakespeare-Romantrilogie «Liebt ich am Himmel einen hellen Stern», «Unglücklich sind wir nicht allein» und «Hör ich im Glockenschlag der Stunden Gang». Eric Malpass, der verheiratet ist und einen Sohn hat, lebt als freier Schriftsteller in Long Eaton/Nottingham.

Eric Malpass

Liebt ich am Himmel einen hellen Stern

Ein Roman um
William Shakespeare
und Anne Hathaway

Deutsch von
Susanne Lepsius

Rowohlt

Die englische Originalausgabe erschien 1973 unter dem Titel
«Sweet Will» bei Macmillan London Limited,
London und Basingstoke
Der Titel der deutschen Ausgabe
und die Kapitelüberschriften sind Zitate aus Werken
von William Shakespeare
Umschlagbild Brian Knight
Umschlagtypographie Werner Rebhuhn

1.–15. Tausend   Dezember 1981
16.–25. Tausend   Januar 1982

Veröffentlicht im Rowohlt Taschenbuch Verlag GmbH,
Reinbek bei Hamburg, Dezember 1981
Copyright © 1974 by Rowohlt Verlag GmbH,
Reinbek bei Hamburg
«Sweet Will» Copyright © 1973 by Eric Malpass
Satz Bembo (Linotron 404)
Gesamtherstellung Clausen & Bosse, Leck
Printed in Germany
680-ISBN 3 499 14875 7

Für John und Nicky

> Gleichviel ja wär's,
> Liebt ich am Himmel einen hellen Stern
> Und wünscht ihn zum Gemahl; er steht
> so hoch.
> An seinem hellen Glanz und lichten Strahl
> Freun darf ich mich, in seiner Sphäre nie.

William Shakespeare
Ende gut, alles gut

I

Und als ich ein winzig Bübchen war . . .

Draußen schimmerte alles silbern. Die Dächer der kleinen Stadt glänzten im Mondlicht wie funkelnde Diamanten. Glitzernd floß unter den silbrigen Weiden der Avon dahin. Über den Feldern lag eine silberweiße Decke, die der Aprilfrost gewoben hatte.

Drinnen, im Wohnzimmer des Hauses in der Henley Street, glänzte goldener Kerzenschein auf dem Ahnenbild an der dunkel getäfelten Wand. Das gleiche warme Licht fiel auf die breiten Hände, die vollen Wangen und den kugelrunden kahlen Kopf John Shakespeares.

Er saß allein vor dem verglimmenden Feuer. Er hatte ein bescheidenes Maß gezuckerten Südweins getrunken, um das glückliche Ereignis zu feiern. Ein Sohn war ihm geboren! Nach sechs Jahren Ehe hatte er einen Sohn, einen Sohn, der einmal das Geschäft weiterführen konnte. Nun würde der Name Shakespeare in Stratford wohl doch nicht in Vergessenheit geraten, wenn er einst nicht mehr lebte. Er war tief bewegt. «William Shakespeare, Handschuhmacher für den Adel», sagte er leise vor sich hin. Und in Gedanken sah er draußen an der Tür das gediegene braune Holzschild mit der Inschrift in Gold. «Handschuhmacher für den Adel».

Er stand auf. Gern hätte er noch einen zweiten Becher Wein getrunken. Aber er widerstand der Versuchung. Er war ein Mann von starkem Ehrgeiz und einem ebenso starken Willen, und gezuckerter Wein würde ihm auf dem Weg, den er vor sich sah, nicht weiterhelfen.

Es war Zeit, ins Bett zu gehen. Er nahm den Leuchter. Die Schatten schwankten wie ein Schiff im Sturm. Er ging nach oben, wo Mary Shakespeare, geborene Arden, in dem großen Ehebett lag und ihren Sohn in den Armen hielt.

Es war ein schöner, sonniger Frühlingstag gewesen. Weiße Sommerwolken hatten sich am Himmel gejagt. Sie waren am Abend einer klaren Frostnacht gewichen. Aber die traurigen Wintermonate, die Zeit des Pökelfleischs, der bitteren Kälte, der dunklen Tage und des Skorbuts – all das war nun vorüber, und man konnte sich auf Wärme und Sonnenschein freuen. Außerdem brauchte man sich in den kommenden Wochen nicht vor der Pest zu fürchten. Der April war ein schöner Monat, selbst wenn verspäteter Frost alles mit Flittersilber bedeckte.

Elisabeth Tudor, die bleichwangige Tochter Heinrichs VIII., saß auf dem Thron der Macht. Und niemand würde sie von dort vertreiben! So bleichwangig sie auch sein mochte, wenn Elisabeth die Stirn runzelte, erblaßten die mächtigsten Männer. Jedenfalls sagten das alle, dachte Mary Shakespeare. Die Vorstellung, daß eine Frau auf dem Thron saß, gefiel ihr, zumal sie insgeheim fest glaubte, daß die meisten Frauen mehr Verstand im kleinen Finger hatten als die meisten Männer in ihren großen Köpfen. Aber der kleine Will würde anders sein als die meisten Männer! Ihr süßer kleiner Will, der jetzt, satt und schläfrig von der Milch aus ihrer Brust, mit seinen dunklen Augen auf die Bettvorhänge blickte. Er würde einst ein freier Bauer sein. Sie sah ihn über seine eigenen Felder schreiten, hier in der Grafschaft Warwick, und schnurgerade Furchen durch das Herz von England pflügen. Er war ein Arden, er hatte das Blut ihrer Vorfahren in den Adern. Er würde mit beiden Füßen fest auf englischer Erde stehen, wenn sie und John längst zu Staub geworden waren. William Shakespeare, ein freier Bauer.

Der kleine Will hatte die winzigen Händchen zur Faust geballt, und seine Augen waren ihm zugefallen. Mary ließ ihre Lippen über den schwarzen, flaumigen Kopf gleiten. Sie war stolz auf ihren Sohn und von zärtlicher Liebe zu ihm erfüllt. Sie, Mary Shakespeare, hat dieses wunderbare kleine Geschöpf zur Welt gebracht. Geduldig und mit Schmerzen hatte sie ihm das Leben geschenkt. «Mein süßer kleiner Will», murmelte sie, und wieder berührte sie sein weiches Haar mit ihren Lippen.

Sie war eine stille, heitere Frau und liebte ihren Mann. Freilich hatte sie, die aus einer der ältesten Landadelsfamilien der Grafschaft stammte, unter ihrem Stand geheiratet, als sie einen Kaufmann ehelichte. John Shakespeare war gewiß ein tüchtiger Geschäftsmann. Er war ein angesehener Bierschmecker und ein von allen geachteter Stadtkämmerer. Er war gewitzt und klug. Aber er hatte nicht wie Mary einen Edelmann zum Vater gehabt.

Mary war stolz auf ihren Vater, so stolz wie auf ihren kleinen

Sohn, den sie jetzt an sich drückte. Ja, er würde ein freier Bauer werden!

Die Eichenbohlen der Treppe knarrten. John kam herauf.

Oben angelangt, würde er stehenbleiben und die Kerze ausblasen. Sie wußte es im voraus, sie kannte die Zeremonie. Dann würde er den Riegel heben, die Tür würde sich quietschend öffnen und John würde eintreten. Wortlos würde er Wasser aus dem Krug in die Schüssel gießen und sich sein Gesicht waschen. Schließlich würde er ans Bett treten und zu ihr herunterblicken. «Nun, Frau?» würde er sagen.

Die Schritte hielten auf dem Treppenabsatz inne, der Riegel sprang auf, die Tür öffnete sich, John trat ein, goß Wasser in die Schüssel und benetzte sein Gesicht, trat dann ans Bett heran und blickte zu ihr herunter. «Nun, Frau?» sagte er. Aber heute abend lächelte er.

«Nun, Mann?» Auch sie lächelte. Es war ein stolzes, strahlendes Lächeln. Sie war erschöpft und köstlich ermattet, aber ihre Augen leuchteten triumphierend: nach sechs Jahren vergeblichen Wartens hatte sie der Welt einen Mann geschenkt.

Der Vater blickte auf seinen Sohn.

Der kleine Will verzog im Schlaf das Gesichtchen, und seine winzigen Ärmchen zuckten wie im Schmerz. Aber dann lag er wieder zufrieden da. John Shakespeare legte seinen breiten Daumen in das vollkommen geformte Händchen, und die kleinen Fingerchen umschlossen ihn vertrauensvoll. John war gerührt. Wie seltsam, sich vorzustellen, daß diese Händchen eines Tages das Handschuhleder unten im Laden zusammenschneiden würden. «Ein niedlicher Bub», sagte er liebevoll. «Der Laden soll ihm gehören.» Seine Stimme klang jetzt fast demütig, dachte Mary. So hatte er immer mit ihrem verstorbenen Vater gesprochen. «William Shakespeare, Handschuhmacher für den Adel.»

«Ja, John», sagte Mary. Oh, sie würde das zu verhüten wissen. Ihr Will war ein Arden, und ein Arden wurde kein Kaufmann. Aber damit hatte es noch eine gute Weile.

Sie wandte ihm ihr schmales, kluges Gesicht zu und sah ihn mit ihren dunklen Augen prüfend an. Ihre Unterlippe schob sich ein wenig nach vorn, immer ein Zeichen, daß ihr scharfer Verstand angestrengt arbeitete. Sie klopfte leicht auf die Bettdecke. «Setz dich, John.»

Das Bett ächzte unter seinem Gewicht. Meine ganze kleine Welt ächzt, dachte sie erheitert, die Treppenstufen, die Tür, das Bett, der Karren, der unten vorbeifährt, und, wer weiß, vielleicht sogar der große Erdball, der sich auf Gottes Geheiß so dreht, daß es abwechselnd Tag und Nacht wird.

Der große Erdball, Sonne, Mond und Sterne, Gott, ein neugeborenes Kind, ein neues Leben, das viele verschlungene Wege gehen und sich doch stetig dem Grab nähern würde, Mann und Frau, vereint im Geist und im Fleisch – es gab genug Geheimnisse, um ein ganzes Universum zu füllen. «Erzähl mir, was du heute getan hast», sagte sie, ergriff seine Hand und lächelte über ihre ernsten Gedanken.

«Das Geschäft auf dem Markt war gut. Alle kamen herbei und beglückwünschten mich freundlich zu meinem Sohn.» Er machte sich daran, seine Schuhriemen zu lösen.

Sie sah ihn lächelnd an. Sie war glücklich, daß er glücklich war.

«Einer schenkte mir ein Zaubermittel, um das Kind vor Hexen zu schützen», sagte er. «Und ein anderer einen Balsam gegen die Krätze.»

«Ein Zaubermittel? Zeig her.» Eine Tante von ihr war durch Hexerei im Alter von dreißig Jahren kläglich zugrunde gegangen. Mary fürchtete sich vor Hexen fast noch mehr als vor der Pest.

Das Zaubermittel bestand aus einem mit Froschdärmen gebundenen Petersiliensträußchen. Mary berührte es mit den Lippen und legte es dem Kind auf die Brust. Das Zaubermittel war ihr eine große Beruhigung. Mary war eine verständige Frau und überließ, soweit sie es vermochte, nichts dem Zufall.

«Alle haben sie mir gratuliert», sagte John, während er seinen mit Pelz besetzten Schlafrock auszog. Er legte sich ins Bett, seufzte zufrieden und blies die Kerze aus. «Die Leute von Stratford sind ein guter Menschenschlag. Sie freuen sich mit den Glücklichen und trauern mit den Trauernden. Ja, es sind gute Leute.»

Er hatte recht. Die Bürger von Stratford hielten zusammen und suchten gemeinsam Schutz vor den Gefahren, die ihnen von Hexen, Kobolden und Unholden drohten, von den Geistern der Mörder und der meuchlings Ermordeten. Ganz zu schweigen von der Pest, dem Schlagfluß, den marodierenden Räubern und den grausamen Späßen des Adels. Ganz zu schweigen auch von der schwarzen Finsternis der Nacht, dem Würgegriff des Windes oder von den Heilkünsten der Quacksalber, die einem Kranken auf gut Glück den Arm oder das Bein absägten und ihm Salbe aus Fledermausblut auf die offene Wunde strichen. Doch gab es noch andere Gefahren. Wehe dem Bürger, der vom wahren Glauben abwich – ihm drohte der Scheiterhaufen. Wer gegen die Mächtigen aufbegehrte, riskierte den Kopf. Und wer den Pfad der Tugend verließ, lief Gefahr, bis in alle Ewigkeit auf einem rotglühenden Rost in der Hölle zu braten.

Und doch waren sie ein glückliches Völkchen. Sie taten fast alles mit Wonne, ob sie nun um den Maibaum tanzten oder Madrigale sangen, sich liebten oder gegeneinander Prozesse führten, ob sie trauerten oder sich bei der Bärenhatz vergnügten. Allen Sorgen und Ängsten zum Trotz freuten sie sich ihres Lebens.

An den östlichen Hängen blinzelten die Schäfer in die Strahlen der aufgehenden Sonne. Fröstelnd und noch steif von ihren harten Lagern, griffen sie gleichwohl zu ihren Hirtenflöten und bliesen ihre schlichten Morgenweisen.

Eine leichte Brise strich über England hin und fegte die nächtlichen Schwaden fort, so wie eine flinke Magd die Spinnweben verschwinden läßt. Die Bäume, Felder, Wiesen und Hecken legten schon ihr neues Frühlingskleid an. Aus den Schornsteinen der Katen stiegen blaue Rauchwölkchen auf, die der Wind sogleich ergriff und im Tanz herumwirbelte.

Das erwachende London glich einem aufgestörten Ameisenhaufen. Am Tower jagte der Wind die entrüsteten Raben und blies milde Frühlingsluft in hundert feuchtkalte Zellen. Auf der Richtstätte in Tyburn prüften die Henker die Stricke, schärften die Messer und schürten das Feuer unter den Kesseln. Es waren fröhliche Burschen, und an diesem frischen, strahlenden Morgen gingen sie heiter ihrer Arbeit nach. Schon sammelte sich die Menschenmenge an, ehrbare Frauen und Männer, die liebevoll ihre Hände auf die Schultern ihrer Kleinen legten. Die Kinder waren sauber geschrubbt, und jedes hielt ein frisch gewaschenes Stück Linnen in der Hand. («Tauche dein Tüchlein in das Blut des Herren, mein Liebes.»)

In Kenilworth blätterte Robert Dudley, der Graf von Leicester, in seinen Rechnungsbüchern. Er hoffte zu Gott, daß es Elisabeth nicht in den Sinn kommen würde, auch in diesem Jahr ihren lieben Robin, wie sie ihn nannte, zu besuchen. Er konnte sich die Ausgaben, die mit dem Besuch der Königin verbunden waren, nicht leisten. Zum Teufel auch! Wußte sie denn nicht, daß solche Ehren Geld kosteten?

Und ein paar Meilen entfernt, in Stratford, wurden John und

Mary Shakespeare vom leisen Wimmern ihres kleinen Sohnes geweckt. Sie sahen einander glücklich an. Ihr größter Wunsch war in Erfüllung gegangen.

Die erste Hälfte des Mai war kühl und naß, doch dann kam plötzlich warm und strahlend die Sonne hervor. Draußen dampfte es, und alles war erfüllt vom süßen, schweren Duft der Blüten, aber auch vom dumpfen, fauligen Gestank des Flusses. Die Gerüche des Wachstums, der Reife und des Verfalls hingen in der unbewegten feuchtwarmen Luft.

Das war Wetter für die Pest.

Und sie kam. Sie kam trotz aller Gebete zur Jungfrau Maria und zu den alten, halb vergessenen Göttern des Arden-Waldes. Sie kam, obwohl die Bürger von Stratford in ihren Häusern Kamille verbrannten und den Boden mit Weinessig besprengten. Sie kam trotz oder, wie manche sagen, wegen der Bemühungen der Ärzte.

Sie kam zuerst in eine dumpfe Hütte unten am Fluß und holte sich das Balg einer Schlampe, die Meg Bates hieß. (Niemand verzieh Meg, daß sie die schreckliche Plage in die Stadt gebracht hatte, und kaum war das Schlimmste vorbei, wurde sie der Hexerei beschuldigt und bei lebendigem Leibe verbrannt.)

Die Pest! Ein Wort, das ins Herz traf, das alle Fröhlichkeit verbrannte und jeden Gedanken an die Zukunft verscheuchte, ein Wort, das an den Kräften zehrte und allen Mut raubte.

Das Haus in der Henley Street verwandelte sich in eine Festung. Mary, die sonst so heitere Mary, drückte verzweifelt ihren William an die Brust und beobachtete ängstlich ihren Mann und ihre kleine Tochter, ob sich auch ja keine Veränderung der Hautfarbe oder der Atmung bei ihnen bemerkbar machte. Doch blieben sie alle verschont. Der Tod schwang seine grausame Sense in der Stadt und ging dann seiner Wege.

Die Bürger von Stratford atmeten erleichtert auf. Sie läuteten fröhlich die Kirchenglocken, und in den Straßen herrschte bald wieder das gewohnte Leben und Treiben. Mary öffnete die Fensterläden, John schlug seinen Stand auf dem Markt wieder auf, und Williams Schwester durfte wieder zum Spielen ins Freie hinaus. Der kleine Will trank begierig oder schlummerte friedlich, als wäre nichts geschehen. Er wußte nicht, daß die erste Hürde seines Daseins hinter ihm lag.

Und nun fing er an, seine Welt wahrzunehmen. Die Bäume, die sich im Wind bewegten und ihre grünen Finger in den blauen Himmel streckten, das Zimmer, das er aus seiner Schaukelwiege betrachtete, die dunklen Wände und die kleinen Fenster. Abends blickte er oft lange in den goldenen Kerzenschein.

Aber all diese Dinge waren fast so fern für ihn wie die Sterne am Himmel. Seine eigentliche Welt waren noch immer die Arme und die Brust seiner Mutter, ihr lieblich lächelndes Gesicht. Eine zärtliche Welt.

Aber die Welt wurde weiter. Manchmal saß er jetzt, von bunten Bändern und farbigen Planen umgeben, auf dem Markttisch seines Vaters, blickte in all die fremden Gesichter, lauschte dem Geschrei, dem Gelächter und dem Geplauder, das wie ein Bach unermüdlich dahinplätscherte, und atmete den Geruch von Pferden und Leinen und Leder ein. Daheim staunte er des Abends über die tanzenden Schatten rings um das große Feuer im Kamin. Am liebsten aber lief er im Sonnenschein mit seiner Schwester zu den grünen, mit Gänseblümchen übersäten Wiesen am strudelnden Avon. So lernte er nach und nach das Leben kennen, das verschwenderische, blühende und pulsierende Leben, das ihn umgab.

Mit zehn Jahren schon liebte er es in seiner ganzen Mannigfaltigkeit, mit seinen guten und schlechten, seinen schönen und häßlichen Seiten. Vor allem aber liebte er alles Schöne. Die Schönheit war seine erste Freundin, und er sollte ihr sein Leben lang treu bleiben.

Doch mit elf Jahren entdeckte er bei einem Aufenthalt in Kenilworth abermals etwas, woran er sein Herz verlor ...

Robert Dudley, der Graf von Leicester, erging sich mit seiner neuen Angebeteten in den Gärten des Schlosses zu Kenilworth. Er war ein beherzter Mann. Aber ihm bangte vor dem Geständnis, das er seiner Geliebten jetzt machen mußte. Er räusperte sich. «Liebling», sagte er schließlich, «die Königin kommt nach Kenilworth.»

«Was? Dieses Luder!» sagte Lettice Knollys barsch und sah den Grafen drohend an. «Ich werde sie so eifersüchtig machen, daß sie darauf brennen wird, mir *und dir* die Augen auszukratzen.»

«Aber Liebes», sagte er besorgt, «das alles ist doch längst vorbei. Elisabeth und ich ... wir sind jetzt nur noch Freunde.»

Er hoffte, daß er recht behielt. Sonst würden sich die beiden Frauen wie zwei Hündinnen um einen Knochen raufen, und der Knochen würde *er* sein. Einen Augenblick lang erwog er sogar,

Lettice ins Verlies zu stoßen. Doch nein! Der Gedanke, daß dann vielleicht für den Rest seiner Tage ihr Geist im Schloß herumspukte, behagte ihm noch weniger.

Aber ihre Eifersucht war nicht seine einzige Sorge. Der Besuch der Königin würde ihn teuer zu stehen kommen. Er dachte an die Schar der Höflinge und Hofbeamten, der Diener und Schmarotzer, die er verköstigen mußte, an die abgerichteten Bären, Pferde, Hunde und Falken, die zu beschaffen waren, an die Unordnung und den Schmutz im Schloß und an die vielen kleinen Bastarde, die seine Besucher in der Stadt hinterlassen würden.

So viel war gewiß, ihm standen schwere und kostspielige Tage bevor!

Jung-William war verdrossen. Er wollte daheim bleiben und am Fluß spielen. John Shakespeare dagegen barst vor Stolz. Eine Einladung zu den königlichen Lustbarkeiten auf Schloß Kenilworth! Er zog sich in sein Zimmer zurück und machte eine tiefe Verbeugung: «Darf ich Euer Majestät mein Weib und meinen Sohn Will vorstellen? Sehr wohl, Majestät. Ja, ein guter Junge. Er wird einmal in die bescheidenen Fußstapfen seines Vaters treten. Handschuhmacher, Majestät, und zwar, wenn ich das hinzufügen darf, für den Adelsstand.» Ehrerbietig hauchte er einen Kuß auf die königliche Hand.

Mary Shakespeare blickte wie immer gelassen und ein wenig belustigt drein. Auch sie war nach Kenilworth gebeten, aber wohlgemerkt nicht als Tochter des ehrenwerten Edelmanns Robert Arden, sondern als Ehefrau eines der beiden Stadtkämmerer von Stratford. Sie würde unter den wohlhabenderen Kaufleuten sitzen, sehr viel weiter hinten und auf einem härteren Stuhl, als ihr von Geburt aus zustand. Doch das bekümmerte sie nicht. Es war der Platz, den ihr John sich durch seine Stellung erworben hatte. Sie würde ihn mit Stolz einnehmen.

Sie hatte Robert Dudley vor vielen Jahren kennengelernt. Und noch jetzt, da sie längst Ehefrau und Mutter war, schlug ihr Herz höher, wenn sie an den schmucken, kecken jungen Mann dachte, den die Königin zum Grafen von Leicester ernannt und mit einem königlichen Schloß und dem Kosenamen «Robin» bedacht hatte. Ob er sie wiedererkennen würde? «Mary Shakespeare, gnädiger Herr. Damals war ich Mary Arden. Ja, unser William ist ein braver Bub, gnädiger Herr, und sein Herz gehört der Grafschaft Warwick, der Heimat seiner Vorfahren.»

Ja, Will war ein guter, gelehriger Junge. Er besuchte die Lateinschule, war artig und höflich zu Simon Hunt, seinem Lehrer, und
lernte beflissen Latein und Logik und Arithmetik. Er hörte aufmerksam zu, wenn sein Vater ihn in die Geheimnisse seines Ge-
werbes einweihte und ihm anriet, seine Gedanken aufs Hand-
schuhmachen zu richten. Doch ebenso aufmerksam hörte er zu,
wenn seine Mutter ihm die Aufgaben und Freuden eines freien
Bauern beschrieb. Und war er manchmal ein wenig verwirrt, so
zeigte er es nicht. Er wollte alles tun, was in seinen Kräften stand,
um seine geliebten Eltern beide zufriedenzustellen. Nur wußte er
nicht recht, wie er das bewerkstelligen sollte.

Er hatte Elisabeth falsch eingeschätzt, dachte Robert Dudley mit
finsterer Miene. Und es war ihm nur ein schwacher Trost, daß
auch andere sich in der Königin immer wieder täuschten. Ein Wiedersehen zweier alter Freunde, die traurig ihrer erloschenen Leidenschaft füreinander gedenken – so hatte er sich ihre Begegnung
vorgestellt. Nun, die Leidenschaft mochte verglüht sein, aber die
Eifersucht loderte noch. Bei Elisabeth überdauerte die Eifersucht
alles andere, die Liebe, die Leidenschaft und selbst die Hoffnung.
   Welch ein Glück, daß er für ihren Aufenthalt so viele Lustbarkeiten geplant hatte. Sollte es da nicht gelingen, selbst eine eifer-
süchtige Königin aus ihrer Schmollecke zu locken? Nun konnte er
nur noch dafür sorgen, daß auch ja nichts fehlschlug. Und er tat
sein Bestes. Böllerschüsse, Trompetenschall und Trommelklang
rissen Schloß Kenilworth aus seinem Schlaf und erweckten es zu
neuem Leben. Festliche Zelte und bunte Pavillons waren errichtet,
und von überall her kamen die Menschen herbeigeströmt, aus
Coventry und Warwick, aus Stratford und dem Dörfchen Bir-
mingham, manche zu Roß und manche zu Fuß, andere in Kale-
schen und wieder andere mit der Postkutsche. Denn hier wurde
ihnen geboten, was sie über alles liebten: Lärm und Gedränge,
fröhliche Lustbarkeiten und die Gelegenheit, einen Blick auf die
erhabenen Wesen zu werfen, die den Engeln so viel näher waren
als dem gemeinen Volk.
   Aber Robert Dudley hatte sich zuviel von den Lustbarkeiten er-
hofft. Er saß wie auf Kohlen. Lächelte er die Königin an, schmollte Lettice tagelang. Blickte er Lettice flüchtig in die Augen, zürnte
ihm die Königin. Und es gab noch andere Schwierigkeiten. Die
als Nymphen und Göttinnen verkleideten jungen Mädchen führ-

ten Klage über die lüsternen Krieger der Königin, die ihnen nachstellten.

Die Königin war verzweifelt. Jedesmal wenn sie sich erhob, hinausging oder hereinkam, einen Schluck Wein trank oder sich in ihr Schlafgemach begab, wurde eine Salve abgefeuert. Und wenn die Kanonen schwiegen, musizierten die Lautenspieler oder es gab ein ohrenbetäubendes Feuerwerk. Zwischendurch rezitierte man lateinische Verse, oder ein Maskenspiel wurde aufgeführt, bei dem sie die Königin der Schönheit und der Ehre darstellen mußte. Und natürlich gab es jeden Abend ein Bankett, bei dem Akrobaten und Narren auftraten. Die Nächte waren vom Gekreisch der Nymphen und Göttinnen erfüllt, die draußen auf dem Rasen vor den waffenklirrenden Soldaten flohen. Elisabeth sehnte sich nach der friedlichen Stille von Whitehall zurück. Ihr Robin hatte des Guten zuviel getan.

Aber hatte er nicht, dachte sie traurig, immer schon etwas von einem Emporkömmling gehabt? Nein, sie konnte ihm seine Großtuerei nicht verargen. Jedermann prahlte und protzte. Auch sie selbst, sofern es nicht allzuviel kostete. Aber daß er sie, die Königin, ermüdete, nur um ihre Aufmerksamkeit von einer Dirne wie Lettice Knollys abzulenken – das war unverzeihlich.

Es dämmerte eben, als die Shakespeares sich im milchigen Frühnebel des Julimorgens zum Aufbruch nach Kenilworth anschickten. Das Licht der Stallaterne schimmerte golden über den dampfenden Pferdeleibern.

Unten am Fluß würde der Nebel erst spät am Morgen weichen. Die Schwaden würden zerreißen und die Sonne, das glitzernde Wasser und eine neu erschaffene Welt enthüllen. William vermeinte zu spüren, wie das kühle Wasser ihn umfing, wie die Sommersonne auf seine Wangen und seine Stirn brannte. Er meinte, das taufeuchte Gras unter seinen bloßen Füßen zu fühlen. Er dachte an die langen Ferientage im Sommer, wenn er faulenzen, spielen, schwimmen und träumen durfte. «Mutter, *muß* ich mit?»

«Aber Will, Liebling, natürlich mußt du mit. Die Königin wird dort sein, und Kenilworth ist ein herrliches großes Schloß.»

«Größer als das Haus von Großmutter Arden?»

«Viel, viel größer», sagte Mary lachend.

William konnte es nicht glauben. Ein größeres Haus als das von Großmutter Arden gab es bestimmt nicht auf der Welt. Allein die riesige Halle war beinahe so groß wie der Marktplatz von Stratford, dachte er. Doch jetzt mischte sich sein Vater ein. «Was ist los mit dem Jungen?» fragte er ungeduldig.

«Er möchte zu Hause bleiben und schwimmen», sagte Mary belustigt und wartete auf den unausbleiblichen Zornausbruch.

«Schwimmen? So, schwimmen will er! Ist ihm das wichtiger, als die Adligen und vielleicht sogar die Königin zu sehen?» John Shakespeare war empört. Wer lieber schwimmen wollte, als mit den hohen Damen und Herren zu plaudern, der war ein Narr. Und John hoffte, daß er keinen Narren zum Sohn hatte. Will war ein guter Junge. Aber manchmal mußte John sich doch sehr über ihn wundern. «Genug des Unsinns», sagte er, hob Will auf das kleine, gedrungene Pferd und schwang sich ungelenk hinter ihm auf.

John und sein Pferd hatten manches gemeinsam; beide waren kurzbeinig, rundlich und schwerfällig. Mary dagegen ritt ein schmales, ungeduldiges, hochtrabendes Tier. John hing auf seinem Pferd wie ein Hafersack. Mary saß stolz und aufrecht im Sattel. Am liebsten wäre sie laut jubelnd davongaloppiert.

Will ließ die Augen nicht von seiner Mutter. Sie war so schlank, so schön und so fraulich. Er vergötterte seine Mutter, er liebte ihre Sanftheit, ihre Fröhlichkeit und ihren sprühenden Geist. Sie war eine Mutter, auf die man stolz sein konnte. Eine Arden. Sie trug den gleichen Namen wie der große Wald im Herzen Englands. Und sie vergaß nie, daß sie eine Arden war. Und sorgte dafür, daß auch ihr Ehemann und ihre Kinder es nie vergaßen.

Sie ritten durch den stillen Morgen. Nur das Klappern der Pferdehufe und das Knirschen des Leders war zu hören. Will blickte furchtsam um sich. Gewiß, im traulichen Schein der Laterne, die am Hals des Pferdes leuchtete, und mit seinem Vater hinter sich saß er hier oben so sicher wie in Abrahams Schoß. Trotzdem ängstigten ihn die Bäume, die wie Riesen aus dem Nebel ragten, sich über die Reiter beugten und mit langen Armen nach ihnen griffen. Dichte Schwaden lauerten im Gezweig, schwankende Spukgestalten, die Grimassen schnitten. Er sah die Gespenster nicht wirklich, aber sie waren da, überall, flüchteten vom Wege vor den klappernden Pferdehufen und schwatzten in den Baumwipfeln. Er wußte es. Und wenn nun plötzlich ein böser Geist auf dem Weg vor ihnen erschien? Das Pferd würde sich aufbäumen und ihn, Will, vor die Füße des Ungeheuers schleudern! Er schmiegte sich noch enger in die schützenden Arme seines Vaters. Robin Dells Großmutter hatte einmal mit eigenen Augen einen solchen Unhold gesehen, und das war an

17

einem nebligen Morgen gewesen. Sie hatte es Robin und seinen Freunden erzählt, und noch bei der Erinnerung daran sträubten sich Will die Haare.

Sein Vater sagte: «Der heutige Tag, mein Junge, kann, wenn du Augen und Ohren offenhältst, ein Markstein in deinem Leben werden.»

«Ja, Vater», sagte Will.

«Und paß gut auf, wie ich den hohen Herrschaften gegenübertrete. Nicht zu vertraulich, lieber ein wenig devot. Das kann nie schaden.»

Eine Ringeltaube flatterte von einer hohen Ulme auf, und Wills Herz klopfte wie rasend.

«Die Adligen schätzen es, wenn man ihnen ein wenig devot begegnet.»

«Ja, Vater.»

Mary, die ein Stück vorausgeritten war, wartete an einer Biegung des Weges und wies mit der ausgestreckten Hand gen Süden. «Da drüben», rief sie, «liegen Ländereien der Ardens.»

Will spähte in die Ferne. Aber er sah weit und breit nichts als Nebel, ein von dichten Schwaden verhängtes Gespensterland. Und er malte sich aus, wie er dort hinter dem Pflug einherschritt, während die bösen Geister um ihn herumtanzten und ihn ins Ohr zwickten. Vielleicht sollte ich doch lieber Handschuhmacher werden, dachte er.

«Ein Kaufmann», sagte John, «kann viel Nützliches lernen, wenn er die Adligen beobachtet. Sie fühlen sich geschmeichelt, wenn man ihre feine Lebensart nachahmt. Man darf es nur nicht übertreiben, sonst fordert man ihren Zorn heraus.»

Mit ruhiger, energischer Stimme fragte Mary: «Aber was hat unser Will mit Händlern zu tun?»

Ihr scharfer Ton gefiel John nicht. «Er ist der Sohn eines Kaufmanns», sagte er, «und ich habe die Absicht, ihn auch Kaufmann werden zu lassen.»

«Schon recht, Vater. Ich glaube, ich würde ein schlechter Bauer werden.»

Mary zügelte ihr Pferd. Sie wollte etwas sagen, besann sich aber anders. Die Zeit war noch nicht reif. Ärgerlich galoppierte sie voraus. Will sah ihr besorgt nach. Seine Mutter war offenbar mit ihm unzufrieden. Bekümmert blickte er in den Nebel, in die Richtung, wo die Ardenschen Ländereien lagen. Vermutlich würde ihm gar nichts anderes übrigbleiben, als Bauer zu werden. Er konnte seine Mutter nicht enttäuschen.

Langsam wurde es heller, und bald war es auch nicht mehr so unheimlich still. Man hörte Stimmen, Hufgeklapper und Räderknirschen, und hin und wieder tauchten Gesichter aus dem Nebel auf. Und dann erblickten sie im Morgendunst die Silhouette einer Stadt. «Kenilworth», verkündete sein Vater.

Sie ritten weiter, durchquerten eine schmale Furt, und plötzlich rief seine Mutter: «Will, sieh mal! Dort!»

Er blickte auf, und der Atem stockte ihm vor Staunen und Entzücken. Vor ihm ragte im strudelnden Nebel ein gewaltiges Bauwerk aus rotem Sandstein empor, grimmig, gebieterisch und geheimnisvoll. In dem unsteten Licht war es unmöglich, seine Größe zu ermessen. Lichter glühten gelb im Maßwerk der Fenster. Es war mehr als ein Gebäude, mehr als eine menschliche Behausung. Es war ein Wahrzeichen des königlichen England, schöner und erschreckender als alles, was Will je gesehen hatte. Ihm wurde vor Aufregung ganz schwindelig.

Irgendwo ertönte ein Horn. Die Menschenmenge, die sie jetzt umgab, verharrte einen Augenblick lang und räumte dann in aller Eile die Straße. Reiter in gräflicher Livree sprengten vorbei, dem Schloß entgegen. Ihnen folgten gemächlich einige Damen und Herren zu Pferde, die hochmütig geradeaus blickten, so als seien die vielen Menschen, die sich zu beiden Seiten der Straße an die Hecken drückten, gar nicht vorhanden.

Nur eine der Damen, eine Frau, die in einen weiten Reitmantel mit Kapuze gehüllt war, wandte ihre Blicke dem Volk auf der Straße zu, und ein Raunen, das William an das Rascheln des Schilfs im Sommerwind erinnerte, ging durch die Menge: «Die Königin! Die Königin! Die Königin!»

Die Männer zogen untertänig ihre Hüte, und die Frauen machten einen tiefen Knicks. Die Königin hielt an. William erblickte ein bleiches, lebhaftes Gesicht und eine rötliche Haarlocke unter der grünen Kapuze. Ehrfurchtsvolle Liebe durchglühte ihn. Und sogleich malte er sich aus, wie er in der Schlacht sein Leben für die Königin ließ. Nichts anderes wünschte er sich in diesem Augenblick. Er schwenkte stürmisch seinen Hut und rief ergriffen: «Gott erhalte Eure Majestät!»

Die Königin liebte ihre Untertanen. Doch gab es Zeiten, da sie ungehalten war und weniger Liebe für sie empfand. So war es an diesem trüben Morgen. Sie hatte noch nicht gefrühstückt, und Robin war gerade mit Lettice im Nebel entschwunden. Elisabeth starrte ihr Volk zornig an. Dann stieß sie ein hohes, schneidendes «Ha!» hervor und sprengte davon. Ohne ein Lächeln, ohne ein Wort. Gleich darauf ritt sie über die Brücke von Schloß Kenilworth, und die Kanonen donnerten zu ihrer Begrüßung. In diesem Augenblick zerriß der Nebel, die Sonne brach hervor, und Will sah das Schloß in all seiner kühnen Pracht vor sich.

Die Fenster flammten im Sonnenlicht. Die Rüstungen, die Hellebarden und Pieken blitzten und glänzten. Der riesige Sandsteinbau war mit Wimpeln und Bannern geschmückt. Davor waren buntgestreifte Zelte errichtet. Damen in Seidengewändern und Herren in steifem Brokat belebten das Bild. Mary Shakespeare lächelte. Was der Graf von Leicester auch unternahm, er tat es, wie es sich gehörte. Sie blickte zu ihrem Sohn hinunter.

William saß schweigend da, in den Anblick des Schlosses versunken. Sein munteres sonnenverbranntes Gesicht drückte Verwunderung aus, als traute er seinen Augen nicht. Er liebte so vieles: den Fluß, die Wiesen, die Blumen, das fröhliche Treiben auf dem Marktplatz von Stratford, die Pferde, die zarten Rehe im Wald und die streunenden hungrigen Hunde. Aber was er hier erblickte, hatte er noch nie gesehen. Diese Schönheit und dieser Reichtum übertrafen alle seine Vorstellungen.

Das Festprogramm war auch an diesem Tag vielfältig und abwechslungsreich. Da gab es eine Rezitation aus den ‹Metamorphosen› von Ovid, einen Madrigal-Wettbewerb, einen Kampf, bei dem Doggen auf einen Löwen gehetzt wurden, ein Feuerwerk, einen Gedicht-Vortrag, eine Gigue, einen fröhlichen Reigen und ein Maskenspiel über Juno, das Leicesters Hofpoet George Gascoigne verfaßt hatte, ein Meister der englischen Prosa.

Gleichwohl war es ein schlechtes Stück. In Eile geschrieben, anmaßend und hochtrabend. Obendrein hatten die Schauspieler nicht genügend geprobt. Und Lettice, die als Juno auftrat, war so sehr damit beschäftigt, Robert Dudley, der neben der Königin saß, eifersüchtig im Auge zu behalten, daß sie nicht einmal so tat, als habe sie ihre Rolle gelernt. Jedesmal wenn sie den Mund auftat, gähnte Elisabeth betont gelangweilt, und jedesmal wenn die Königin gähnte, gähnten auch alle anderen Zuschauer.

Bis auf William. Er war entzückt. Zwar hatte er in Stratford einige Male Schauspielertruppen, die durch das Land zogen, ihre Stücke spielen sehen, doch was er damals nicht verstanden hatte, das gewann für ihn nun plötzlich Schönheit und Bedeutung. Die prächtigen Kostüme, die Reden und Gegenreden, die Gesten! Erwachsene Männer und Frauen *spielten* die Götter und Göttinnen alter Zeiten! Welch eine wunderbare Idee! Bisher war ihm nie klargeworden, daß Erwachsene auch *spielen* konnten. Wenn *er* einmal groß war, würde er auch spielen, sagte er sich. Aber in einem besseren Stück als diesem. All die Worte, die hier gesagt wurden, waren so unnütz! Er wollte Handlung sehen, Kampf und Streit, nicht dieses alberne und übertriebene Getue. Er versank in einem Traum, in dem er Waffen klirren hörte, in dem er Liebe und Haß unerbittlich zusammenprallen sah. Seine Mutter sah ihn an und erschrak. Mit weit aufgerissenen Augen starrte das Kind verzückt ins Leere. Hatte eine Hexe ihren William verwünscht? Ängstlich ergriff sie seinen Arm. «Will, was ist dir?»

Er sah sie aus seinen großen braunen Augen an. «Nichts, Mutter.» Dann wies er mit einem Kopfnicken auf die Schauspieler und fragte sie: «Mutter, darf ich, wenn ich erwachsen bin, auch so spielen?»

Mary war bekümmert, daß sie ihn enttäuschen mußte. «Nein, mein Kleiner, das ist nur etwas für die hochadligen Damen und Herren», sagte sie.

William schwieg. In seinem Kopf fochten noch immer Könige und Königinnen, Prinzen und Prälaten ihre Fehden aus.

Nach dieser elenden Vorführung hatte Robert Dudley das Verlangen, sich die Beine zu vertreten, und er beschloß, sich seinen Gästen zu zeigen.

Er gab sich gern huldvoll, vor allem, wenn seine Huld ihn nichts kostete, und er wußte, daß der Anblick des mächtigsten Mannes von England den Frauen und Töchtern der kleinen Händler und Landbesitzer großes Vergnügen bereitete. Außerdem wollte er sich vergewissern, daß keine schöne Frau seiner Aufmerksamkeit entging. Es war erstaunlich, was für anziehende und schöne Geschöpfe das einfache Volk zuweilen hervorbrachte.

Sein Blick fiel auf eine hochgewachsene, schlanke Person. Kein junges Mädchen mehr, sagte er sich, aber eine reizende und, nach ihrem Äußeren zu schließen, höchst lebhafte Frau. Zwar hatte er mit Lettice und der Königin von lebhaften Frauen fürs erste genug, doch konnte er Schönheit nie widerstehen. Er zog sein Barett. Und da die Dame unter den Händlern und ihren Frauen stand, verbeugte er sich ein wenig nachlässig und herablassend. «Madame ...» murmelte er fragend.

Sie deutete anmutig einen Knicks an und lächelte. Es war ein belustigtes Lächeln, das ihn verwirrte. Gewöhnlich waren die armen Gänse so überwältigt, wenn er sie eines Grußes würdigte, daß sie fast über ihre eigenen Füße stolperten. Er war auf Ehrfurcht, Dankbarkeit oder Entzücken gefaßt, nicht aber auf unverhüllte Belustigung. «Mary Shakespeare, gnädiger Herr», antwortete sie gelassen.

Gott, welch ein schwieriger Name, dachte er.

«Aber Ihr habt mich einst als Mary Arden kennengelernt.»

«Ah!» Das war schon besser. Eine gute Familie. Aber er hatte das Gefühl, daß er auf diese Frau keinen so großen Eindruck machte, wie er es sonst bei Frauen gewohnt war. Und so versuchte er es mit dem alten Spiel, indem er die Mutter nach ihrem Sprößling fragte: «Ist der Bub Euer einziges Kind?»

«Nein, gnäd'ger Herr, die jüngeren Kinder sind bei ihrer Großmutter Arden. Und dann gab es noch zwei kleine Mädchen, die jung starben.»

Er wandte sich Will zu: «Und gefällt es dir auf Kenilworth?»

«O ja, gnäd'ger Herr. Nur das Maskenspiel – das fand ich schlecht.»

«William!» rief Mary, und jetzt war sie nicht mehr gelassen. Sie wußte von Familien, die für harmlosere Bemerkungen ihres Besitzes beraubt und vertrieben worden waren. Besorgt sah sie die zwei tiefen Furchen zwischen Dudleys Augenbrauen.

«So, wirklich, Master William? Und was ist so schlecht an dem Stück?»

«Es sollte mit Eurem Barte zum Balbier, gnäd'ger Herr, es gehört zurechtgestutzt.»

«Ich verstehe.» Er richtete sich mit ernster Miene auf. «Was habt Ihr mit dem Buben vor, Mistress Shakespeare?»

«Ein guter, feiner Bauer soll er werden. Wie seine Ardenschen Vorfahren es waren.» Sie wollte das Eisen schmieden, solange es heiß und John aus dem Wege war. «Es wäre eine Ehre für den Jungen und für uns alle, wenn er für Eure Lordschaft arbeiten dürfte.»

Eine der Händlerstöchter warf dem Grafen begehrliche Blicke zu

– ein hübsches, geistloses Frauenzimmer, schon halb erobert. Was sollte er da mit dieser Mary Shakespeare und ihrem scharfsinnigen, aber altklugen Sprößling seine Zeit vergeuden? Er sagte hastig: «Laßt ihn zur Schule gehen, bis ein Mann aus ihm geworden ist, und dann bringt ihn meinem Landvogt. Wir werden schon Arbeit finden für Master Shakespeare.»

«Ich dank Euch auch. Eure Lordschaft ist sehr gütig.» Sie machte einen tiefen Knicks. Aber der mächtigste Mann von England war schon seiner Wege gegangen, um einer anderen Frau aus dem Volk seine Huld zu schenken.

«Will», sagte Mary erregt, «du mußt vorsichtig sein. Schon manch einer, der so sprach wie du zum Grafen, bekam die Ohren abgeschnitten.»

«Aber ich hab doch die Wahrheit gesagt, Mutter.»

«Um so schlimmer. Oh, da ist dein Vater. John, stell dir vor! Ich habe mit dem Grafen gesprochen. Und Will hat einen guten Eindruck gemacht. Der Graf will ihn in seine Dienste nehmen.»

«Oh!» John platzte fast vor Stolz. «Unser Sohn im Dienst des Grafen von Leicester! Wer weiß, vielleicht ist das der Weg zum Hof der Königin.»

Mary schwieg. Und dann erinnerte sich John. «Aber das Geschäft! Ich wollte doch so gern . . .»

Sie schob ihren Arm unter den seinen. «Ich weiß, John, ich weiß, was dir am Herzen liegt. Nun, dann muß dem Grafen abgesagt werden.» Sie lächelte ihn strahlend an.

«Ja», murmelte John Shakespeare. «Dem Grafen muß abgesagt werden.» Aber es klang, als sei er seiner Sache nicht sehr sicher.

2

Das Schauspiel sei die Schlinge ...

In dem kleinen Dorf Shottery hatte man eine Hochzeit gefeiert. Ein armseliges Fest! Eine langweilige Zeremonie in der Kirche, und danach ein karges Hochzeitsmahl mit wenig Bier und ohne derbe Späße. Aber was konnte man schon von einer Hochzeit erwarten, wenn der Brautvater in einem frisch geschaufelten Grab lag und die Stiefmutter der Braut sich vor lauter Kummer noch törichter aufführte als gewöhnlich. Und wenn zwei gestrenge Puritaner, Fulk Sandells und John Richardson, an Stelle ihres verstorbenen Freundes Richard Hathaway das Fest ausrichteten!

Jetzt waren die wenigen Gäste heimgegangen, und keiner der Männer hatte getaumelt, eine wahre Schande für die Gastgeber. Der graue Frühlingstag ging unmerklich in einen trübseligen Abend über. Irgendwo bellte ein Hund, und sein beharrliches Lärmen betonte noch die ländliche Stille. Blütenblätter, die der wolkenreiche Mai vorzeitig hatte welken lassen, fielen müde zu Boden, und das Abendlied der Amseln klang wie ein Trauergesang an diesem traurigen Hochzeitstag in Shottery.

In dem strohgedeckten Bauernhaus aus roten Ziegeln saßen die beiden Neuvermählten, die Stiefmutter der Braut und die Brautjungfer schweigend vor dem leeren Kamin. Die frisch gebackenen Eheleute warteten schüchtern und freudig erregt, daß es Zeit wurde, zu Bett zu gehen. Mistress Hathaway nähte, obwohl ihre Augen vor Tränen halb blind waren, aber als Hausfrau konnte sie es sich nicht erlauben, auch nur eine Minute lang untätig zu sein.

Der junge Ehemann stand auf und ergriff zärtlich die Hände seiner Frau. Sie erhob sich und umarmte zuerst ihre Stiefmutter und dann die Brautjungfer. «Gute Nacht, meine süße Schwester Anne», sagte sie liebevoll und dachte traurig daran, daß mit diesem Abend vieles, was sie miteinander verband, zu Ende ging oder sich ändern würde, und auch daran, daß ihre um sieben Jahre ältere Schwester nicht mehr auf einen Ehemann hoffen konnte. Langsam stieg sie die Leiter hinauf. Der junge Ehemann folgte ihr.

Anne spürte eine Träne auf ihrer Wange und wischte sie fort. Sie stand auf und ging zur Tür. «Darf ich noch ein wenig hinaus, Mutter?»

Ihre Stiefmutter sah sie mürrisch an. «Wie, gehören wir jetzt zum Adel, daß wir im Sonntagsstaat in Samt und Seide draußen umherspazieren?»

«Ich . . . ich möchte mich jetzt nicht oben umziehen.»

«Also gut. Aber nimm dich in acht. Ein Glück, daß dir in deinem Alter jedenfalls kein Bursche ein grünes Kleid machen wird», fügte sie grausam hinzu.

Anne stürzte aus dem Haus, lief zur Gartenpforte und trat hinaus auf den Feldweg. Die Amseln sangen noch, und in der Ferne, hinter dem Wald, bellte noch immer der Hund. Sie brach in bittere Tränen aus. Kein Mann wollte sie haben. Sie wußte, daß sie für immer an dieses düstere, halb unter Bäumen versteckte Dorf und an ihre verbitterte Stiefmutter gefesselt war. Und da ihr Vater gestorben war, würde es ein Leben in Elend und Armut sein. Es gab kein Entrinnen. Sie würde eine alte Jungfer werden. Kein Mann würde ihr Freude bringen und Kinder schenken, keiner würde sie vor Hunger bewahren und vor Gefahren schützen.

Sie schritt im dunklen Schatten der Bäume dahin. Zu ihrer Linken schlängelte sich ein Pfad durchs hohe Weidegras, und da die Düsternis unter den Bäumen sie schreckte, bog sie links ab.

Will Shakespeare schlenderte vergnügt durch die Wiesen.

Er war jetzt achtzehn und der ganze Stolz seiner Mutter. Er sah gut aus mit seinem offenen bäuerlichen Gesicht unter dem kastanienbraunen Haar, war von kräftiger, fast robuster Statur und im Wesen noch immer so freundlich wie als Knabe, immer darauf bedacht, jedermann zu gefallen.

Als er jetzt ein Mädchen in dieser einsamen Gegend des Weges kommen sah, schlug sein Herz schneller. Sie trug ein Kleid aus blauer Seide mit hübschen Bändern und Spitzen, und einen Augenblick dachte er, sie gehöre zum Landadel. Aber nein. Sie ließ schüchtern den Kopf hängen wie eine Glockenblume. Wäre sie ein adliges Fräulein gewesen, hätte sie ihn hochmütig angestarrt. Sie mußte ein Landmädchen sein, obwohl sie sich so herausgeputzt hatte. Er bebte vor Neugierde.

Und Anne auch. Trotz ihres Kummers hatte sie doch den jungen, schmucken Burschen, der ihr da entgegenkam, sogleich bemerkt.

Sein Gesicht war gebräunt und leuchtete wie eine eben aus der Schale gesprungene Kastanie. Sein Wams und seine Hose waren aus Kordsamt, die Strümpfe aus grober Wolle.

Anne war erleichtert, aber in ihrer verzweifelten Stimmung zugleich auch ein wenig enttäuscht, daß er nicht zum Landadel gehörte. Wäre ihr auf dieser einsamen Wiese ein Edelmann begegnet, hätte es sicherlich eine Balgerei im Gras gegeben. Für die Adligen waren Bauernmädchen Freiwild wie Rehe, Eber oder Füchse.

Als sie im Näherkommen den Kopf hob, bemerkte Will, daß ihre Augen von dem gleichen zarten Blau waren wie ihr Kleid. Und diese Augen hatten offensichtlich geweint. Mitleid wallte in ihm auf, und schnell schob er den Gedanken beiseite, daß sie allem Anschein nach kein junges Mädchen mehr war.

Und so wie er sich als Knabe in Blumen, Wolken und Sonnenschein verliebt hatte, so verliebte er sich nun zum erstenmal in eine Frau. Ein Mädchen, bleich wie der Mond, zart wie Distelwolle und sanft wie die Brustfedern einer Taube. «Wer seid Ihr?» fragte er sie leise.

Sie sagte es ihm. Ihre Stimme war tief und melodisch. «Anne Hathaway.»

Ein schöner, wohlklingender Name, ein Name, den man liebevoll an den Rand von Buchseiten schreiben konnte. Wie die anderen, die er schon so oft geschrieben hatte: Regina, Elisabeth Tudor, Will, William Shakespeare.

Seine ruhige Stimme flößte ihr Vertrauen ein. Sie bemerkte, daß sein Blick auf ihrem tief ausgeschnittenen Mieder ruhte, und dachte sogleich, daß er ihr nur um ihres festlichen Kleides willen Beachtung geschenkt habe. «Meine Schwester hatte heute Hochzeit», erklärte sie. «Ich war Brautjungfer.»

«Ah so.»

Sein Lächeln und der freundliche Ton seiner Stimme machten ihr Mut, und sie fragte: «Ihr seid nicht aus Shottery, Sir, nicht wahr?»

«Nein. Ich bin Will Shakespeare aus Stratford», antwortete er und fügte wichtigtuerisch hinzu: «Ich stehe im Dienste des Grafen von Leicester.»

Das Mädchen erbleichte. Man brauchte nur den Namen des Grafen zu erwähnen, und die Leute in den Dörfern schlotterten vor Angst. Gleich wird sie mir davonlaufen, dachte er und sagte rasch: «Aber ich pflüge nur das Land des gnädigen Herrn.» Sie sah erleichtert aus, aber er wollte es bei dieser Auskunft nicht belassen. «Ich stamme von den Ardens ab», erklärte er. «Ich lerne bei dem Grafen Ackerbau, damit ich später das Land meiner Familie besser bewirtschaften kann.»

Zum Teufel, jetzt hatte er sie zum zweitenmal erschreckt. Mit seinem liebenswürdigsten Lächeln sagte er: «Es dunkelt, Mistress Anne, und es heißt, daß die Kobolde frei umherstreifen dürfen, wenn die Sonne den Erdrand berührt. Erlaubt Ihr mir, daß ich Euch heimbegleite?»

Anne errötete. Kobolde, ein junger Arden, der im Dienst des edlen Grafen stand, das alles war zu viel für sie. Aber der junge Mann war so freundlich, und was er über die Kobolde gesagt hatte, war ihr wohlbekannt.

Zusammen gingen sie auf die verschwommenen gelben Lichter von Shottery zu. Anne schwieg. Aber auch Will brachte keine Silbe heraus, was bei ihm durchaus ungewöhnlich war.

Sie kamen an die Gartenpforte. Anne drehte sich um und sah ihn an. Verzweifelt suchte sie nach Worten. Sie, Anne Hathaway, erlebte jetzt etwas, das sie bisher immer nur voll Sehnsucht bei anderen Mädchen beobachtet hatte – sie stand in der Dämmerung mit einem jungen Burschen an der Gartenpforte. Doch wenn sie nicht bald etwas sagte, würde er auf Nimmerwiedersehen verschwinden. Stammelnd murmelte sie: «Ich danke Euch, daß Ihr mich begleitet habt, Sir.»

Und wieder dieses freundliche Lächeln. Es schien die Dämmerung zu erhellen und die Abendkühle zu verscheuchen. Sie blickte ihm in die Augen. Und da plötzlich wußte sie, daß sie verliebt war – in einen jungen Mann, der fünf, sechs, sieben Jahre jünger sein mußte als sie! In einen Fremden! Und dieser Fremde nahm jetzt ihre Hand und hielt sie in der seinen, so wie man einen erschreckten Vogel hält, und sagte leise: «Mistress Anne, Ihr habt geweint.»

«Aber jetzt weine ich nicht mehr», sagte sie lächelnd mit einem tiefen Seufzer.

«Werden wir uns wiedersehen?» fragte er.

Sie senkte den Kopf. «Wenn ... wenn Ihr es wollt», murmelte sie.

Er verbeugte sich. So anmutig wie ein galanter Höfling, dachte Anne. Und dann schritt er davon, nachdenklich und verwirrt von dem Sturm seiner Gefühle, beschwingt und zugleich besorgt. Wie konnte dieses Mädchen je so einen Grünschnabel wie ihn lieben?

Mistress Hathaway sah ihre Stieftochter vorwurfsvoll an. «Was treibst du dich draußen herum zu einer Stunde, da nur die Hexen unterwegs sind? Hast du Ausschau gehalten nach dem Kobold Puck, weil kein richtiger Mann dich ansieht?»

«Laß mich in Frieden, Mutter», sagte Anne. Und hätte ihre Stiefmutter Augen im Kopf gehabt, wäre ihr aufgefallen, daß die Anne, die da verwirrt und verzückt vor ihr stand, nicht dieselbe Anne war, die vor einer Stunde traurig und verzagt das Haus verlassen hatte.

Niemand außer der Königin liebte Robert Dudley, den Grafen von Leicester. Man fürchtete ihn vielmehr. Einer der Gründe dafür war, daß jedermann, ob zu Recht oder zu Unrecht, glaubte, er habe, um die Königin heiraten zu können, seine Frau Amye ermordet. Die Ironie des Schicksals wollte es, daß die Königin ihn deshalb gar nicht heiraten konnte. Und dieser Fehlschlag trug ihm mehr Verachtung ein als der Mord, dessen man ihn verdächtigte.

Das war ungerecht. Er verdiente Achtung. Wie so viele seiner Zeitgenossen vereinigte er in sich wilden Ehrgeiz und rücksichtslose Selbstsucht mit dem selbstlosen Wunsch, seinem Land zu Ruhm und Ehren zu verhelfen.

Außerdem liebte und förderte er das Theater. So kam es, daß ihm bei einer Begegnung mit seinem neuen Diener Will sogleich der elfjährige Knabe wieder vor Augen stand, der damals ein so reges Interesse am Theater gezeigt hatte. «Ah, da ist ja Master Shakeshaft, der das Theaterstück meines Dichters George Gascoigne so schlecht fand.»

Die Stimme des Grafen klang höhnisch. Will schluckte und zitterte. Aber seine jugendliche Dreistigkeit war stärker als seine Furcht. «Shakespeare, gnädiger Herr. Will Shakespeare.»

«Zum Teufel! Ich nenne dich, wie ich will», brüllte er und starrte Will mit einem kalten Blick an.

Will schwitzte. Würde der Graf ihn für seine Unbotmäßigkeit ins Verlies sperren oder ihn auspeitschen lassen?

Dann kam die Frage, und sie klang wie ein Peitschenhieb. «Kannst du es besser machen, Bürschchen?»

«Ich ... ich könnte es versuchen, gnädiger Herr.»

«So. Dann schreib mir ein halbstündiges Schauspiel für die Bühne. Aber in deiner freien Zeit, hast du verstanden?»

Schreiben! Eine Feder in der Hand halten, Personen, Kampf und

Streit im Kopf erstehen lassen und zu Papier bringen! Der Graf fuhr fort: «Du bekommst von mir Federn, Tinte und Papier. Geh zu Gascoigne, er soll dir geben, was du brauchst.»

«Aber ... aber, gnädiger Herr», rief Will.

«Was noch?» Der Graf war wütend. *Er* hatte das Gespräch beendet.

«Gnädiger Herr, was kann man in einer halben Stunde auf der Bühne sagen? Mein Spiel braucht vier, fünf Stunden.»

«Eine halbe Stunde, hab ich gesagt. Wenn du schreiben kannst, was ich bezweifle, dann werden wir es in den ersten fünf Minuten wissen.»

Wutschnaubend ging der Graf von dannen. Ein eitler Geck, dieser Will Shakespeare. Er hatte sich erdreistet, ihn zu korrigieren! ‹Shakespeare, gnädiger Herr.› Bei Gott, er würde diesen Bauernlümmel lehren, in einem anderen Ton zu krähen!

Aber bei aller Frechheit und unziemlichen Selbstsicherheit hatte der Bursche Eindruck auf ihn gemacht. Da war irgend etwas an ihm, das seine Neugier reizte. Und er wollte nicht Gefahr laufen, sich einen nützlichen Schreiberling entgehen zu lassen.

Er sprach mit George Gascoigne. «Da ist ein Junge, Shakespeare oder so ähnlich. Gib ihm Federn, Tinte und Papier. Und einen Raum, wenn er ihn braucht. Er soll mir ein halbstündiges Meisterschauspiel schreiben.»

«So, so!» George Gascoigne machte eine halb belustigte, halb verächtliche Miene. *Er* war der Dichter. Und er wollte keine jungen Füchse neben sich haben, die ihm das Brot wegnahmen. «Was wissen wir über ihn?»

«Nichts. Außer daß er dein Maskenspiel ‹Juno› schlecht fand.»

«Aha. Welch eine seltsame Empfehlung!» Meister Gascoigne setzte ein dünnes Lächeln auf.

«Es *war* schlecht», sagte Leicester trocken.

Gascoigne schwieg. Er war es gewohnt, Kränkungen hinzunehmen, und er tat es wortlos. Aber er schluckte sie nicht herunter, sondern behielt sie wie Galle in der Kehle und spuckte sie denen ins Gesicht, die nicht zurückspucken konnten.

Der Graf sagte: «Wir werden das Stück in der großen Halle aufführen, zusammen mit ein paar Madrigalen und Tänzen. Wenn es gut ist, um so besser. Und wenn es so *miserabel* ist wie deine ‹Juno›, werden wir mit dem Burschen unseren Spott treiben.» Er versank in nachdenkliches Schweigen. Gascoigne, der ihn beobachtete, sah, wie seine kalten Augen böse funkelten und verzog seine schmalen Lippen zu einem beifälligen Lächeln.

In Wills Kopf summte und surrte es wie in einem Bienenkorb. Worte schwirrten durch die Luft, Kanonendonner und Waffengeklirr hallten in seinen Ohren, und er sah die kämpfenden Gestalten deutlich vor sich. Aber was half ihm das alles ohne eine richtige Handlung? In seinem fiebernden Geist gärte und grollte es, aber ihm fehlte der Pflock, an dem er das, was er vor sich sah, aufhängen konnte.

Er ging zu George Gascoigne. «Sir, der gnädige Herr hat gesagt, Ihr möchtet mir Federn und Papier geben.»

Gascoigne rekelte sich in einem Sessel und sah ihn unverschämt von oben bis unten an. Will unterdrückte die innere Stimme, die immer wieder rief: ‹Du kannst kein Schauspiel schreiben›, und sagte in gewichtigem Ton: «Ich soll ein Schauspiel für den Grafen schreiben.»

«Und worüber?» fragte Gascoigne. Er warf Will ein paar Gänsekiele und ein paar Bogen Papier über den Tisch. Sie fielen zu Boden.

Will bückte sich und hob sie auf. «Oh, über irgend etwas, Sir.»

«Irgend etwas ist nichts. Wie Ihr bald entdecken werdet, Master Shakewell.» Er warf ihm einen giftigen Blick zu. «So, und Ihr fandet also meine ‹Juno› schlecht?»

«Die Schauspieler, Sir, haben Euch keine Ehre gemacht.»

«Ah! Eine glatte Zunge habt Ihr. Aber Ihr wißt sicherlich, daß die Dame, welche die Juno spielte, jetzt die Gräfin von Leicester ist, die Herrin von Kenilworth.»

«Nein. Nein ... das wußte ich nicht.» Plötzlich sehnte er sich nach seinem ruhigen Leben in Stratford zurück. Schon nach dieser kurzen Zeit auf Schloß Kenilworth hatte er das Gefühl, daß der Umgang mit hohen Herren und Damen zu anstrengend für ihn sei. Hier mußte man sich glücklich schätzen, wenn man nach einer Woche noch im Besitz seiner beiden Ohren und seiner Zunge war.

George Gascoigne kicherte höhnisch: «Ich meine wohl, sie wird Euer Urteil mit großem Staunen vernehmen!»

«Sir, wäre es nicht unfreundlich, es ihr mitzuteilen?» stammelte Will besorgt.

«Unfreundlich, Master Wagspeare? Wenn wir uns berechtigt dünken, ein Theaterstück herunterzuputzen, sollten wir dann nicht auch den Mut haben, zu unserem Urteil zu stehen? Und ob ich es ihr mitteilen werde, junger Mann.»

«Sie wird darauf nichts geben. Es ist nur das Urteil eines ungelehrten Dieners Seiner Lordschaft.»

Gascoigne sprang auf und trat dicht vor Will hin. «Glaubt mir, Master Schlotterknie», sagte er ernst, «die Gräfin *wird* etwas darauf geben. Die Gräfin ist nicht sehr duldsam. Die Gräfin schätzt Kritik wie der Bär den Hundebiß.» Er seufzte befriedigt. «Die Gräfin wird Euch zerfetzen, kleiner Mann. Ja, zerfetzen wird sie Euch.»

Will blickte angstvoll in zwei feindselige Augen. Dann verbeugte er sich, wandte sich um und ging davon.

Heim nach Stratford, dachte er, bevor ich mich um Kopf und Kragen geredet habe. Vater, ich habe gesündigt, laß mich das Geschäft übernehmen. Mutter, gib mir den Hof, das Gut, das du mir versprochen hast.

Dann dachte er wieder an das Schauspiel. Seine Chance! Er mußte ein so gutes Schauspiel schreiben, daß die Gräfin ihren Zorn vergessen, der Graf ihn hinfort wie seinen Augapfel beschützen würde.

Er erinnerte sich an eine alte Sage, in der alles vorkam, was er beschreiben wollte: Könige, Königinnen, ein Prinz von Dänemark, die Geister Verstorbener, Mord und Rache, Liebe und Haß. Zwar wußte er nicht, wie er das alles in ein halbstündiges Schauspiel hineinpressen sollte, aber irgendwie würde er es schaffen.

Er eilte nach Shottery, lief keuchend die kleinen, vom Regen glatten Wiesenpfade entlang, und je weiter er sich von Kenilworth entfernte, um so mehr vergaß er die Gräfin und ihren Zorn. Er dachte jetzt nur noch an sein Schauspiel.

Die Strahlen der Abendsonne durchbohrten den Wald wie tausend Speere und verwandelten die weiße Straße in schimmerndes Linnen. Plötzlich sah er mitten auf der Straße den Schatten einer gegen ihn gerichteten Lanze. Zu Tode erschrocken sah er auf und erblickte vor sich im blendenden Sonnenlicht die dunkle Silhouette einer Frau. Ihr Haar glänzte golden. Sie hielt die Hände ausgestreckt und breitete die Arme aus, als wollte sie ihn willkommen heißen und segnen.

Er bekreuzigte sich. Er war nicht sehr fromm, und er konnte sich nicht vorstellen, daß ihm die Himmelskönigin auf einer Landstraße erschien. Aber man konnte nicht wissen. Nichts war unmöglich in dieser Welt.

Doch dann erkannte er die Gestalt. «Anne!» flüsterte er zärtlich.

«Will!» rief sie glücklich.

Er nahm ihre Hände, kräftige Hände für ein so zartes Wesen,

dachte er. Das kam sicherlich von der harten Arbeit im ländlichen Haushalt. «Ich werde ein Schauspiel für den Grafen von Leicester schreiben», sagte er.

Sie lächelte ihn, ohne zu verstehen, voller Bewunderung an. Es gab so viele Leute, die sein Talent nicht zu würdigen wußten, aber Anne bewunderte ihn, und das tat ihm jedesmal, wenn sie einander trafen, so wohl wie der sommerliche Sonnenschein. Doch liebte er sie nicht nur deshalb. Er liebte sie vor allem wegen ihrer Sanftheit, ihrer Freundlichkeit, ihrer unauffälligen Schönheit.

Er legte den Arm um ihre schmale Taille. Sie verließen die Straße und gingen einen Pfad entlang, der an einem Kornfeld vorbeiführte. Die hohen Ähren leuchteten grün, und zwischen den Weiden sickerten Sonnenstrahlen hindurch. Der Abendhimmel färbte sich gelb und rot. Unter den Zweigen einer hohen Ulme blieb Will stehen und küßte Anne zum erstenmal auf die Lippen. Seufzend schmiegte sie sich an ihn und erwiderte seinen Kuß. «Liebst du mich?» flüsterte sie. Er nickte. Langsam ging die Sonne unter, die Dämmerung kroch unter die Bäume, und eine kühle Abendbrise bewegte die Weidenzweige und strich wie ein Hase durchs Korn.

Will küßte sie wieder, wie um sich für die langen Stunden der Trennung zu stärken. Er wollte sie ins Gras herabziehen, aber sie riß sich ärgerlich und verängstigt von ihm los. «Sir», rief sie, «Ihr wollt mir doch kein grünes Kleid machen? Meine Stiefmutter würde mich umbringen.» Ihre Augen funkelten zornig.

«Ein grünes Kleid?» fragte er verwundert.

Sie nahm seine Hand und zog ihn wieder auf den Pfad. Lustig schwang sie seinen Arm hin und her, um ihren Zornausbruch wiedergutzumachen. «O Will, liebst du mich wirklich?»

«Natürlich», sagte er. Für einen Dichter war das keine sehr poetische Liebeserklärung. Aber ihm ging gerade etwas anderes durch den Kopf. Er hatte einen neuen Ausdruck gehört und wollte ihn verstehen, damit er ihn später vielleicht einmal anwenden konnte. «Ein grünes Kleid?» fragte er wieder.

«So sagen wir hier», antwortete sie. «Wenn ein Paar auf der Wiese liegt und das Mädchen kommt mit Grasflecken im Kleid nach Hause, dann sagen wir: ‹Er hat ihr ein grünes Kleid gemacht.›» Sie hatte seine Hand losgelassen und sich mißmutig abgewandt. Sie blieben draußen vor ihrem Haus stehen.

«Was hast du?» fragte er.

Sie stand steif da, die Füße dicht beieinander, und starrte auf ihre

Schuhspitzen. Behutsam hob er ihr Kinn. Ihr Gesicht war traurig. «Worüber ärgerst du dich?» flüsterte er und berührte ihre Lippen mit den seinen.

«Ich weiß es selber nicht», sagte sie kläglich.

Sie wußte es wirklich nicht. Sie wußte nur, daß sie liebte und – o Wunder – wiedergeliebt wurde, wo sie doch fast schon eine alte Jungfer war. Und mit ihrem fraulichen Instinkt spürte sie, daß dieser Will für sie immer ein Irrlicht sein würde, so unfaßbar, daß sie immer nur einen kleinen Teil seines Wesens begreifen würde und sich damit zufriedengeben mußte. Zugleich aber wußte sie auch, daß ihr ein kleiner Teil von diesem Will Shakespeare mehr bedeutete als von anderen die ganze Person. Und daß Liebe mehr war als nur Zärtlichkeit. Liebe war auch Sehnsucht und Hingabe, und das alles wollte sie und wollte es auch wieder nicht. Sie hatte Angst davor und ebenso Verlangen danach.

Sie lächelte traurig, hob die Hand und strich ihm über das Haar. «Will», flüsterte sie. «Mein süßer Will, mein Irrlicht.» Dann ging sie ins Haus. Sie weinte nicht, aber eine einzelne Träne glitzerte im Kerzenlicht auf ihrer Wange.

Trunken von der Schönheit und Herrlichkeit des Lebens lief Will den Weg zurück. Er lachte wild und weinte, und wußte nicht warum. Am östlichen Himmel breitete sich rötlicher Feuerschein aus. Brannte irgendwo hinter dem Horizont eine ferne Stadt?

Nein. Der Mond ging langsam hinter einem kleinen Hügel auf, stieg höher und glitt sanft und lächelnd am Himmel empor. Welch ein Auftritt! «Bravo», rief Will. «Bravo, alter Mond!» Er klatschte in die Hände und machte einen Freudensprung. Die feuchten Wiesen träumten im Mondlicht. Es war eine laue Sommernacht, und schwerer Blumenduft hing in der Luft. Die Sterne schimmerten wie Diamanten auf einem Samtkissen. Der junge Dichter starrte den Mond an. Und der Mond starrte den Dichter an. Sie kannten einander seit langer Zeit. William atmete tief, als wollte er all diese silberne Lieblichkeit in sich einsaugen. «Der Mond scheint hell: in einer Nacht wie dieser», murmelte er, «da linde Luft die Bäume schmeichelnd küßte, in solcher Nacht . . .»

Eines Tages, wenn er mehr Muße hatte, würde er sich dieses Augenblicks erinnern . . .

George Gascoigne gab ihm das Manuskript wortlos zurück. Will, der Rufe der Begeisterung und des Entzückens erwartet hatte, war tief enttäuscht. «Ge-gefällt es Euch, Sir?» stammelte er.

«Nun ...» Gascoigne machte eine lange Pause. «Jedenfalls ist es eine recht vollgepackte halbe Stunde», sagte er schließlich.

«Und nicht *mehr?*» Will war beleidigt. Er hatte ‹Hamlet zaudre nicht!› wie im Fieber geschrieben. Die Worte hallten noch wie Schwerterklirren in seinen Ohren nach. Er *liebte* diese Personen, die Helden und die Bösewichte. Eine recht vollgepackte halbe Stunde! Aber er hatte schon einiges gelernt. In demütigem Ton fragte er: «Glaubt Ihr, daß der gnädige Herr das Schauspiel aufführen läßt?»

«Sicherlich.» Gascoigne ergriff wieder das Manuskript. «Da ist noch eine Stelle», sagte er, während er die Seiten umblätterte, «wo ich Euch, glaube ich, helfen kann. Hier ... wo des Königs Bruder den König ermordet, um die Krone zu erlangen.»

Das war die wichtigste Stelle in dem Schauspiel! Gascoigne sagte: «Mir scheint, und ich habe als Schauspieldichter nicht geringe Erfahrung, das Drama könnte an Spannung gewinnen, wenn er auch seine eigene Frau umbrächte, um die Königin heiraten zu können.»

«Aber er hat doch gar keine Frau.»

«Ihr könntet ihm eine geben», sagte Gascoigne honigsüß.

Will ging heim, gab Claudius, dem Bruder des Königs, eine Frau und ließ ihn sein Weib von der Schloßmauer stoßen. Beim nochmaligen Lesen mußte er zugeben, daß Gascoigne recht hatte. Es war die dramatischste Szene in dem ganzen Schauspiel.

Und Gascoigne, der in seinem kleinen Turmgemach saß, umgeben von Gänsekielen, Papierbogen, Büchern und Theaterrequisiten, dachte vergnügt: Nun wird es bald einen jungen Dichter weniger geben. Nach der Aufführung von ‹Hamlet, zaudre nicht!› würde Master Schlotterknie die Beine in die Hand nehmen und sich schleunigst davonmachen. Vorausgesetzt natürlich, daß ihm dann noch Zeit dazu blieb.

Sie traf Will zwischen weißen Kornfeldern unter einem weißen Mond. Liebevoll und sanft zog sie ihn an sich, fast wie eine Mutter ihren Sohn. Sie lächelte entzückt über sein wirres Haar, seine lebhaften Augen. Sie verging fast vor Liebe, und sie sehnte sich danach, ihn mit ihrer Liebe zu umhüllen. Aber nicht mit der Art Liebe, die grüne Kleider macht, dachte sie ängstlich. Sie würde zärtlich zu ihm sein, zärtlich und sanft wie der Mondschein im Altweibersommer. Und dann würde er vielleicht ... Er hatte nie von Heirat gesprochen. Aber heute nacht, unter diesem freundlichen Mond? Gewiß, er war noch jung, aber vielleicht ...

Doch Will wollte nur über sein Schauspiel sprechen. «Morgen abend, Anne! In der großen Halle! Und der Herr Graf und die Gräfin werden in der ersten Reihe sitzen!» Er schluckte bei dem Gedanken an die Gräfin. «Und all die hohen Damen und Herren werden kommen. Und du – wirst du auch kommen, Anne?»

«*Ich?*» Sie war entsetzt. «*Ich?* Aufs Schloß kommen?» Sie hatte die finstere Festung, die sich herrisch hinter dem Schloßgraben erhob, einmal gesehen. Der Gedanke, die Grabenbrücke zu überqueren, jagte ihr Furcht ein.

«Aber natürlich. Du sollst neben dem Dichter sitzen.»

«Aber ... Ich habe kein passendes Kleid für so ein feines Haus.»

Das stimmte sicherlich. Aber nun hatte er sie schon eingeladen. Außerdem brauchte er jemanden neben sich, der ihn bewunderte. Und vor allem liebte er sie doch, nicht wahr?

«Du wirst schöner aussehen als eine Herzogin», versicherte er ihr. Es klang ein wenig abgedroschen, aber Anne glühte vor Freude. Und dann schwiegen sie, überwältigt vom Wunder des Mondlichts und der wispernden, knisternden Nacht.

Vor allem aber überwältigt und trunken vom Wunder der Liebe. Will vergaß seinen Ehrgeiz, seine Zukunftsträume und sogar die Poesie. Und Anne gab endlich traurig und zärtlich dem verzweifelten Drängen der Liebe nach.

«Wenn ich noch einmal das Lied von der Frau im grünen Kleid anhören muß, schreie ich», sagte Lady Lucy in der zweiten Reihe.

«Um Himmels willen!» sagte Sir Thomas Lucy von Charlecote. «Du darfst hier nicht schreien. Robert Dudley würde dir die Zunge herausreißen lassen und sie seinen Hunden zum Fraß vorwerfen.» Er sah sich besorgt um. Man mußte auf der Hut sein vor Edelleuten, die bereit waren, dem Grafen jeden Klatsch zu hinterbringen, um sich bei ihm lieb Kind zu machen.

Seine mit kostbaren Juwelen geschmückte Gemahlin öffnete eine perlenbesetzte Dose, wählte ein Stück Zuckerwerk und schob es in ihren schmollenden Mund. «Ach, Tom, ich kann mir genau denken, was uns geboten wird: Madrigale, Lautengeklimper und zum Schluß eine Gigue mit Hackenstampfen und Fußspitzenspiel oder eine zotige Posse.»

Sir Thomas seufzte und versuchte, das Pergament zu entziffern, auf dem in Schönschrift die Darbietungen des Abends verzeichnet waren.

Die flackernden Fackeln an den Wänden, die Kerzen und die kleinen Wachslichter erleuchteten die große Halle von Schloß Kenilworth nur spärlich. Außerdem war das Lesen nicht gerade Sir Thomas' starke Seite. Er fuhr mit dem Finger die Zeilen entlang und buchstabierte Wort für Wort. Schließlich wurde seine Mühe belohnt. «Du täuschst dich, meine Liebe», sagte er. «Zum Schluß kommt ein Schauspiel von irgendeinem Dichter aus Stratford.» Er starrte wieder auf das Pergament. «*Der Prinz von Dänemark oder Hamlet, zaudre nicht!*»

«Ich kann es kaum erwarten», sagte Lady Lucy und zermalmte mit ihren gelben Zähnen grimmig das Zuckerwerk.

Plötzlich ging eine Welle der Unruhe durch die kühle, höllisch zugige große Halle mit ihren unheimlichen Schatten. Alle Anwesenden erhoben sich und verzogen ihre Münder zu einem gezwungenen strahlenden Lächeln. Robert Dudley, der erhabene Prinz, der mächtige Graf von Leicester, und seine Gemahlin traten ein, er in einem silbernen, sie in einem goldenen Gewand, und begaben sich zu ihren Plätzen in der Mitte der ersten Reihe. Die Darbietungen begannen.

Ein feister Jüngling mit einer Laute erschien auf der Bühne und stimmte eine Melodie an. «Siehst du», zischelte Lady Lucy, «was hab ich dir gesagt?»

In der letzten Reihe, zwischen den Küchenburschen und Ackerknechten, saß William Shakespeare und fühlte sich wie im Himmel.

Anne war freilich nicht gekommen. Sie hatte ihre Furcht, das düstere Schloß zu betreten, aus dem man sie vielleicht nie wieder herausließ, nicht überwinden können. Ihre Absage hatte Will gekränkt, doch jetzt war die Enttäuschung vergessen. Vor Aufregung konnte er kaum still sitzen. Er betrachtete die Reihen der Geladenen. Ganz vorn saßen die Grafen und ihre Damen, hinter ihnen die Ritter, die Junker und die Edelleute, hinter diesen die Räte und Kammerherren, dann die Diener und ganz hinten die gewöhnlichen Bediensteten. Eines Tages, dachte er, würde auch er, Sir William Shakespeare aus Stratford am Avon, in einer der ersten Reihen sitzen.

Mit Anne? Dessen war er sich nicht so sicher. Er liebte sie, liebte ihre schöne, zarte Gestalt, ihre sanfte Stimme, ihr liebliches Lächeln. Doch konnte sie ihm mit ihrem stillen, ländlichen Liebreiz dorthin folgen, wohin es ihn zog?

Als er ‹Hamlet, zaudre nicht!› schrieb, hatte er eine ungeahnte Kraft in sich entdeckt, die Kraft, seine überfließende Liebe zur Welt in Poesie zu verwandeln, die Kraft, Könige, Königinnen und Edelleute zu erschaffen und sie seinem Willen zu unterwerfen. Nein, er war kein Bauer, kein Handschuhmacher. Er war ein Dichter. Wenn er an die Schlußszene seines Schauspiels dachte und sie mit den Moralitäten verglich, die er in Coventry und Warwick gesehen hatte, war er über sich selbst erstaunt. Und wenn dieser Schluß, die mit Leichen übersäte Bühne, den Grafen nicht beeindruckte, dann wollte er nicht Will Shakespeare heißen.

Die Darbietungen, die seinem Schauspiel vorausgingen, waren unendlich langweilig. Er liebte die Musik, aber wenn man ein Lied zum hundertstenmal hörte, dann erkrankte die übersatte Lust und starb so hin. Diese Erkenntnis mußte er sich merken!

Auf das Lied von der Frau im grünen Kleid folgte ein Madrigal, das von zwei Gräfinnen, einem hübschen Junker und einem Edelmann gesungen wurde. Dann ein kurzes, lehrhaftes Schauspiel, in dem zu jedermanns Enttäuschung die sehr viel anziehender dargestellte Lust am Ende von der Keuschheit und der Reinheit besiegt wurde. Dann wieder ein Madrigal. «Und nun», verkündete George Gascoigne mit höhnischem Unterton, «folgt eine höchst melancholische Tragödie: ‹Der Prinz von Dänemark oder Hamlet, zaudre nicht!› von Master Schlotterknie, Dichter zu Grafton.»

Alle lachten. Will war empört. Sein Schauspiel war eine Tragödie, keine Posse. Zornrot im Gesicht saß er da, während die Küchenburschen immer noch schallend lachten und die Adligen spöttisch kicherten. Am liebsten wäre er aufgesprungen und hätte geschrien: ‹Ich bin nicht das, was er sagt, ich bin Will Shakespeare aus Stratford. Ich bin ein Arden. Und bei Gott, mein Name wird bald in aller Munde sein!› Aber er tat es nicht. Er mochte ein Dichter und ein Arden sein, aber wenn es den Adligen gefiel zu lachen, konnte niemand ihnen Einhalt gebieten. Überdies hatte er Angst, den unheilbringenden Zorn des Grafen zu erregen.

«Die Szene», fügte Gascoigne jetzt hinzu, «ist im Schloß zu Helsingör.»

Claudius und Königin Gertrud traten auf. Offenkundig liebten sie einander, aber ihrer Heirat standen, wie Gertrud erklärte, zwei

Hindernisse im Wege: ihr Gemahl, der König, und Mildred, die Ehefrau ihres Geliebten.

Will, der mit einem Auge die Zuschauer beobachtete, bemerkte zu seinem Erstaunen, daß alle plötzlich erschreckt nach Luft schnappten.

Und dann geschah etwas, was ihn noch mehr beunruhigte. Der Graf von Leicester drehte sich mit einem wütenden Blick in seinem Sessel und spähte nach hinten. Doch jetzt trat König Hamlet auf und legte sich, von der verräterischen Königin Gertrud umhegt und gepflegt, in seinem Garten zu einem Mittagsschläfchen nieder.

Claudius kam und goß Gift in des Königs Ohr.

König Hamlet hielt eine lange Rede und verschied.

Claudius und Gertrud trugen ihn fort. Einige der Geladenen klatschten müde Beifall. Will fand, daß die Zuschauer höchst undankbar waren.

«Zweite Szene. Die Schloßmauer», verkündete George Gascoigne und tat so, als unterdrückte er ein Gähnen. In Wirklichkeit nagte an ihm der Neid, da er wußte, daß die nun folgende dramatische Szene besser war als alle Szenen, die er selber je geschrieben hatte. Außerdem plagten ihn Zweifel. Er hatte für die Tragödie junge Schauspieler ausgewählt, die nie von Amye Robsart, der verstorbenen Frau des Grafen, gehört hatten. Aber *er* kannte die alte Geschichte, und *er* hatte das Stück gelesen. Er war plötzlich nicht mehr so sicher, ob seine Entschuldigung, der junge Shakespeare habe die Szene erst hinterher eingefügt, den Grafen befriedigen würde.

Claudius und seine Frau Mildred traten auf. Sie hielten einander zärtlich umschlungen. Mildred seufzte zufrieden. «Dies Schloß hat eine angenehme Lage», sagte sie. «Gastlich umfängt die leichte, milde Luft die heitern Sinne.» Sie beugte sich über die Schloßmauer, die durch die Rücklehne eines großen Sofas angedeutet war.

Claudius sah Mildred an. Dann wandte er sich mit tückischem Blick den Zuschauern zu. «Jetzt könnt' ich's tun, bequem», sagte er im Bühnenflüsterton hinter der vorgehaltenen Hand.

George Gascoigne behielt recht. Keiner der Zuschauer wagte zu atmen. Man hätte eine Stecknadel fallen hören können. Will war zutiefst befriedigt. Wäre er aufmerksamer gewesen, hätte er bemerkt, daß kaum jemand noch auf die Bühne blickte. Fast alle Augen waren auf den Sessel gerichtet, in dem der Graf von Leicester saß.

Doch nun hielt Mildred das drohende Geschehen auf. «Wie grau'nvoll und schwindelnd ist's, so tief hinabzuschau'n!» piepste sie und beugte sich noch weiter über die Sofalehne. Sie hielt die Hand schützend über ihre Augen. «Dort seh' ich einen, Fenchel sammelnd – schrecklich Handwerk!»

Claudius schlich sich an sie heran. Nun war es jedem klar, daß er seine Frau in die Tiefe stoßen würde, damit er die Königin heiraten konnte. Und diese Szene in der großen Halle von Schloß Kenilworth, vor den Augen des Grafen von Leicester! Die edlen Herren und Damen, die Stallknechte und die Küchenburschen, die Kammerherren und die Aufseher bebten vor angstvollem Entzücken. Und bis auf Will dankte jeder im Saal seinem Schöpfer, daß er nicht Will Shakespeare hieß.

Claudius stand jetzt dicht hinter Mildred. Wieder wandte er sich den Zuschauern zu. Und wieder sprach er im Bühnenflüsterton, doch diesmal zu sich selbst: «Nun, Claudius, mußt du nur willens sein, und Dän'marks Königin und Kron' sind dein!»

Dann packte er Mildred flink an den Fußgelenken und warf sie über die Mauer.

«Donnerwetter!» flüsterte George Gascoigne voller Bewunderung. Er hatte gewußt, daß die Szene gut sein würde. Aber sie war so gut, daß er selbst sie nicht hätte besser schreiben können. Dem Himmel sei Dank, dachte er inbrünstig, daß ich's nicht tat! Dieser Shakespeare besaß wahrhaftig Talent – das Talent, sich selbst zu zerstören.

In der großen Halle herrschte tiefe Stille.

William war unbehaglich zumute. Gewiß, er hatte erwartet, daß die Zuschauer tief bewegt sein würden. Aber doch nicht schon nach der zweiten Szene. Wenn die Handlung sie jetzt schon so ergriff, würden sie nach der letzten Szene wie gelähmt sein vor Ergriffenheit. Der junge Hamlet war doch noch nicht einmal aufgetreten.

Aber nun geschah etwas Seltsames. Der gnädige Herr erhob sich langsam und mühsam von seinem Stuhl. Und als er sich aufrichtete, ging ein Seufzen durch die Reihen der Zuschauer. Es klang wie eine Welle, die über den Strandkies zurückflutet, wie ein Zischen. Jeder überlegte sich, was nun am besten zu tun sei. Köpfe würden rollen, und wenn Köpfe rollten, drohte auch arglosen Zuschauern Gefahr.

Die Gräfin erhob sich ebenfalls. Mit angstvoller Miene starrte sie Robert Dudley an. «Wie geht es meinem Herrn?»

Leicester bebte vor Wut am ganzen Leibe. Er schwankte am Arm seiner Frau zur Tür. Rasend und blind vor Zorn blickte er um sich. «Leuchtet mir!» schrie er. «Licht! Licht! Licht!»

Diener eilten mit Fackeln herbei. Die Zuschauer standen auf und drängten hinaus. Es war ein wildes Durcheinander. Die meisten wollten nur so schnell wie möglich nach Hause und sich dort verkriechen, bis der Sturm vorüber war. An ‹Hamlet, zaudre nicht!› verschwendete niemand mehr einen Gedanken.

Außer William. Er war tief bekümmert und gekränkt. Nur weil dem Grafen unwohl war, sollte sein Schauspiel abgebrochen werden? Wollte denn keiner der Zuschauer wissen, wie die Tragödie zu Ende ging?

Augenscheinlich nicht. Er saß jetzt allein auf der hintersten Bank und beobachtete voller Abscheu den hastigen Aufbruch der Gäste. Sie drängten und stießen einander vor den Türen. Man hätte meinen können, ein Feuer sei ausgebrochen. Aber sie wußten, was der arme Will nicht wissen konnte: daß von nun an jeder, der ‹Hamlet, zaudre nicht!› auch nur gesehen hatte, Leicesters Feind sein würde.

Jemand kam auf ihn zugelaufen. Es war George Gascoigne. «Ich muß mit Euch reden, Shakespeare», rief er schon von weitem. «Der Graf ist außer sich.» Er packte Will am Arm. Er starrte ihn verwundert und verblüfft an. «Warum habt Ihr das getan? Seid Ihr von Sinnen?»

«Getan? Was getan?» Will sprang auf.

«Ihr habt Leicester vor seinesgleichen, vor seinen Freunden und vor seinen Dienern verhöhnt! Der Graf kennt kein Erbarmen, wenn man ihn beleidigt, Master Shakespeare.»

«Aber ich hab den gnädigen Herrn doch nicht beleidigt», rief Will kläglich. Ihm zitterten die Knie.

Gascoigne sah ihn mit gespieltem Erstaunen an. «Ja, natürlich!» rief er. «Bei Eurem Alter *könnt* Ihr Euch gar nicht daran erinnern. Leicester hat seine erste Frau von der Schloßmauer hinabgestoßen, um die Königin heiraten zu können.»

Es dauerte eine Weile, bis William verstand. Aber dann wurde ihm die ganze Schrecklichkeit seiner Lage bewußt. «Er ... er hat es wirklich getan?»

«Oh, *er* leugnet es. Aber jedermann glaubt, daß er es tat. Was Eure Lage eher noch verschlechtert!»

Will schluckte. «Und was sagt der gnädige Herr?»

Gascoigne setzte sich auf die Bank. «Nun, noch sagt er, man solle Euch die rechte Hand abschlagen. Aber . . .»

Will fühlte, wie ihm das Blut aus dem Kopf wich. Die große Halle von Kenilworth schwankte wie ein Schiff im Sturm.

«Aber er ist ja so vernarrt ins Theater», fuhr Gascoigne fort. «Ich für mein Teil glaube nicht – auch wenn ich mich natürlich irren kann –, daß er einem Dichter die Hand, mit der er schreibt, abschlagen läßt.»

«Ihr glaubt es also nicht?»

Gascoigne betupfte sich mit einem Taschentuch die Stirn. «Sehr warm für einen Abend im Spätsommer, nicht wahr?»

«Ihr glaubt es also nicht?» fragte Will angstvoll.

Gascoigne schüttelte den Kopf. «Nein. Nicht der Graf. Ich denke, wenn sein Zorn verraucht ist . . .» Er versank in tiefes Nachdenken.

«Dann?»

«Dann wird er Gnade vor Recht ergehen lassen und Euch nur die linke Hand abschlagen lassen.»

Will vermeinte den Axthieb zu spüren. Er sah sein eigenes Blut aufspritzen wie eine Fontäne. Er sah, wie eine abgeschlagene Hand – *seine* Hand – sich zuckend in den Staub krallte. «An Eurer Stelle», sagte Gascoigne mit sanfter Stimme, «würde ich mich unter die Menge dort draußen mischen und verschwinden, bevor seine Häscher Euch finden.»

Will fühlte sich einer Ohnmacht nahe. Die große Halle verschwamm vor seinen Augen. Seine Beine versagten ihm den Dienst. «Kommt, ich werde Euch stützen», sagte Gascoigne.

Während sie durch die Halle schritten, erinnerte sich Will an etwas. «Aber Meister Gascoigne, *Ihr* habt mir doch angeraten, ich sollte Claudius eine Frau geben und sie von ihm ermorden lassen.»

Gascoigne blieb unversehens stehen. «Genug, Shakeshaft, hört mir zu. Versucht jetzt nicht, mir die Schuld aufzuladen. Ich habe nichts dergleichen vorgeschlagen.»

«Aber . . .»

Sie standen an der Tür. Gascoigne versetzte ihm einen Stoß. Will stolperte hinaus und stieg schwankend wie ein Trunkenbold die nunmehr menschenleere Treppe hinunter.

Unten holte er einige Zuschauer ein. Niemand beachtete ihn. Er eilte weiter. Da – der Torweg und eine Wachstube voll bewaffneter Krieger! Unmöglich, sich unbemerkt vorbeizuschleichen, dachte er. Aber es gelang. Nun die Brücke. Der Graben mit seinen Schwänen und Wasserrosen. Und dann stand er auf dem Schloßanger. Aus den Schornsteinen der kleinen Häuser stieg der Rauch steil in den stillen Abendhimmel. Er war frei! Noch immer zitterte er am ganzen Leibe. Noch immer war er ein gehetztes Wild. Aber er war frei!

Gern hätte er sich, bis es Nacht war, hinter einem der Wälle versteckt gehalten. Aber was, wenn man die Hunde auf ihn hetzte? Die Bluthunde, mit denen man Bären, Wilderer oder flüchtige Verbrecher jagte? Eine Gänsehaut überlief ihn. Verzweifelt stand er da und wußte nicht, was tun. Schließlich lief er stolpernd und taumelnd aufs Geratewohl einen Weg entlang, der nach Shottery oder nach Stratford oder nach London führen mochte. Oder überallhin.

«Und nun will ich sehen, wie es *ihm* gefällt, von der Mauer gestoßen zu werden», fauchte der Graf, als er wieder zu sich kam.

«Ins Verlies mit ihm, wo er hingehört», rief die Gräfin mit schriller Stimme.

«Bringt ihn herbei!» befahl der Graf.

Beklommenes Schweigen. «Er ... hat anscheinend das Schloß verlassen, gnäd'ger Herr», sagte der Hauptmann der Wache.

«*Was* hat er getan, Master Grenville?»

Grenville schluckte. «Er verließ das Schloß, gnäd'ger Herr.»

«Zum Teufel!» brüllte der Graf, und sein gedunsenes Gesicht glich einer mit Blut gefüllten Blase. «Dann holt ihn mir gefälligst zurück, Master Grenville!»

«Sehr wohl, gnäd'ger Herr.»

«Und ich rate Euch, es noch vor Anbruch der Nacht zu tun, denn morgen wird hier jemand gehängt, und mir ist's ziemlich einerlei, wer!»

Grenville salutierte und ging schweren Schrittes davon. Ihm blieb nicht mehr als eine knappe Stunde Tageslicht, um die dichten Wälder, die Forste, die Hecken und Büsche der Grafschaft Warwick zu durchsuchen.

Leicester starrte ihm mit leerem Blick nach. Zwei tiefe Falten hatten sich zwischen seinen dunklen Brauen gebildet. Gütiger Gott, würden sie ihn nie vergessen lassen? Amye und Elisabeth! Er hatte sie beide verloren, in einem einzigen verzweifelten Wurf. Er stieß ein bitteres Lachen aus. Es klang wie das Aufjaulen eines getretenen Hundes. Seine Frau sah ihn sauertöpfisch an. Nein, es ließ sich nicht leugnen. Ihr guter Robin wurde alt.

Die Grafschaft Warwick schlief im Mondlicht.

Nur die Jäger, die Gejagten, die Heimgesuchten, die Liebenden, die Gequälten und die Sterbenden schliefen nicht.

Auch Leicester schlief nicht. Selbstmitleid hielt ihn wach. Er hatte viele Menschen aus dem Wege geräumt, und kein Hahn krähte danach. Nur Amyes Tod verzieh man ihm nicht. Warum? Verdammt, die Frau hatte an einer tödlichen Krankheit gelitten, einer schrecklichen Krankheit. In gewisser Weise konnte man sagen, daß es eine gute Tat gewesen war, sie von der Mauer zu stoßen, um ihren Leiden ein Ende zu bereiten. Wenn sie wirklich von der Mauer gestoßen worden war. Aber niemand wollte das einsehen. Nicht einmal Elisabeth. Auch nicht, nachdem das Gericht zweimal entschieden hatte, daß es ein Unfall gewesen war. Die Menschen, dachte Leicester, sind voll schlechter und mißtrauischer Gedanken. Nein, er hatte nicht viel übrig für die menschliche Natur.

Auch George Gascoigne schlief nicht. Er sah seine schlimmsten Befürchtungen bestätigt. Der Graf war furchtbar gewesen in seinem Zorn. Und er hatte Gascoigne gedroht, er werde ihm die Zunge spalten lassen, falls er bei Morgengrauen noch im Schlosse weile.

Nein, George Gascoigne schlief nicht. Er war viel zu sehr damit beschäftigt, seine Habe zusammenzupacken.

Auch Anne Hathaway schlief nicht. Sie lauschte den unheimlichen Lauten der Nacht und sehnte sich nach William. Sie betete für ihn. Warum hatte er nach Kenilworth gehen müssen? Sie verstand es nicht. Sie wußte nur, daß ein gewöhnlicher Sterblicher, der das Schloß betrat, den Fuß in eine Falle setzte. Den Adligen hielt man sich besser fern. Sie hängten einen für nichts und wieder nichts. Wenn ihrem Will etwas zustieß! Was hatte ihr Leben dann noch für einen Sinn? «Mein Geliebter», flüsterte sie und streckte zärtlich die Arme aus. Aber ihre Hände griffen in die leere Luft.

Irgendwo in der Ferne wieherte ein Pferd. Warum war sie so ängstlich? Will würde wiederkommen, frisch und munter wie ein Vogel. Plötzlich hörte sie ein atemloses Flüstern: «Anne, Anne, ich bin's, Will.»

Nein, nein. Sicherlich ein Kobold, der sie neckte. Ihre Sehnsucht verwirrte ihr noch den Verstand. Sie zog sich die Decke über den Kopf.

Auch Master Grenville, der Hauptmann der Wache, schlief nicht. Mit seinen Männern und seinen Hunden durchsuchte er die Wälder. Sie verhörten Reisende. Sie hämmerten an die Türen einsamer Katen und schreckten die Bewohner aus dem Schlaf. Die Hunde bellten und jaulten.

Auch Mary Shakespeare schlief nicht. Neben ihr schnarchte ihr Ehemann und wälzte sich im Schlaf.

Zwei Widersacher stritten seit jeher in John Shakespeares Brust: Ehrgeiz, gepaart mit einem starken Erwerbssinn, und eine Vorliebe für gezuckerten Wein.

Viele Jahre lang hatte sich sein Hang zum Wein in vernünftigen Grenzen gehalten. Man brauchte einen klaren Kopf und eine ruhige Hand, um es zu etwas zu bringen, und John hatte es weit gebracht. Sein Geschäft war stetig gewachsen, und immer höhere bürgerliche Ämter waren ihm anvertraut worden.

Schließlich war er zum Bürgermeister von Stratford am Avon ernannt worden. Er hatte den Zenit erreicht. Nun gab es keine neuen Welten mehr zu erobern. Er hatte unermüdlich gearbeitet und unverdrossen die Willkür des Adels erduldet. Aber wo war der Lohn? Er hatte eine Frau, die ihn, wie er irrtümlich glaubte, geringschätzte. Einen Sohn, der das Geschäft verachtete, und einen zweiten Sohn, der ein Narr war. Unzufriedenheit und Enttäuschung nagten an ihm wie eine schleichende Krankheit, und sein einziger Trost war die Flasche.

Seit zehn Jahren mußte Mary ihn stützen. Ohne Zögern hatte sie eine Leihsumme auf ihr Erbe aufgenommen. Sie ermutigte ihn, die beiden Nachbarhäuser in der Henley Street zu kaufen und so das Geschäft zu vergrößern. Und um seinen gesellschaftlichen Ehrgeiz anzustacheln, überredete sie ihn, ein Wappen zu beantragen.

Es half nichts. Das Geschäft ging zugrunde. Das Wappen war vergessen. Der rechtschaffene, vertrauenswürdige John Shakespeare, einst so stolz auf seine bürgerlichen Tugenden, war ein Trunkenbold geworden. Und die Gläubiger klopften schon an die Tür.

Nein, Mary Shakespeare schlief nicht. Gelassen dachte sie an die Armut, die ihnen drohte, und an das neue Leben, das nun mühselig aus den Ruinen errichtet werden mußte. Schließlich war sie eine Arden. Was auch immer geschehen mochte, sie mußte die Dinge im Lot halten. Sie wußte, ein Wort von ihr, und Will würde das Geschäft übernehmen. Aber nein. Sie wollte durch eigene Arbeit die Gefahren abwenden.

Sie hörte eine Stimme. Und einen Augenblick meinte sie, Will habe nach ihr gerufen. Wie sonderbar. Aber wahrscheinlich hatte Gilbert, ihr jüngerer Sohn, im Schlaf gesprochen. Oder es war eine Sinnestäuschung gewesen.

Und Will Shakespeare schlief nicht. Die Feindseligkeit dieser in fahles Mondlicht getauchten Welt erschreckte ihn. In der Ferne hörte er Hunde bellen. Er verließ den Weg und lief in den finsteren Wald hinein, wo hinter jedem Baum und Strauch Kobolde, Geister und Unholde lauerten.

Dornige Zweige griffen nach ihm, Zweige schlugen ihm ins Gesicht, und im dichten Unterholz raschelte es unheimlich. Wilde Eber, Wildkatzen? Hastig stolperte er weiter. Er kam wieder auf freies Feld, durchwatete Bäche, stapfte durch sumpfige Wiesen und lief keuchend und nach Atem ringend immer weiter. Er achtete darauf, daß er den Polarstern im Rücken behielt, aber er hatte kein Ziel. Er floh, aber er wußte nicht, wohin.

Erst als er die Hunde nicht mehr hörte, verlangsamte er seine Schritte und überlegte, wohin er gehen sollte. Nicht nach Stratford, dachte er. Dort würde man ihn im Nu ergreifen. Nach London! Nur im Trubel und Treiben der großen Stadt konnte er hoffen, Frieden vor seinen Verfolgern zu finden.

London! Aber seine Kleider waren mit Schmutz bedeckt und von Dornen zerrissen. So konnte er nicht nach London.

Voller Sehnsucht dachte er an seine Mutter, an das behagliche Haus in der Henley Street. Ehe er nach London aufbrach, mußte er seinen Eltern alles erklären und wenigstens noch eine glückliche Stunde bei ihnen verbringen. Auch mußte er sich ein wenig Geld von ihnen leihen, ehe er sich im Schutz der Dunkelheit wieder auf den Weg machte.

«In einer Nacht wie dieser ...» Wehmütig erinnerte er sich an den Abend mit Anne im Mondlicht. Würde ihm je wieder solches Glück beschieden sein? Er schritt nun wieder die Straße entlang und näherte sich der Stelle, wo der Weg nach Shottery abzweigte. Süße, zärtliche Anne! Ungeachtet seiner Furcht vor den Häschern des Grafen brachte er es nicht über sich, sie ohne ein Wort zu verlassen. Verzweifelt und erschöpft schlug er den Pfad nach Shottery ein.

Da war sie wieder, die Stimme: «Anne! Ich bin's, Will!» Anne sprang aus dem Bett, warf sich eine Decke um die Schulter und schlich auf Zehenspitzen die Treppe hinunter. Unten schob sie leise den Riegel zurück und öffnete lautlos die Tür. Angstvoll trat sie ins Mondlicht hinaus. Etwas Schreckliches war geschehen, sie ahnte es.

Will nahm ihre Hand und umschloß sie zärtlich mit den seinen. Erschreckt, mit leicht geöffneten Lippen, sah sie ihn aus ihren dunklen Augen an. «Will? Was ist...?»

«Ich kann nicht bleiben. Ich muß vor Morgengrauen weit fort von hier sein. Ich habe den Grafen beleidigt. Er will...» Er vermochte das Schreckliche nicht auszusprechen. «Er will mir etwas antun.»

Ihrem Will? Sie schlang die Arme um ihn. Sie hatte ihre Angst vergessen. Nur über ihre Leiche würde man ihm etwas antun können. «Ich komme mit dir.»

Will erschrak. Es war schwierig genug, sich allein nach London durchzuschlagen. Wie sollte er mit einer Frau... Er schüttelte den Kopf und brachte sogar ein Lächeln zustande. «Nein, Anne. Ich muß fliehen, so schnell ich nur kann. Allein. Ich muß nach London.» Er küßte ihre kalte Stirn. «Sobald ich in London bin, schicke ich dir eine Nachricht», sagte er. «Und sobald des Grafen Zorn verraucht ist...» Aber er wußte, daß der Zorn des Grafen nie verrauchen würde.

Sie küßte seinen Mund, seine Augen, sein Haar, sie nahm seinen Kopf zwischen beide Hände und starrte ihn lange an, um sich seine Züge für immer ins Gedächtnis einzuprägen.

Will riß sich los. «Ich muß fort. Der Graf...»

Sie ließ ihn gehen. Ihr war, als würde ihr das Herz aus dem Leibe gerissen. Sie blickte ihm nach, bis seine schmale Gestalt nicht mehr von den weichen grauen Schatten der Nacht zu unterscheiden war.

Knarrend öffnete sich die Tür der Schlafkammer.

John Shakespeare schrak auf und versuchte, seine Schlaftrunkenheit abzuschütteln. Verdutzt starrte er den jungen Mann an, der mit einer Kerze in einer Hand auf der Schwelle stand. Schließlich brachte er mit schwerer Zunge ein paar Worte über seine speichelfeuchten Lippen: «Da ist ja Will. Was tut Will denn hier?»

Aber Mary war schon aus dem Bett. Sie hielt ihren Sohn auf

Armeslänge und betrachtete die zerrissenen Kleider, die zerkratzten Wangen, die blutbefleckten Hände.

«Will, was ist geschehen?» Und während sie noch sprach, nahm sie den Krug und goß Wasser in die Schüssel. Dann ging sie zum Schrank und holte frische Kleider für ihn.

«Was ist? Was hat Will hier zu schaffen?» rief John streitsüchtig.

Will wandte sich ihm zu. «Vater! Was ist? Bist du ... Ist er krank, Mutter?»

«Ein kalter Strahl aus der Wasserpumpe würde ihn schnell heilen», sagte seine Mutter trocken. «Und sprich, Will, was ist geschehen?»

Sie wusch ihm das Blut von den Händen. Er sagte: «Ich habe mir den Grafen von Leicester zum Feind gemacht.»

Sie fühlte, wie sie erbleichte. «Den Grafen? Wie das?»

«Es würde zu lange dauern, das zu erzählen, Mutter.» Er zog eine andere Hose und ein frisches Hemd an. «Ich muß ...»

«Was soll das heißen?» fragte John und richtete sich in dem großen Bett auf. «Was sagt er da über den gnädigen Herrn?» Er wurde langsam nüchtern.

«Laß nur, John», sagte Mary kurz. Aber John Shakespeare stieg aus dem Bett, griff taumelnd nach dem Krug und schüttete sich Wasser über den Kopf. «Was war das mit Leicester?»

«Ich habe ihn beleidigt, Vater.»

John stand schwankend vor der Waschkommode und starrte töricht vor sich hin. Dann brüllte er plötzlich: «Leicester beleidigt? Aber das ruiniert mir mein Geschäft.»

«Du hast es bereits ruiniert», sagte Mary kühl.

John tauchte seine dicken Finger in die Waschschüssel und netzte seine brennenden Augen. «Leicester beleidigt?» Er schüttelte den Kopf. Mit schlotternden Knien und zitternden Händen stand er da. Sein Sohn, dieser Narr, hatte ihn in tödliche Gefahr gebracht. Der Graf war schlimmer als Gott. Gott begnügte sich damit, der Väter Missetaten an den Kindern heimzusuchen. Aber Leicester war imstande, die Missetaten der Kinder an den Vätern heimzusuchen.

Mary sagte: «Du mußt nach London, Will. Dort bist du sicher.»

«Ich weiß, Mutter.»

«Warte hier. Ich hol dir eine Wegzehrung.» Sie eilte zur Tür. «John», rief sie, ehe sie hinausging, «er wird Geld brauchen.»

«Geld?» John war empört. «Es gibt kein Geld, Will. Wärst du ins

Geschäft eingetreten wie ein guter Sohn, dann sähe jetzt sicherlich alles ganz anders aus. Aber...»

Will betrachtete seinen kindisch faselnden, hilflosen Vater, diesen armseligen Mann, der einmal Bürgermeister gewesen war. Und wieder ergriff ihn Mitleid. «Schon gut, Vater.» Er legte ihm die Hände auf die hängenden Schultern und küßte die geröteten Wangen.

John sah ihn wehleidig an. «Nach London willst du? Ich muß dir ein paar Ratschläge geben, Junge. Mein alter Vater...»

«Er braucht keine Ratschläge, John, er braucht Geld. Komm, Will.» Mary zog ihn aus dem Zimmer. Will folgte ihr in die Küche.

Sie fand einen Kanten Brot und ein Stück Pökelfleisch. Dann sah sie ihn ängstlich an. «Will, wie ernst ist es? Vielleicht kann ich als eine Arden ein gutes Wort für dich einlegen.»

Er schüttelte den Kopf. «Es ist zu ernst. Ich habe ein Schauspiel geschrieben. Es handelt von einem Mann, der seine Frau ermordet, damit er die Königin heiraten kann. Und anscheinend...»

«Will, du Narr!»

Er errötete und nickte beschämt. «Und der Graf schwört, daß er mir die linke Hand abschlagen lassen wird», sagte er flüsternd und ließ bedrückt den Kopf hängen.

«Gott behüte!» Mary erschauderte und ergriff seine linke Hand. «Will, du mußt fort. Leicester wird sich rächen. Hat dir dein Vater Geld gegeben?»

«Nein. Und er hat doch auch kein Geld, Mutter. Ich kann...»

«Warte!» Sie ging an eine Schublade, zog eine Börse heraus und drückte sie ihm in die Hand. «Wir werden zurechtkommen. Und du mußt sorgen, daß du schnell nach London reist. Nichts spricht so schnell wie Geld. Und Will, wenn du nach London kommst, such Richard Field aus Stratford auf. Er wird dir weiterhelfen. Und sei's nur um der Freundschaft deines Vaters zu seinem Vater willen.»

«Oh, Richard und ich sind gute Freunde. Er ist in der Lehre bei einem Drucker. Ich werd ihn schon finden, Mutter.»

Er betrachtete sie – vielleicht das letzte Mal, dachte er. Sorgen und Entbehrungen hatten sie gezeichnet, aber ihr blasses, von langen schwarzen Locken gesäumtes Gesicht war immer noch schön. Er küßte sie auf die Wangen. «Mein süßer Will», murmelte sie. Und dann begleitete sie ihn zur Tür. Bald konnte sie ihn nicht mehr von

Er braucht keine Ratschläge ...

... er braucht Geld, sagte Mutter Mary. Denn: der beste Rat ist allemal der Vorrat an Geld.

Will wird sich wohl daran erinnert haben, als er später dem Jago den Rat in den Mund legte: Tu Geld in deinen Beutel!

Leider ist Geld der gute Rat, der teuer ist.

den weichen grauen Schatten in der mondbeschienenen Henley Street unterscheiden.

Insgeheim fand Mary, daß die ganze Reformation ein großer Unsinn sei. Die Ardens hielten am alten Glauben fest. Und so kniete sie nieder, bekreuzigte sich und bat die Jungfrau Maria, eine Mutter wie sie selbst, über ihren Will zu wachen. Dann legte sie ein gutes Wort für ihn beim heiligen Christophorus ein. Und schließlich, um nichts zu versäumen, las sie auch noch eine Seite aus dem protestantischen Gebetbuch und verbrannte ein Zweiglein Rosmarin, um die bösen Geister fernzuhalten. Dann ging sie traurig nach oben.

Leicesters Frühstück, das aus dünnem Bier, Rindfleisch und Brot bestand, half auch nicht, seine Laune zu verbessern.

Herbstliche Kühle drang vom Weiher herauf. Ihn fröstelte in seinem steinernen Gemach, trotz der Teppiche an den Wänden. Er, der reiche und mächtige Graf von Leicester, mußte allein in einer kalten Kammer frühstücken. Sein kränkelnder Sohn würde wohl bald in einem kalten Grab in der Kirche zu Warwick liegen. Und seine Frau Lettice, die niemanden mit wärmender Liebe umsorgte, zog es vor, ihr morgendliches Hühnchen im Bett zu verspeisen.

Wenn er bedachte, wieviel er getan hatte für England, für Elisabeth und für sich selbst – bei Gott, er verdiente etwas Besseres als diese kalte Einsamkeit.

Vielleicht, dachte er, würde ihm die Königin erlauben, die Iren zu unterwerfen. Das war das einzige, was ihn noch einmal aus seiner Lustlosigkeit und Schwermut herausreißen könnte.

Draußen hörte er die schweren Schritte bewaffneter Männer. Die Tür wurde aufgerissen. Grenville, der Hauptmann der Wache, kam mit drei Soldaten herein und salutierte.

Der Graf sah ihn mißmutig an. «Nun?» Dieser verdammte Shakespeare, dachte er. Der Narr verdiente den Tod. Nein, Schlimmeres als den Tod! Er verdiente, daß man ihn vierteilte. Aber der Bursche konnte schreiben. Wenn man ihm seine Keckheit und Dreistigkeit abgewöhnte und ihn hübsch kurz hielt, dann würde er eines Tages vielleicht Tragödien schreiben, die man sogar vor der Königin aufführen konnte.

Grenville trat einen Schritt vor und legte ein blutiges Bündel auf den Frühstückstisch. Vorsichtig löste er die Hülle, und Leicester starrte auf eine abgehackte linke Hand.

Angewidert rückte er seinen Teller beiseite. Doch dann betrachtete er aufmerksam die Hand und blickte den Hauptmann streng an. «Ist das Shakespeares Hand, Master Grenville?»

«Jawohl, gnäd'ger Herr.»

«Erzählt!»

«Wir holten ihn hinter Stratford ein, gnäd'ger Herr, und da ich die Absichten Eurer Lordschaft kannte, hab ich, statt den Mann herzuschaffen, augenblicklich die Strafe an ihm vollzogen.»

«Falls Ihr Euch nicht, um Euch vor Mühsal und Unheil zu bewahren, einen armen Bauersmann als Ersatz gesucht habt», sagte der Graf böse.

Er blickte Grenville scharf an. Wenn sein Mißtrauen erwachte, konnte er sehr schwierig sein. Grenville spielte den Gekränkten. Er hob die abgeschlagene Hand in die Höhe, damit der Graf sie besser sehen konnte. «Das ist keine Bauernhand, gnäd'ger Herr. Seht selbst, sie ist jung und ohne Schwielen. Und meine Männer werden es bezeugen – es ist Shakespeares Hand.»

«So ist es, gnäd'ger Herr», sagte einer der Soldaten.

«So wahr mir Gott helfe», fügte der zweite hinzu.

Der dritte sagte nichts. Er blickte zu Boden und spuckte aus.

Der Graf würdigte sie keines Blickes und schickte sie fort. Nachdem er sein Frühstück beendet hatte, betrachtete er noch einmal die blutige Hand. Vielleicht war es Shakespeares Hand. Vielleicht auch nicht. Wenn sie es wirklich war, dann hatte der Bursche seine Strafe bekommen, besaß aber immer noch eine Hand zum Schreiben.

Genau würde er es wohl nie erfahren, und es war ihm auch gleichgültig. Und das war ein erschreckendes Zeichen. Bisher war er sein Leben lang rachsüchtig gewesen. Wurde er alt? Ließen seine Kräfte nach?

Es war ihm gleichgültig. Er würde abwarten. Falls dieser Shakespeare jemals von sich reden machte, konnte er ihn immer noch in seine Dienste nehmen, mit einer Hand oder mit zweien. Kein Dichter, und mochte er noch so erfolgreich sein, konnte es sich leisten, ein Angebot des Grafen von Leicester auszuschlagen. Und falls er sich von seiner gegenwärtigen Schwermut erholte und es ihn gelüstete, Rache zu üben, würde er diesen Shakespeare schon erwischen und aus dem Weg räumen. Für den mächtigsten Mann von England war das ein Kinderspiel.

Grenville atmete erleichtert auf. Das war glatter gegangen, als er erwartet hatte. Der Graf ließ neuerdings die Zügel schleifen.

«Da!» rief er und warf jedem seiner treuen Soldaten eine Münze zu. «Ich dank euch, Männer.» Er war zufrieden. Besser, dachte er, daß ein kleiner Schreiber hinfort einhändig durchs Leben geht, als daß die verheißungsvolle Laufbahn eines jungen Hauptmanns jäh ein Ende findet.

3

*Es soll mit Eurem Barte
zum Balbier ...*

«Der Herr sei gelobt!» schrieb Philip Henslowe gottesfürchtig oben über den großen Bogen, auf dem er seine Bordell-Einnahmen eintrug.

Er war ein frommer Mann. Und er hatte allen Grund zur Dankbarkeit. Mit seinen Bordellen verdiente er mehr Geld als mit der beliebten Bärenhatz, und das wollte schon etwas heißen! Sein Ziegenlederhandel, seine Färberei, sein Pfand- und Leihhaus – alle seine Unternehmungen blühten und gediehen. Am Sonntag, dachte er, bei der allwöchentlichen heiligen Kommunion, wollte er ein besonderes Dankgebet sprechen. Ja, der schlichte, rechtschaffene Philip Henslowe schickte sich schon an, auf der Stelle zum Gebet niederzuknien, als ihm plötzlich seine Schauspielertruppe in den Sinn kam.

Und so blieb er sitzen. Denn eines stand fest. Was seine Schauspielertruppe betraf, so hatte der Allmächtige ihm nicht die Hilfe angedeihen lassen, die er ihm sonst in seiner Güte gewährt hatte.

Gleichwohl ließ er sich dadurch in seinem Glauben an die besondere Verbindung, die zwischen ihm und seinem Schöpfer bestand, nicht erschüttern. Dieser Glaube war an dem Tage geweckt worden, da Gott in seiner unendlichen Weisheit und Güte Philips Brotherrn, Master Woodward, zu sich gerufen hatte, damit Philip dessen reiche Witwe heiraten konnte.

Er legte nachdenklich den Gänsekiel auf sein Pult und zog fröstelnd seinen Schlafrock über die Knie. Herbstkalter Dunst drang von der Themse in sein am Südufer gelegenes kleines, vollgestopftes Kontor auf. Er rieb sich die Nase, wie er es immer tat, wenn er nachdachte – und es gab selten Augenblicke, da er nicht über neue Pläne oder Ränke oder über die unendliche Güte des Höchsten nachsann. Gott hatte ihm geholfen, gewiß, aber er, Philip Henslowe, hatte auch sein Teil getan. Kein Mensch konnte sagen, daß er das ihm von Gott anvertraute Pfund vertan hatte. Jeden Penny der Ersparnisse seines Meisters hatte er in Grundstücken nahe seinem

Wohnhaus in Southwark angelegt. Seine Bordelle befanden sich allesamt in der Nachbarschaft der Residenz des Bischofs von Winchester – eine Nachbarschaft, die Henslowes frommes Gemüt befriedigte und seinen arbeitsamen Mädchen den liebevollen Spitznamen ‹die Gänse des Bischofs von Winchester› eintrug. Für die Bärenhatz benutzte er bald hier ein Feld, bald dort einen Hof. Und seine Ziegenfelle lagerte er stets so, daß der Wind den Geruch nicht ins bischöfliche Palais trug.

Ja, Philip Henslowe hatte sich am Südufer der Themse ein florierendes kleines Imperium geschaffen. Der große Vorteil dieser Lage, den er selbst zuerst gar nicht erkannt hatte, bestand darin, daß die Gerichtsbarkeit des Bürgermeisters von London genau auf der Mitte der großen Brücke endete. Das bedeutete, daß seine von der puritanischen Stadtverwaltung gehaßten und gefürchteten Schauspieler ungehindert auftreten konnten. Philip hatte nämlich einen großen Plan, so kühn, daß selbst ihm beim Gedanken daran angst und bange wurde: er wollte auf seinem Grund und Boden ein richtiges Theater erbauen, in dem das ganze Jahr über Schauspiele aufgeführt werden sollten.

Das würde Aufsehen erregen! Keine Auftritte mehr in Hinterhöfen oder auf den Galerien von Tavernen. Keine lästigen Bittgänge mehr. Nicht mehr Zuschauer, die sich schnell aus dem Staube machten, sobald der Hut herumgereicht wurde. Sondern ein festes Publikum, Zuschauer, die zahlten, bevor sie eingelassen wurden. Und wenn sie erst einmal drinnen saßen, würde es ein Leichtes sein, ihnen Bier und Äpfel und Quitten zu verkaufen.

Gewiß, in London gab es schon zwei Schauspielhäuser, das *Theater* und den *Vorhang*, doch die waren weit draußen bei Finsbury. Aber ein Schauspielhaus auf seinem Grund und Boden, nur durch den Fluß von der Stadt getrennt und flankiert von Bordellen und Biergärten – das war etwas Neues!

Er sah sie schon vor sich, die über die Brücke herbeiströmenden Scharen, die Stutzer, die Schürzenjäger, die Lehrlinge, die bekannten Advokaten und – warum nicht? – die Adligen, die in ihrer eigenen Barke über den Fluß herüberkommen würden. Und ein jeder konnte nach Belieben einen unterhaltsamen Nachmittag verbringen, sei es im Theater, bei der Bärenhatz oder bei den ‹Gänsen des Bischofs von Winchester›. Die Münzen würden aus den Händen der Besucher unweigerlich in Philip Henslowes Geldtruhe wandern.

Freilich mußten ihm seine Schauspieler erst einmal mehr Profit einbringen, bevor er sein gutes Geld in ein Theater für sie stecken konnte. Und das hing nicht von ihnen ab. Sie waren ordentliche Burschen, bereit, sich Tag für Tag aufs neue abzuschinden. Der Haken war, daß seit Ewigkeiten kein Dichter mehr ein wirklich gutes Stück geschrieben hatte. Wenn Gott ihm einen guten Schauspielschreiber sandte, nur einen einzigen, dann konnte er mit seiner Truppe noch weit mehr Geld verdienen als mit den Huren. «Lieber Gott, schicke mir einen guten Stückeschreiber!» murmelte er.

Da klopfte es an der Tür. William Shakespeare trat ein.

Philip Henslowe bemerkte mit einem Blick den abgetragenen Kordsamt, die zerrissenen Wollstrümpfe, die sonnenverbrannten, aber schmalen, hungrigen Wangen. «Falls es sich um eine Anleihe handelt», sagte er mürrisch, «brauche ich Sicherheiten. Einen Ring vielleicht ...» Er musterte seinen Besucher. Nein, solche Hände trugen keine Ringe. «Die Zeiten sind schwer», fügte er wie zur Erklärung hinzu.

Ein wenig Geld war das, was William mehr als alles andere brauchte. Aber darum war er nicht gekommen. «Nein, Herr. Ich bin Will Shakespeare aus Stratford am Avon. Ich wollte ...»

Ah, ein Bauernbursche, dachte Philip Henslowe, und lächelte. «Es tut mir leid, aber Ihr habt eine schlechte Zeit gewählt, um Ziegenfelle zu verkaufen. Die Preise sind ... Doch sei's drum. Zeigt, was Ihr zu bieten habt.» Er wollte eben aufstehen, als sein Gehilfe Moreton händeringend hereinkam. «Herr, eine schreckliche Neuigkeit, schrecklich, schrecklich! Burton ist bei einer Rauferei erschlagen worden.»

Henslowe sank auf seinen Stuhl zurück. «Gott verdamme ihn, auf daß seine Seele ewig im Höllenfeuer schmore!» rief er unbarmherzig.

Seine Augen funkelten vor Zorn. Burton war ein nicht übermäßig gewitzter Magister, der für ein paar Pfund Lohn gedrechselte Komödien und Tragödien schrieb. Gleichzeitig verachtete er nicht nur jene, die seine Stücke kauften, sondern auch die Schauspieler, die sie spielten, und die Leute, die sie sich ansahen. Vor allem aber verachtete er sich selbst, daß er sich mit solch einer plebejischen Arbeit die Finger schmutzig machte. Das schlimme nun war, daß dieser Bursche sich hatte erschlagen lassen, bevor sein neues Stück fertig war, von dem Henslowes Schauspieler schon vier Akte auswendig gelernt und geprobt hatten. Es fehlte noch der fünfte Akt. «Geh und durchsuche seine Zimmer», befahl Henslowe aufgebracht.

«Das hab ich schon getan, Herr. Vergeblich. Und Johnson, der mit ihm zusammen wohnt, schwört, daß der letzte Akt noch nicht geschrieben ist.»

Henslowe starrte düster vor sich hin. «Und nun nie geschrieben wird.» Eine schlimme Geschichte! Das hatte man davon, wenn man sich mit diesen eitlen Gecken von der Universität einließ! Sein Blick fiel auf den Burschen, der ihm Ziegenfelle verkaufen wollte, und er stand auf. «Verzeiht mir, aber mit Ziegenleder ist in diesen teuren Zeiten kein Geschäft zu machen ...»

Will war verwirrt. Was hatte er mit Ziegenfellen zu schaffen? Sein Freund Richard Field hatte gesagt, Master Henslowe kaufe Schauspiele. Und eben noch war ja auch von einem fünften Akt die Rede gewesen. Er sagte: «Ich bin Will Shakespeare, Herr, aus Stratford am Avon. Ein Schauspieldichter. Und ich dachte ...»

Was in Gottes Namen verstand man schon in Stratford vom Theater! Mürrisch sagte Henslowe: «Mit anderen Worten, Ihr habt gar keine Ziegenfelle anzubieten?»

«Nein, ich ...»

«Warum habt Ihr das nicht gleich gesagt?» Er nickte Moreton zu, der Will am Arm ergriff und ihn zur Tür schob.

Will war wütend. Er schüttelte den Gehilfen ab und legte ein dickes Bündel geschriebener Bogen auf Henslowes Pult. «Master Henslowe, ich bitte Euch, lest mein Stück.»

Henslowe sagte: «Nein, lest Ihr *mein* Stück. Laßt Euch Zeit, und dann sagt mir, ob Ihr den letzten Akt dazu schreiben könnt.»

Er gab Will das Stück und wies ihm einen Stuhl. ‹Ein Stock, das Eheweib zu züchtigen›, las William. ‹Eine Komödie von Henry Burton.›

Er setzte sich. Eine Stunde später legte er die Bogen auf den Tisch und sagte: «Ich könnte das ganze Stück umschreiben. Es verbessern.»

«Zum Teufel, Ihr sollt es nicht umschreiben, Ihr sollt mir bis morgen nachmittag den letzten Akt schreiben. Könnt Ihr das?»

«Gewiß», sagte William. «Wieviel zahlt Ihr mir dafür?»

«Fünf Shilling», sagte Henslowe. Gewöhnlich mußte er ein Pfund für jeden Akt bezahlen.

«Oh!» rief William, und seine Augen glänzten. «Ich werde Euch einen letzten Akt schreiben, wie Ihr noch nie einen gesehen habt.»

«Nur zu!» sagte Henslowe zufrieden. Der Bursche würde schon etwas zusammenschreiben. Die Schauspieler konnten es dann ja in die richtige Form bringen. Und dank Henry Burtons vorzeitigem Ende brauchte er nun für die ersten vier Akte nicht einen Penny zu bezahlen! Er bekam das ganze Stück für fünf Shilling. Kein schlechtes Geschäft, dachte er.

Der junge Bursche drehte sich in der Tür noch einmal um. «Werdet Ihr mein Stück lesen, Herr?»

«Ich lese *alle* Stücke», sagte Henslowe mißmutig. «Und wenn ich lange genug lebe, werd ich vielleicht eines Tages auf eines stoßen, das des Lesens wert ist», setzte er bissig hinzu.

Am darauffolgenden Nachmittag kam William wieder. «Habt Ihr mein Stück zu Ende gelesen, Herr?»

Henslowe streckte seine Hand aus. «Habt Ihr *mein* Stück zu Ende geschrieben?»

Will gab es ihm. «Es wär ein beß'rer letzter Akt, wenn es ein beß'res Stück wär. Darf ich Euch einen Vorschlag machen, Herr?»

«Nein, das dürft Ihr nicht», sagte Henslowe barsch. Er setzte sich und las, was Will geschrieben hatte. Diese verdammten Stücke, dachte er. Warum vergeudete er damit seine Zeit? Mit den Bären war es schon etwas anderes. Der alte Harry, einer der Favoriten des Publikums, war gestern wieder großartig gewesen. Mit einem einzigen Tatzenhieb hatte er dem einen Hund die Eingeweide herausgerissen und einem anderen die Augen zerkratzt. Freilich, das kostete Geld. Die Hunde waren nicht billig. Aber es zahlte sich aus.

Er legte die Bogen auf den Tisch. «Gefällt es Euch?» fragte Will. «Es ist brauchbar, Master Shakespeare.»

War das alles? «Und ... und habt Ihr mein Stück schon gelesen, Herr? ‹Hamlet, zaudre nicht!›?» Will hatte, seit er bei Richard Field wohnte, fleißig gearbeitet. Er hatte die kränkende Szene gestrichen und den Rest auf fünf Akte gestreckt.

«Ja, und Gott helfe mir. Die verrückteste Handlung, die ich in meinem Leben gelesen habe. Und das will etwas heißen.»

Wie der Hirsch schreit nach frischem Wasser, so schrie Williams Seele nach Lob, nach dem Wort des Lobes, das er noch nie gehört hatte. «Ihr findet es – schlecht?»

Philip Henslowe überlegte. Das Stück *war* schlecht. Hochtrabend und unsinnig. Und schlimmer noch: es ließ sich gar nicht auf die Bühne bringen. Aber Shakespeares letzter Akt zu Henry Burtons Stück war ein gut Teil besser als die vier ersten Akte, auch wenn er das nie zugegeben hätte. Und einen Schreiberling, der für fünf Shilling willig einen ganzen Akt verfaßte, den mußte man sich warmhalten.

Er betrachtete William nachdenklich und nahm mit Befriedigung die zerrissenen Kleider, die eingefallenen Wangen und den verzweifelten Blick des jungen Burschen wahr. Der Junge hatte sicherlich keinen Penny in der Tasche. Philip schätzte solche Hungerleider. Sie waren umgänglicher als andere. «Master Shakespeare», sagte er. «Ich will offen mit Euch sein. Euer Stück hat einige Vorzüge. Aber nun hört mir gut zu. Diesem Burschen – wie heißt er doch? – wird vom Geist seines Vaters befohlen, er soll seinen Onkel töten. Und was tut er? Nichts! Fünf Akte lang versucht er sich aufzuraffen. Das ist zu dünn, mein Junge.»

Will sank der Mut. «Ja», murmelte er. «Wenn Ihr es so seht, dann versteh ich schon ...»

«Außerdem ist es zu tragisch. Heutzutage wollen die Leute lachen.»

William blickte immer trübseliger drein. «Ich ... ich könnte einen komischen Totengräber einführen», schlug er hoffnungsvoll vor.

Philip Henslowe stand auf. «Hört mir zu, junger Mann. Ihr schindet Euch zu Tode mit diesem ernsten Stoff. Schreibt etwas Leichtes. Das ist es, was die Leute wollen. Paßt auf. Schreibt mir eine Komödie. Über Zwillingsbrüder. Der eine trifft des anderen Weib, und die gute Frau meint, es sei ihr Ehemann. Ihr wißt schon, was ich meine. Die Leute mögen dergleichen. Und nennt das Stück ‹Eine Komödie der Irrungen›. Das wär ein guter Titel.»

«Schon recht, Herr.» Will wollte keine Komödie der Irrungen schreiben. Er wollte über den Tod von Königen schreiben. Doch wenn ihm keine Wahl blieb ... Er sagte: «Ich glaube, Herr, wenn Ihr mit meinem letzten Akt zufrieden seid, dann schuldet Ihr mir fünf Shilling.»

Henslowe legte seinen Arm um Wills Schulter. «Und solange Ihr an dem Stück schreibt, könnt Ihr bei meinen Schauspielern logieren. Ihr übernehmt in dem Stück ein paar kleine Rollen, verkauft in der Pause Quitten und versorgt die Pferde der Besucher. Komm, Moreton, bring ihn zu Edward Alleyn. Er soll ihm Logis geben. Und wenn Ihr mir gut dient, Master Shakespeare, nehme ich Euch in Lohn und Brot.» Dann, sagte sich Henslowe, brauchte er ihm nur sechs Shilling die Woche zu zahlen. Und selbst wenn dieser Shakespeare als Schauspieler nichts taugte, würde er ihm sehr nützlich sein. Er konnte die Stücke anderer zurechtstutzen. Auch dafür waren sechs Shilling ein geringer Preis.

«Oh, ich danke Euch, Master Henslowe.» Für Will war ein Traum in Erfüllung gegangen. Doch vergaß er nicht nach seinem Entgelt zu fragen: «Und meine fünf Shilling, Herr?» Er bekam sie. Will mochte ein verträumter Poet sein, aber er ließ sich nicht übervorteilen.

Als sie die steile Treppe hinuntergingen, sagte Moreton mit einem tiefen Seufzer: «Ihr habt soeben mit einem der größten Wohltäter der Menschheit gesprochen, Master Shakespeare.»

«Ihr meint Master Henslowe?» fragte Will ein wenig überrascht.

«In der Tat. Oh, welch eine Öde wäre London ohne die Freuden, die wir Master Henslowe verdanken: die Schauspieler, die willfährigen Damen, die Bärenhatz.»

Will hätte sich nach den willfährigen Damen gern näher erkundigt, doch sein Gefühl für Schicklichkeit hielt ihn zurück, und so fragte er höflich: «Ist die Bärenhatz in London beliebt?»

«Beliebt? Verehrter Herr, jedermann ist versessen darauf, angefangen von der Königin.»

«Mit Ausnahme der Bären, möchte ich meinen», sagte Will.

Moreton sah ihn ärgerlich von der Seite her an. Er hoffte, daß der Meister, den er so verehrte, sein Geld nicht an einen Narren verschwendete. «Was haben die Bären damit zu tun?» fragte er verdutzt.

Will blieb die Antwort schuldig. Er hatte selbst manchmal bei einer Bärenhatz zugesehen und mit den anderen geschrien und gejohlt. Wenn dann alles vorüber war, hatte er sich einzureden versucht, er sei vom Blutrausch der Menge mitgerissen worden. Aber er wußte, daß dies nicht ganz der Wahrheit entsprach. Er schämte sich der dunklen Regungen, die er dann und wann in sich entdeckte. Und fragte sich zugleich, ob solche Scham nicht unmännlich war. Doch er liebte alle Geschöpfe so sehr, daß er auch mit ihnen litt. Und während er mit Moreton durch den Schmutz der Gassen ging, sah er sich in Gedanken als Bär in einem Käfig. Er hörte die Männer kommen, die ihn zur Nachmittagsvorstellung holten, und er hörte die vor Hunger rasenden Bluthunde bellen. Er wußte, was ihn draußen erwartete, jede Faser in seinem lebendigen Leib sagte es ihm. Seine kleinen Augen beobachteten die Männer, die er, wäre er nur frei gewesen, mit einem Hieb hätte töten können. Aber er war nicht frei. Sie hatten ihn angekettet. Sie zogen, stießen und peitschten ihn hinaus in die blutige Arena, wo er gestern und vorgestern und alle Tage davor gewesen war und immer wieder das Schreckliche ertragen mußte ...

Nein, dachte Will, solche Leiden ließen sich nicht rechtfertigen, wie sehr sie auch der Königin gefielen. Doch dann vergaß er den Bären und alles andere. Denn Moreton sagte: «Die Schauspieler sind bei der Probe.» Er würde die Schauspieler sehen!

In der Grafschaft Warwick fielen die Blätter. Sie schwebten sanft herab und wurden vom Wind davongewirbelt. Sie lagen naß und zertreten am Boden und warteten auf den Frost, den Schnee. Sie warteten auf den Winter, der drohend hinter den majestätischen Herbsttagen lauerte.

Die Blumen, die Richard Hathaway gepflanzt hatte, hingen welk und naß herunter. Bald würde der blaue Rauch eines Gartenfeuers in die stille Luft unter den goldenen Herbstwolken aufsteigen, und Richard Hathaways Blumen würden sterben. Annes Stiefmutter trauerte um ihren verlorenen Ehemann, Annes Schwester freute sich ihres ehelichen Glücks, und Anne verzehrte sich, einsam und verlassen, in Sehnsucht nach ihrem Will, der wie ein heller Stern am Himmel erschienen und wieder verschwunden war.

Eines Tages bekam sie einen Brief von ihm. Er wohne, so schrieb er, bei seinem Freund Richard Field im Hause eines Druckers namens Theodor Vautrollier, bei dem Richard in der Lehre sei. Es gehe ihm gut und alles sei wunderbar, oder könnte wunderbar sein – wie er hinzufügte –, wenn sie nur bei ihm wäre. London sei eine schöne, aufregende Stadt, und er habe schon den Palast der Königin in Whitehall gesehen und am Ufer der Themse die Häuser der Adligen mit ihren Gärten und den großen Rasenflächen, die sich bis zum Fluß hinunter erstreckten, wo an den Bootshäusern die golden glänzenden Barken ankerten. Er schrieb ihr nicht, daß eines dieser Häuser, wie Richard ihm gesagt hatte, dem Grafen von Leicester gehörte und daß er, Will, vor Schreck beinahe nach Stratford zurückgekehrt wäre, hätte er nicht mit eigenen Augen gesehen, daß das Haus leer stand und alle Fenster geschlossen waren.

Ja, William hatte sich wieder einmal auf den ersten Blick verliebt – diesmal in die Stadt London. Zagend hatte er in ihr Zuflucht gesucht, wie ein Kind unter der Schürze seiner Mutter, aber statt einer Mutter hatte er eine Geliebte gefunden, die er verehrte und erobern wollte. Die Paläste, die Kirchen, die Gärten, die weiten Anlagen und vor allem die Themse, dieser silberklare Strom mit seinen Hunderten von Schwänen und den Schiffen aus aller Welt – wie verschieden war das von Stratford und dem einsamen Avon!

Und nun sollte er in dieser gärenden und schäumenden Stadt den Himmel auf Erden finden! Er betrat mit Moreton einen großen, verwahrlosten, unmittelbar am Flußufer gelegenen Raum. Überall lagen Helme, Umhänge, Schwerter, Halskrausen und Reifröcke herum. Und auf der Bühne schrien und gestikulierten etwa ein Dutzend Männer und Knaben. Auf einer Bank saß, das Kinn in die Hand gestützt, ein Mädchen und sah dem Treiben zu.

Will stand verzückt im Eingang, ein beglücktes Lächeln auf den Lippen. Er wußte, hier gehörte er hin. Das war seine Wirklichkeit. Alles andere, Stratford, das Haus in der Henley Street, Anne und sogar der mächtige Graf, all das war eine Schattenwelt, oder im besten Falle eine Vorbereitung, eine Straße, die man beschreiten mußte, ehe die wirkliche Reise begann.

Er lehnte am Türpfosten und seufzte zufrieden. Er, Will Shakespeare, Poet aus Stratford am Avon, hatte seinen Platz gefunden.

Aber Moreton, der nun noch mehr überzeugt war, daß sein Herr und Meister Geld an einen Narren verschwendete, packte Will am Ellbogen und drängte ihn zur Bühne. «Ned», rief er.

Ein junger Mann, nicht älter als Will, dunkel und hübsch, gebot mit einer Handbewegung Schweigen. Er trat an die Rampe und fragte: «Was ist?»

«Ein neuer Mann. Will Shakespeare heißt er. Der Meister sagt, Ihr sollt ihm Logis geben und ihn anstellen, wofür Ihr wollt.»

Edward Alleyn sah Will prüfend an. «Was könnt Ihr?» fragte er barsch.

«Ich kann Stücke schreiben.»

«Du lieber Himmel! Könnt Ihr auch einen Nagel einschlagen? Ein Brett anstreichen? Eine Lanze ergreifen? Eine Gigue tanzen? Einen Streit schlichten? Einen Kanon singen? Ein Schwert schwingen? Könnt Ihr ungebildete Zuschauer zum Lachen oder zum Weinen bringen und sie das Fürchten lehren? Und all das an einem Nachmittag?»

«All das», sagte Will trotzig, «*und* Stücke schreiben.»

Die Schauspieler lachten schallend. Alleyn verzog wütend das Gesicht, aber dann mußte auch er lachen. Er sprang von der Bühne herab und legte den Arm um Wills Schultern. «Ihr werdet uns sehr nützlich sein, Freund.»

Die Schauspieler, die noch immer lachten, umringten ihn, hießen ihn willkommen, fragten ihn nach seinem Namen und stellten sich ihm vor. Will konnte es noch immer nicht recht glauben. Er kam sich vor wie ein Mönch, der von seinem Totenbett aufsteht und sich herzlich von der Gemeinschaft der Heiligen empfangen sieht.

Doch nun wurde Edward Alleyn, den die Schauspieler Ned nannten, wieder ernst. Er klatschte in die Hände. «An die Arbeit, Leute.» Und zu Will sagte er: «Für heute, Master Shakespeare, soll es genügen, wenn Ihr uns bei unserem Treiben zuseht!» Er wandte sich um. «Joan!» rief er zu dem Mädchen auf der Bank hinüber.

Das Mädchen erhob sich gehorsam und kam herbei. «Master Shakespeare soll sich zu Euch setzen», sagte Ned. «Erklärt ihm, was wir tun.»

Will betrachtete sie. Sie mochte zwölf Jahre alt sein, und sie sah reizend aus. Eine makellose Nachbildung einer würdevollen, reifen Frau, angefangen bei dem Schleier, der von dem schwarzen Haar herabhing, bis zu dem Rock aus rotem Samt. Sie machte einen sehr selbstsicheren Knicks und führte Will zu der Bank.

Will verneigte sich und setzte sich hin. Er kam sich neben dieser anmutigen Puppengestalt wie ein ungeschlachter Riese vor. Ohne die Augen von den Schauspielern zu wenden, sagte das Mädchen: «Seht, jeder hält seine Rolle mit den Stichwörtern in der Hand. Und der Spielleiter gibt ihnen die Anweisungen. Die Szenenfolge mit den Auftritten und Abtritten steht auf dem Anschlag dort an der Wand.»

William sah gebannt zu. Ja, jeder der Schauspieler hielt einen Bogen Papier in der Hand. Und Alleyn, der von Zeit zu Zeit einen Blick auf die Instruktionen an der Wand warf, erklärte den Schauspielern, wann und wie sie zu sprechen hatten. Er feuerte sie an und lenkte sie. Er war es, der die ganze Bühne beherrschte.

Will hatte schon oft Menschen bei gemeinsamer Arbeit gesehen, sei es bei der Ernte oder beim Hausbau. Aber noch nie hatte er eine Gruppe so selbstvergessen, so beschwingt und so fröhlich arbeiten sehen. Er sehnte sich danach, einer von ihnen zu sein, zu ihnen zu gehören und beizutragen zu dem Werk, das ihnen augenscheinlich so am Herzen lag.

Er wandte sich zögernd dem zierlichen Mädchen zu und sagte: «Ist Master Alleyn für einen Spielleiter nicht sehr jung?»

Sie blickte ihn an. Ihre Augen waren so dunkel wie ihr Haar, und nichts an ihrem zarten, schmalen Gesicht erinnerte auch nur von ferne an ein pausbäckiges Kindergesicht. «Er ist noch nicht zwanzig», sagte sie. «Trotzdem hat mein Stiefvater ihn schon zum Spielleiter gemacht.»

«Euer Stiefvater?»

«Master Henslowe. Er heiratete meine Mutter, als Vater starb. Ich bin Joan Woodward.»

«Und ich bin Will Shakespeare.» Er meinte eine Spur Traurigkeit in ihren Augen wahrzunehmen und lächelte sie an.

Joan Woodward wandte den Blick ab, ohne sein Lächeln zu erwidern. «Ist Ned Alleyn nicht ein schmucker junger Bursche?»

«Ja», sagte Will. Dieser Ned war wirklich eine vornehme, eindrucksvolle Erscheinung, und er hatte eine angenehme, volle und edle Stimme. Will wünschte sich von ganzem Herzen, dieser lustigen Schauspielertruppe anzugehören, doch mehr noch wünschte er sich Ned Alleyn als Freund. Aber sogleich schalt er sich für seine Träume. Wie konnte Alleyn, der Leiter der Truppe, ein junger Mann von gutem Ruf, mit einem Burschen aus der Kleinstadt Freundschaft schließen, der noch nicht einmal in Lohn und Brot stand?

Doch nun brach Alleyn die Probe ab. Lachend und plaudernd gingen die Schauspieler davon. Alleyn sprang leichtfüßig von der Bühne herab und kam mit ausgestreckten Händen auf Will zugeeilt. «So, und nun will ich Euch Eure Unterkunft zeigen. Ein Palast ist's nicht, aber Ihr werdet dort Gesellschaft haben – die Schauspieler, etliche Küchenschaben und hin und wieder eine Ratte vom Fluß. Master Henslowe bietet seinen Hunden ein besseres Logis als seinen Schauspielern.» Er hielt in gespieltem Entsetzen inne. «Oh, Mistress Joan, verzeiht mir. Ich hatte ganz vergessen ...»

Sie blickte zu ihm auf. «Ich habe nichts gehört, Master Alleyn.» Will hatte das Gefühl, daß sie bereit war, dem hübschen, talentierten Burschen noch sehr viel mehr als dies zu verzeihen.

Alleyn machte eine tiefe Verbeugung vor ihr. «Ich danke Euch, Mistress Joan, daß Ihr unsern Gast unterhalten habt.»

Sie machte einen steifen Knicks. Aber zu seinem Erstaunen sah Will, daß ihre ernsten Augen jetzt munter blitzten. Ein schelmisches Lächeln breitete sich in ihrem Gesicht aus. Sie machte eine

Bewegung, als wollte sie fliehen, und Alleyn duckte sich, als wollte er sie verfolgen. Und da war sie auch schon fort und lief kichernd und lachend davon. Alleyn setzte ihr nach, sprang über die Bank und rannte über die Bühne. Ausgelassen tobten und tollten die beiden umher. Dann lief Joan zur Tür hinaus, und Alleyn kam zu Will zurück. Er keuchte und lächelte verlegen. «Verzeiht. Aber die kleine Person ist so einsam, so verlassen bei sich zu Haus. Ohne die Schauspieler ...» Er zuckte mit den Schultern. «Freilich, Henslowe und ihre Mutter vergöttern sie, und so ist's auch klug, sich gut mit Mistress Joan zu stellen.» Er sah Will mit einem freundlichen Lächeln an. «So, und Ihr schreibt Stücke, Master Will. Da möchte ich wetten ...» Er streckte die Hand aus. «Gewiß habt Ihr zufällig Euer letztes Stück bei Euch. Laßt es mich sehen.»

Will war erstaunt. «Woher wißt Ihr das?»

«Ein Schauspieldichter hat immer sein letztes Stück zufällig bei sich. Das ist ein Naturgesetz.»

Will zog das Stück aus seinem Wams hervor. «Master Henslowe sagt, es sei die verrückteste Handlung, die er je gelesen habe», erklärte er.

«Master Henslowe hat in seinem Leben noch nie etwas gelobt – außer Gott den Allmächtigen, seinen Herzensfreund. Aber er versteht in der Tat viel von Theaterstücken. Darf ich es lesen?»

«Bitte», sagte William. «Und Eure Kritik wird mir willkommen sein», fügte er mit ernstem Gesicht hinzu.

«Wenn das wahr ist, dann wärt Ihr ein seltener Vogel. Dichter sind so empfindlich wie Austern, die man ihrer Schale beraubt.» Lachend schob er die kostbare Handschrift in sein Wams und sagte: «Nun zeige ich Euch Eure Unterkunft.»

In der Grafschaft Warwick fielen alle Blätter von den Bäumen. Anne Hathaway saß auf einem dreibeinigen Schemel und salzte Bohnen für den Winter ein. Sie dachte an Will, sie sehnte sich nach ihm, sie bedurfte seiner Gegenwart. Doch sie weinte nicht. Sie gewährte sich nur selten den Trost der Tränen.

Die Blätter fielen. Die Kälte kroch in die Fußbodenfliesen. Die Nächte wurden länger. Und man durfte nur eine Kerze brennen, um die bösen Geister, die Kobolde und die unzähligen Schrecken der Finsternis fernzuhalten. Der Winter war immer eine Zeit des Elends. Aber diesmal drohte er noch dunkler zu werden als sonst.

Will war glückselig. Nun stand er in Lohn bei Henslowe. Jeden Tag nahm er an den Proben teil. Bald trug er eine Lanze, bald schritt er mit gefalteten Händen in einer Mönchskutte über die Bühne. Oder er schwang ein Schwert und schrie lauter als alle übrigen: «Auf die Mauern, Männer!»

Er war von Freunden umgeben: von den Schauspielern und Lohnarbeitern. Ned Alleyn war liebenswürdig, aber ein wenig herablassend; doch was konnte man schon anderes erwarten? Und die kleine Joan Woodward benahm sich im einen Augenblick wie eine würdevolle Dame und im nächsten wie ein vorwitziges, mutwilliges Kind.

Alle hatten ihn freundlich aufgenommen. Und untereinander sagten sie sich, daß Will der liebenswerteste Bursche war, den sie seit langem kennengelernt hatten. Sie erwiderten seine natürliche Herzlichkeit. Für Will war es der Himmel auf Erden.

Mit einer Einschränkung. Sein Gewissen plagte ihn.

Reuevoll dachte er an Richard Field. Im Vergleich zu Wills neuen Freunden war Richard ein wenig zu ernst und schwerfällig. Aber er war ein guter Kerl. Und ohne ihn hätte er, Will, bei seiner Ankunft in London leicht untergehen können wie ein schmales Boot in der rauhen See. Trotzdem hatte er, seit er bei der Schauspielertruppe war, Richard nicht ein einziges Mal besucht. So behandelt man keinen alten Freund, sagte er ärgerlich zu sich selbst. Er mußte unbedingt einen Abend mit Richard verbringen...

Und ebenso reuevoll dachte er an Anne. Er hatte sie verlassen, weil er in Todesgefahr schwebte. Doch statt sich zu verkriechen und um Anne zu sorgen, genoß er hier sein Leben mehr, als er es je für möglich gehalten hätte. Und sicherlich würde es so weitergehen, solange der Graf nicht nach London kam.

Er fühlte sich schuldig, nicht nur weil er glücklich war, sondern auch weil die Erinnerung an seine zärtlich geliebte Anne langsam verblaßte. Seine Treulosigkeit erschreckte ihn. Er hatte in den Straßen Londons Damen gesehen, die sein Blut in Wallung brachten. Vornehme, reizende Geschöpfe in tief ausgeschnittenen Miedern und spanischen Reifröckchen, lachende, spöttische Mädchen, die wie der Frühling dufteten und einer anderen Welt anzugehören schienen als die arme, bäuerliche Anne.

Sein Gewissen sagte ihm, daß er Richards Hilfe mit Undank vergolten und Anne in Gedanken betrogen hatte. Und wenn er etwas verabscheute, dann war es Treulosigkeit. Etwas, was ihn auch an

Edward Alleyn störte, den er sonst so sehr bewunderte. Alleyn behandelte Henslowe mit Ehrerbietung und Respekt, doch hinter seinem Rücken machte er oft boshafte Witze über ihn. Das gefiel Will nicht. Aber er hatte nicht das Recht, anderen Treulosigkeit vorzuwerfen. Dazu mußte man erst einmal vor der eigenen Tür kehren. Noch heute abend wollte er Richard Field besuchen. Und vor allem wollte er mehr an Anne denken.

Aber nach der Probe sagte Edward Alleyn sehr ernst: «Will, warte einen Augenblick.»

Will blieb stehen. Die anderen gingen schnatternd und schwatzend fort. Alleyn setzte sich auf die Rampe. Will tat es ihm gleich. Mit tonloser Stimme sagte Alleyn: «Ich habe dein Stück gelesen – ‹Hamlet, zaudre nicht!›»

Will schluckte. Er hatte schon mehrmals überlegt, ob Alleyn wohl das Stück vergessen hatte oder ob er es so schlecht fand, daß es ihm peinlich war, darüber zu sprechen. Aber er hatte nicht gewagt, ihn zu fragen. Bisher hatte noch niemand sein Schauspiel gelobt. Und er fürchtete sich vor einem abermaligen Tadel. Doch nun würde er gleich eine weitere Meinung hören, ob er wollte oder nicht. Schweigend machte er sich auf einen neuen Schlag gefaßt.

Alleyn streckte das rechte Bein von sich. Dann sagte er langsam: «Diesmal stimme ich mit Henslowe in der Beurteilung ausnahmsweise überein. Es ist die verrückteste Handlung, die ich je gelesen habe.»

Will war zumute, als hätte Alleyn ihm einen Fausthieb in die Magengrube versetzt. In seinem Herzen wußte er, daß er nicht leben konnte, ohne zu schreiben. Alles andere war daneben unwichtig. Schreiben! Eine Feder in der Hand halten und mit dieser Feder die Gefühle der Menschen einfangen, ihre Eigenarten, die ganze stolze und blutige Geschichte der Menschheit. Hier galt es verborgene Reichtümer zu entdecken, wie sie selbst König Midas nicht besessen hatte. Wurden sie nun auch ihm versagt?

Aber Edward Alleyn sprach langsam und bedächtig weiter. «Andererseits –»

Will fuhr sich mit der Zunge über die Lippen. «Ja?» fragte er mit heiserer Stimme.

«Andererseits könnte ein Mann – ein Mann wie ich – deine Sprache nutzen, um das Rollen des Donners, den Schall der Trompete, das Plätschern eines Flüßleins oder das Geläut einer Glocke ertönen zu lassen.» Er blickte starr über Will hinweg. «Er könnte die dunklen Tiefen der Zuschauer aufrühren.»

«Du meinst also ...?»

Wieder starrte Alleyn über Wills Kopf hinweg. «Soll ich dir etwas sagen?»

Will nickte stumm.

«Henslowe möchte gern ein ständiges Theater erbauen, hier, am südlichen Ufer der Themse.»

Zum Teufel mit Henslowe, dachte Will. Da saßen sie und hatten eben ein aufregendes Gespräch über ihn, William Shakespeare, begonnen, aber kaum hatte Ned die ersten Lobesworte über sein Stück gesagt, mußte er wieder auf Henslowe zu sprechen kommen. Doch Alleyn fuhr fort, den Blick auf das Fenster gerichtet: «Er hätte einen unvergleichlichen Bauplatz dafür, Seite an Seite mit Bordellen und Biergärten. Ganz London würde herbeigeströmt kommen.»

Was kümmert mich das, dachte Will. Wie alle Dichter wollte er nur über sein eigenes Werk sprechen.

«Das einzige, was ihm fehlt – und solange er das nicht hat, wird er nicht bauen –, ist ein Stückeschreiber, der das Theater Woche um Woche, Monat um Monat zu füllen vermag.»

William horchte auf und blickte in Alleyns dunkles, hochmütiges Gesicht.

«Ich glaube», sagte Alleyn, «du hast einige der guten Eigenschaften eines solchen Stückeschreibers. Aber du mußt geknetet und geformt werden. Weiß Gott, du hast es bitter nötig. Dein Hamlet-Stück zum Beispiel ist viel zu schwierig, viel zu ernst und tiefsinnig. Ich bin schließlich ein Tragöde, aber nicht einmal ich ...»

Will fiel ihm eifrig ins Wort: «Ich hab schon daran gedacht, einen komischen Totengräber einzuführen.»

«Du brauchst mehr als einen komischen Totengräber. Versuche doch einmal, ein leichtes, beschwingtes Stück zu schreiben. Über Zwillingsbrüder. Du verstehst schon. Der eine trifft des andern Weib, und die –»

«Ich hab auch schon daran gedacht», sagte Will. «Und ich wollte es vielleicht ‹Eine Komödie der Irrungen› nennen.»

«Ja. Das ist ein guter Titel.» Er sah Will an und lächelte zum erstenmal. «Wenn Henslowe sein Theater baut, dann wird er alles tun, um mich zu halten, und bei Gott, ich werde es mir bezahlen lassen. Und wenn du dich so herausmachst, wie ich hoffe ...»

Er stützte beide Hände auf die Rampe und versank in Schweigen. «Ja?» fragte Will atemlos.

Aber Ned Alleyn war mit seinen Gedanken schon anderswo und sprang auf. «Wie ich schon sagte, wenn ich das aus dir machen kann, was ich meine und hoffe, dann werden Philip Henslowe, Edward Alleyn und William Shakespeare London im Sturm erobern!» Federnden Schrittes ging er hinaus. Ein großartiger Abgang, dachte William, der verdutzt und sprachlos auf der Rampe hockte.

William war so beschwingt von dem Gespräch, daß er sich, statt den mühseligen Weg über die Brücke zu nehmen, über die Themse rudern ließ.

Er stand an der Landungstreppe am Pariser Garten und wartete auf die Fähre. Den Penny für die Überfahrt hielt er fest in der Hand. Eine frische Herbstbrise blies den Fluß herauf, aber er spürte die Kühle nicht. Es war ein wolkenloser Abend, und noch stand die Sonne über dem Horizont. Will betrachtete den Fluß mit seinen Schwänen, Booten und Handelsschiffen, die alte Brücke mit ihren kleinen Häusern, ihre schmalen Bögen, durch die das glitzernde Wasser strömte, und dem Torhausturm, wo die Köpfe der Verräter, auf Pfähle gespießt, zur Schau gestellt wurden. Drüben, am anderen Ufer, blitzten die Wetterfahnen im Sonnenlicht. Ja, London war schrecklich und herrlich, eine uralte Stadt, die unter dieser tanzenden Königin eine Pracht entfaltete wie ein Schmetterling, der aus seinem Kokon schlüpft und seine Flügel ausbreitet.

Aber Will starrte wie gebannt immer wieder auf die grausigen Köpfe am Turm. Verrat! Im allgemeinen zeigten die Bürger viel Verständnis für alle menschlichen Schwächen. Wenn ein Mann seine Frau mit dem Schlachtbeil erschlug, wurde er in aller Stille und nicht ohne Mitleid gehängt. Aber wehe dem Mann, auf den auch nur der leiseste Verdacht des Verrats fiel! Er wurde von allen gehaßt und verflucht. Keine Strafe war zu grausam für ihn. Er wurde bei lebendigem Leibe geviertelt, und dann spießte man seinen Kopf auf und stellte ihn zur Schau, damit jeder Bürger ihn betrachten konnte. Aber auch seine Familie, seine Freunde und seine Bediensteten wurden verdächtigt und verfolgt. Ein Leben in Angst und Schrecken war alles, was sie sich noch erhoffen konnten. Es gab keine Gerechtigkeit für sie.

Der goldene Schein der Abendsonne glänzte auf dem Wasser und glitzerte in den Augen der Mädchen, aber Will sah nur die schrecklichen Köpfe. Er dachte an den langen Leidensweg, den jeder dieser Männer gegangen war, ehe sein Leben ein solches Ende genommen hatte. Und dann sah er sich ängstlich um, denn er wußte, daß allein schon der Verdacht, er hege solche Gedanken, ihn den Kopf kosten konnte.

Er versuchte, die Traurigkeit, die ihn befallen hatte, abzuschütteln. Dort, jenseits des wogenden Wassers, lag London strahlend und funkelnd im Abendlicht. Die Stadt, die Henslowe, Alleyn und er im Sturm erobern wollten! War es denkbar, daß die Bürger von London und sogar die Königin eines Tages seinen Namen kennen würden?

Er blickte wieder zu den Köpfen der Verräter hinüber, und ein Schauder überlief ihn. Einem schlichten Bauernburschen drohte ein solches Ende nicht. Er stand mit der Sonne auf, hütete seine Schafe, trank aus dem Bach und legte sich bei Sonnenuntergang schlafen. Er wohnte in einer Hütte am Ende eines einsamen Weges, wo kein königstreuer und kein verräterischer Adliger je den Fuß hinsetzte, auch der mächtige Graf von Leicester nicht . . .

Doch nein! Das war nicht das Leben, das er sich erträumte. Er mußte schreiben, wohin ihn das Schreiben auch führte. Er mußte seinen eigenen Weg gehen.

Er stieg in das kleine Boot. Es legte ab und fuhr dem anderen Ufer entgegen. William stand vorn. Seine Augen waren auf London gerichtet, auf das lebhafte, wimmelnde und wirbelnde London, das Henslowe, Alleyn und er eines Tages erobern wollten.

Richard Field hatte Heimweh. Er lag auf seinem Bett und beobachtete ein helles Viereck an der Wand, das langsam immer höher kletterte und schließlich, als die Sonne das Dach der St. Pauls-Kirche berührte, ebenso langsam verschwand.

Wehmütig malte er sich aus, wie jetzt in Stratford dichter Nebel über den Wiesen lag, wie in seines Vaters Garten die Äpfel an den Bäumen leuchteten und wie ein jeder sich fröhlich auf den Bedientenmarkt, das Michaelisfest und auf Allerheiligen bereitete. Der Gedanke daran schmerzte ihn. Er haßte London, und er fürchtete sich vor seinem Meister. Er liebte ein Mädchen, das sich über ihn lustig machte. Er war mit sich und der Welt zerfallen.

Als Will bei ihm gewohnt hatte, war alles leichter gewesen. Will war ein guter Kerl, aber unruhig und unstet wie Quecksilber. Er würde nie eine strenge Lehre durchmachen. Aber wie wollte er anders vorwärtskommen? Richard glaubte an Strenge, Fleiß und harte Arbeit. Er war auf dem Wege, ein vortrefflicher Bürger zu werden. Sein Streben war auf ein eigenes Geschäft gerichtet, auf ein bescheidenes Haus und auf eine liebende Frau und eine Schar Kinder, die ihm Ehre machten. Er hatte alles vorausgeplant, und trotz seines Kummers wußte er, daß Heimweh kein zu hoher Preis für dieses Ziel war.

Er bedauerte, daß Will sich einfach so davongemacht hatte. Das war nicht sehr freundlich. Nicht, daß Richard an Dank gelegen hätte. Aber er war enttäuscht. Will hatte sich nicht so benommen, wie man es von einem Freund erwartete. Aber vielleicht war es unmöglich, so reizend wie Will zu sein und dabei alle Regeln des Anstands zu beachten. Diese Regeln galten wohl mehr für so langweilige und solide Bürger wie ihn selbst, sagte er sich traurig.

Auch wäre es besser gewesen, Will hätte irgendeine Adresse hinterlassen. Am Tage nach seinem plötzlichen Aufbruch hatte ein Junge von der Oxforder Postkutsche einen Brief für ihn gebracht. Richard machte sich Sorgen. Wer einen zusätzlichen Penny ausgab, um einen Brief am Bestimmungsort durch einen Boten überbringen zu lassen, mußte etwas Dringendes und Wichtiges mitzuteilen haben. Aber Will war verschwunden, und Richard konnte nichts tun.

Er hörte Schritte auf der Treppe, lebhafte, schnelle Schritte. Niemand im Haus der Vautrolliers eilte so munter die Treppe hinauf oder hinab. Will! dachte er und sprang erfreut aus dem Bett. Er lief zur Tür. «Will», rief er und streckte ihm beide Hände entgegen. Sein gutmütiges rundes Gesicht strahlte vor Freude.

Sie standen einander lächelnd gegenüber und hielten sich bei den Händen. «Es tut mir so leid, Richard», sagte Will, «was mußt du von mir gedacht haben, daß ich einfach so verschwunden bin und nie von mir hören ließ. Aber es ist alles so wunderbar, Richard. Denk nur, Henslowe hat mich in Lohn genommen. Sechs Shilling zahlt er mir in der Woche, *sechs Shilling*, Richard. Und Edward Alleyn, der Schauspieler, hat mein Stück gelesen und meint ... Aber Richard, wie geht es *dir*? Wie steht's in der Druckerei? Was macht dein Mädchen?»

«Ich habe Heimweh, in der Druckerei ist's langweilig, und das Mädchen ist spöttisch und abweisend. Da hast du gleich alle drei Antworten auf einmal.»

Oh, verdammt, dachte Will. Da stand er und hätte vor lauter

Freude am liebsten die ganze Welt umarmt, und der arme Richard war traurig und niedergeschlagen. Will schämte sich fast seines Glücks, und er brachte es nicht übers Herz, seinem Freund davon zu erzählen, der zu siebenjähriger Sklaverei verurteilt war. So ein Lehrling zu sein, dachte er, das wäre nichts für mich. Da war man eingeengt durch Gesetze, die genau vorschrieben, was man in seiner freien Zeit tun durfte und was nicht oder welche Kleidung man zu tragen hatte. Und man war den Launen des Meisters ausgeliefert. Man war zu langweiligen Kleidern, langweiligem Umgang und einem langweiligen Leben verdammt. Nein, die Gesellschaft der leichtsinnigen Schauspieler war ihm tausendmal lieber. Voller Mitgefühl legte er die Hand auf Richards Schulter und sagte: «Ich habe ein wenig Geld. Komm, laß uns in eine Taverne gehen und auf die frostigen Blicke deines Mädchens trinken.»

Richard stimmte fröhlich zu. Aber dann fiel ihm der Brief ein. «Warte, fast hätt ich es vergessen – das Wichtigste … Hier, dieser Brief kam für dich, vor vielen Tagen schon. Aber ich hatte deine Adresse nicht. Ich wußte nicht …» Er gab Will den Brief.

Will nahm ihn verwundert. Ein Brief für ihn? Er hatte noch nie in seinem Leben einen Brief bekommen. Briefe schrieb man, wenn jemand gestorben oder schwer erkrankt war oder wenn sich ein Unglück ereignet hatte. Er betrachtete ihn. *Master Will Shagpere*. Mit der Rechtschreibung des Absenders haperte es, aber da konnte er sich wohl nicht beschweren. Er brach das Siegel auf, das den gefalteten Bogen zusammenhielt, und las.

Da gab es nicht viel zu lesen. Anne Hathaway war geschickter im Umgang mit der Nadel oder dem Küchenmesser als mit der Feder. Aber sie konnte durchaus sagen, was sie zu sagen hatte. «Geliebter Will, ich erwarte ein Kind und bin sehr einsam. Anne.»

Er hatte den Aufstieg gewagt. Mit ruhigem Atem und festem Schritt war er frohgemut den beschwerlichen Hang hinaufgeklettert. Und wenn er die Augen hob, hatte er die strahlenden Gipfel erblickt. Da waren sie, hoch und erhaben, und er, er allein, konnte sie erklimmen. Doch nun war er jäh in die Tiefe gestürzt und strauchelte zerschunden und zerschlagen durchs trostlose Tal.

Seltsamerweise galten seine ersten Gedanken der ewigen Verdammnis. Er hatte nie viel über das Jenseits nachgedacht. Die unzähligen Freuden dieser Welt hatten seine ganze Aufmerksamkeit in Anspruch genommen. Reuevoll sagte er sich nun, daß er gewiß in die Hölle kommen würde. Und gab es nicht eine besondere Hölle für die Schänder der Jungen? Mußten sie nicht besondere Qualen erdulden?

Aber er hatte Anne nicht geschändet. In einer mondhellen Sommernacht hatten sie einander in Liebe gefunden und sich seufzend und stöhnend bemüht, *ein* Leib zu werden. Doch nun war ihre Liebe Fleisch geworden, und das Kind in Annes Schoß erstickte Hoffnungen und Pläne. Es würde wachsen und wachsen, bis es sein ganzes Leben überschattete – ein Schatten, in dem seine Gaben verdorren und ersterben würden. Der Weg, den er eben noch so klar vor sich gesehen hatte, der Weg, der vielleicht zu Ruhm und Ehren geführt hätte, war nun für immer versperrt. Ein armseliges Leben in einer feuchtkalten Kate am Avon erwartete ihn.

Er dachte an seine Mutter. Welch bittere Enttäuschungen erlebte sie durch ihren Lieblingssohn! Nicht genug damit, daß er den mächtigsten und rachsüchtigsten Mann Englands erzürnt hatte und dafür aus seiner Heimat verbannt worden war, machte er ihr nun auch noch Schande, weil er in seiner Wollust ein Mädchen entehrt hatte.

Doch nein. So war es nicht. So würde die Kirche urteilen. Und auch sein Vater und Richard und vielleicht sogar seine Mutter würden es so sehen. Aber es war anders gewesen, und Anne würde es ganz bestimmt nicht so sehen.

Die arme Anne, dachte er. Sie hatte Angst gehabt und war am Ende doch mutig gewesen. Sie hatte ihn geliebt und ihn verloren. Sie war zurückgeblieben und hatte die schreckliche Last allein tragen müssen. Mitleid wallte in ihm auf, und Tränen traten ihm in die Augen. Während er, der freundliche und von allen geliebte Will, lachend und plaudernd auf der Bühne umherstolziert war, hatte sie gelitten. Oh, wie schändlich, dachte er, wie schändlich!

Seine Züge waren erstarrt, als sei er fünf Meilen durch einen Schneesturm gelaufen, und seine Zunge war geschwollen. Er sprach wie ein Sterbender: «Ich muß nach Stratford.»

Richard Field hatte ihn beobachtet. Er hatte auf ein Zeichen gewartet, ob er sprechen oder schweigen sollte. «Eine schlechte Nachricht, Will? Doch nicht dein Vater?» fragte er.

«Nein. Ein Mädchen. Ich … Ich kann es nicht fassen, Richard. Eine Sommernacht. Und nun ein Kind!»

Richard sagte leise: «Was willst du tun, Will?»

«Gütiger Gott! Sie heiraten, so schnell wie möglich.»

Richard würde nie in eine solche Lage geraten. Weder Begierde noch Furcht oder Zorn konnten ihn dahin bringen, daß er den Kopf verlor.

> Die Hochzeit erst, das Bett danach –
> Bringt Fried und Freude hundertfach.
> Das Bett zuerst, Hochzeit danach –
> Bringt Schimpf und Schande, Gram und Schmach.

So hatte Richards Mutter immer gesagt. Es war einer ihrer Lieblingssprüche. Wie ‹Wer den Pfennig nicht ehrt . . .› oder ‹Lasset die Sonne nicht über eurem Zorn untergehen›. Ja, sie hatte Richard ständig ermahnt, obwohl er dessen kaum bedurfte, da er sich in seiner vorsichtigen Art stets im Zaume hielt.

Er, der von Natur aus zaghaft war, bewunderte Menschen wie Will, die ohne Bedenken zu handeln wagten und den Augenblick zu genießen wußten, während er, Richard, so lange das Für und Wider abwog, bis der Augenblick verpaßt war.

So verstand Richard Field oft die Beweggründe und Folgen von Handlungen, deren er selbst nie fähig gewesen wäre, und wußte auch die Gefühle, die sie auslösten, richtig einzuschätzen. «Übereile nichts, Will», sagte er. «Die Schuld liegt nicht allein bei dir. Vergiß das nicht.»

Will sah ihn ungläubig an. «Wie kannst du es wagen, so etwas zu sagen?» rief er empört.

«Zu einem Streit gehören immer zwei – und zum Kindermachen auch!» Er beobachtete Will. «Oh, sie wird leiden – fünf Jahre, vielleicht auch zehn. Und dann ist Gras über die Sache gewachsen. Aber wenn du sie jetzt heiratest, ohne sie zu lieben, dann seid ihr beide vielleicht euer ganzes Leben lang unglücklich.»

«Verdammt, aber ich liebe sie doch.»

«Oder sie tut dir leid. Und außerdem – hast du den Grafen vergessen?»

Ja, er hatte ihn vergessen. Ein Mann, dessen ganzes Leben umgekrempelt wird, sagte er bitter zu sich selbst, kann schließlich nicht an alles denken. Er packte seinen treuen Freund verzweifelt am Arm: «Hör zu, Richard, ich gehe zurück. Ich werde sie heiraten.»

«Warum?»

«Ehrgefühl. Liebe. Oh, nenn es Mitleid, wenn du willst. Ist Mitleid denn etwas Verwerfliches?»

«Und wie wollt ihr leben?»

«Ich kann pflügen. Und ich verstehe auch einiges von Vaters Gewerbe.»

Richard lächelte. «Ich wußte, daß du mich nicht enttäuschen würdest, Will.»

«*Dich* enttäuschen? Was hast du damit zu schaffen?»

«Nichts, denke ich. Aber ich freue mich, wenn ich sehe, daß meine Freunde sich selbst treu bleiben. Das bedeutet, daß sie auch anderen nicht untreu werden.»

Will sah ihn prüfend an. Richard hatte da eben etwas gesagt, was des Nachdenkens wert war, wenn ... Falls seine Welt je wieder ins Gleichgewicht kam. Er sagte: «Ich wünschte, du könntest mit mir kommen!»

«Oh, das wünschte ich auch», sagte Richard mit ernstem Gesicht. Die Sonne war längst hinter der St. Pauls-Kirche untergegangen, und in seinem Zimmer war es fast dunkel. Aber in Stratford, dachte er, würde die Sonne jetzt wie ein roter Ball in den Weidenzweigen hängen, und im langen Schatten der Pappeln war das Gras sicher schon kühl.

«Shottery? Wo liegt denn das, zum Teufel?» schrie Edward Alleyn.

«In der Grafschaft Warwick.»

«Du kannst doch nicht einfach fortgehen und in der Grafschaft Warwick leben! Unmöglich! Du fängst gerade an, uns nützlich zu sein. Und wenn ich mich nicht täusche, wirst du uns bald *sehr nützlich* sein», setzte er leise hinzu.

«Ich ... Ich weiß. Aber mein Vater ...»

«Oh, reg dich doch nicht so auf, Mann. Er wird sich schon wieder erholen.»

Will schüttelte den Kopf. «Der Arzt hat ihm einen Trank aus gemahlenen Perlen gegeben, und selbst das hat nicht geholfen.»

Sie saßen in Henslowes stickigem Kontor. Und nun sprach Henslowe zum erstenmal. Ungeduldig sagte er: «Es ist nicht der Vater, Ned. Es ist ein Mädchen, das ein Kind von ihm kriegt.» Der Postbote ließ sich für ein kleines Trinkgeld leicht ein paar Neuigkeiten entlocken. Und Henslowe fand, es zahlte sich immer aus, ein wenig mehr über seine Lohnarbeiter zu wissen, als sie ihn wissen lassen wollten. Nicht daß der fromme Mann je daran gedacht hätte, sie zu erpressen. Dazu waren sie ja auch viel zu arm. Doch hin und wieder zahlte es sich eben doch irgendwie aus.

Alleyn brüllte vor Lachen. Er klopfte William auf die Schulter. «Ein guter Grund mehr, in London zu bleiben, Will.»

Henslowe beugte sich über sein Pult und blickte Will in die Augen. «Woher wißt Ihr, Master Shakespeare, daß es Euer Balg ist?»

«Weil das Mädchen tugendhaft ist, Master Henslowe», antwortete Will zornig.

«Tugendhaft? Mit einem Balg im Bauch und ohne Ehering?» Der gottesfürchtige Mann war tief bekümmert. Wo waren die guten alten Maßstäbe geblieben. Er konnte sich noch an Zeiten erinnern, da man solche Mädchen in den Fluß geworfen hatte. Nicht ohne ihnen zuvor Gewichte an ihre sündigen Füße zu binden. Er schüttelte betrübt den Kopf. Die Welt war schlecht. Manchmal hoffte er fast, sie bald zu verlassen.

Alleyn sah Will ungläubig an. «Willst du im Ernst behaupten, daß du in deine Heimat zurückgehst, um dieses Mädchen zu heiraten?»

Will schluckte. «Ja.»

«Du Narr. Du armer Narr.»

«Es ist nicht leicht, mit Eurem Lohn Frau und Kind zu unterhalten», sagte Henslowe.

«Ich werde sie nicht nach London kriegen.»

«Warum nicht?»

Will wußte es nicht. Anne in London? Nein, sie konnte nicht in London leben. Manchmal wuchsen wilde Bäume in den Straßen der Stadt. Aber sie verwelkten und starben schnell.

Ned Alleyn sagte: «Hör zu, Will. Das Theater liegt dir im Blut. Fern von einer Bühne wirst du nie glücklich sein. Bleib bei uns, Junge. Das Mädchen und ihr Balg finden dich hier nie und nimmer.»

«Und selbst wenn sie ihn fände», sagte Henslowe wie zu sich selbst. «Da gibt es immer noch den Fluß. Oder die ‹Gänse von Winchester›», fügte er leise hinzu. Ein lebendes Mädchen war nutzbringender und einträglicher als ein totes, dachte er tugendhaft.

Fern von einer Bühne wirst du nie glücklich sein. Wie wahr! Er sah sich in dem kleinen Raum um. Überall lagen Bärte, Perücken, Handschriften, Rollen mit Anweisungen. Lauter Requisiten aus der herrlichen Zauberwelt, die er gerade erst kennengelernt hatte und nun für immer verlassen mußte. Besaß er Kraft und Mut genug, sich von ihr zu trennen?

«Ich muß gehen», sagte er.

«Ihr wollt wirklich auf den ältesten Trick der Frauen hereinfallen?» sagte Henslowe verächtlich. «Gut. Geht nur zurück zu Euren Kuhställen und Misthaufen. Heiratet sie. Und ich wette, Ihr werdet feststellen, daß sie gar nicht schwanger ist.»

William war viel zu betäubt und verwirrt gewesen, um alles, was ihm gesagt wurde, in sich aufnehmen zu können. Aber nun stand er auf. Sein frisches, knabenhaftes Gesicht war gerötet. Mit all dem Stolz und der sonderbaren Sicherheit der Jugend sagte er: «Master Henslowe, Master Alleyn, ich bin ein Ehrenmann. Und sie, die künftige Mutter meines Kindes, ist eine tugendhafte Frau. Ich werde zu ihr gehen und sie heiraten. Etwas anderes kann ich nicht tun ...» Er blickte sehnsüchtig auf die Theaterrequisiten. «Und stürzte auch der Himmel ein.»

Henslowe zuckte mit den Schultern. «Ob Ihr sie heiratet oder nicht, vor dem Höllenfeuer könnt Ihr sie nicht bewahren. Und Euch selbst auch nicht», fügte er überaus freundlich hinzu.

Will fröstelte. Doch nun stand auch Alleyn auf. Er legte die Hand auf Wills Schulter. «Ich glaube, du bist ein Narr, Will», sagte er. «Du bist wie ein Fuchs, der beim Hörnerklang seinen behaglichen Bau verläßt. Aber falls du je zurückkommen möchtest, kannst du hier immer eine Lanze tragen und ein paar Stücke zurechtstutzen. Nicht wahr, Master Henslowe?»

«O ja. Wir werden ihm Blumen vor die Füße streuen», sagte Henslowe säuerlich. Wozu all dies Getue um einen Lohnarbeiter? Ned tat ja fast so, als sei dieser Shakespeare ein Bär und der Liebling des Publikums.

4

Und als ich, ach! ein Weib
tät frein ...

Wie so oft in England war auf einen sanften, milden Abend ein
dunkler grauer Tag gefolgt. Schwere Wolken trieben niedrig über
die nassen Bäume mit ihren bunten Blättern dahin. Regenwasser
tropfte vom Verdeck der Kutsche herab und spritzte aus den Pfützen und Furchen auf. Ein häßlicher, fauchender Wind rüttelte und
riß an der Leinwand des Verdecks. Gestern hatte sich noch der
Herbst in seiner ganzen Pracht gezeigt. Heute kündigte sich grimmig und grausam der Winter an.

Will saß vorn neben dem Kutscher. Bekümmert beobachtete er,
wie London nach und nach seinem Blick entschwand. Würde er es
je wiedersehen?

Seine Freunde, die Schauspieler, probten jetzt das Stück ‹Ein
Stock, das Eheweib zu züchtigen›. Sie probten den letzten Akt. *Seinen*
letzten Akt. Er roch den Bühnengeruch – den Geruch von Schminke, Leder, Leinwand und Schweiß. Er hörte Alleyns noble Stimme
die von ihm verfaßten Zeilen sprechen, und er sah die großen Gesten vor sich, die Hand, die durch die Luft fuhr, den stolz zurückge-
worfenen Kopf. Wie sollte er ohne all das leben? Würden die Könige und Königinnen, die Prinzen und die Prälaten, die mit Worten
und Waffen in seinem Schädel stritten, für immer dort eingekerkert
bleiben?

Lautes Hufeklappern schreckte Will aus seinen trüben Gedanken
auf. Ein Reiter näherte sich im Galopp. Mit herrischer Geste befahl
er dem Kutscher, an den Wegrand zu fahren und anzuhalten.

Er zerrte am Zaum des Pferdes, bis die Kutsche fast im Graben
stand und der Weg frei war. Dann ritt er weiter. Der Kutscher
fluchte. Will zitterte am ganzen Leibe. Er hatte auf des Reiters
Wams das Wappen von Leicester erkannt.

Da näherte sich auch schon eine Kavalkade, und an der Spitze ritt,
stolz und gebieterisch, Robert Dudley, der Graf von Leicester!

Will verbarg sein Gesicht und duckte sich. Aber der Graf ritt vorbei, ohne die Postkutsche eines Blickes zu würdigen. Ein langer

Gepäcktroß folgte dem Reiterzug. Als der Spuk vorbei war, trieb der Kutscher mit einem Peitschenknall sein Pferd wieder an. Und Will atmete erleichtert auf. Der Länge des Trosses nach würde der Graf einige Zeit in London bleiben.

Die letzten Häuser lagen jetzt hinter ihnen. Die Bäume schlossen sich über dem aufgeweichten Weg. Das Pferd schnaubte und dampfte vor Anstrengung. Der Kutscher schnalzte mit der Zunge und starrte vor sich hin. Die Kutsche quietschte und knarrte. Die Räder drehten sich durch den schmatzenden Schlamm. Bis Oxford waren es fünfzig Meilen, und sie fuhren fünf Meilen die Stunde. Eine lange Strecke lag vor ihnen.

Die Postkutsche aus Oxford kam an jedem Mittwoch nach London und fuhr am Samstag wieder nach Oxford zurück. An jedem Dienstag fuhr eine Kutsche von Oxford nach Stratford.

Und an jedem Dienstagabend ging Anne Hathaway von Shottery nach Stratford und gesellte sich den Menschen zu, die dort auf die Ankunft der Postkutsche warteten.

Meist traf die Kutsche schon am frühen Abend ein. Doch manchmal gab es Schwierigkeiten, sei es, daß eine Achse brach oder daß Wegelagerer die Reisenden ausraubten, daß die Pferde vor Hunden oder Gespenstern scheuten oder daß die Wege überschwemmt waren. Dann traf die Kutsche erst spät und manchmal sogar sehr spät am Abend ein.

Aber die Menschen warteten geduldig. Sie schwatzten und plauderten. Sie hatten sich so vieles zu erzählen, und wie immer gab es auch heute allerlei Neues zu bereden. Es hieß, daß dem großen König Philipp von Spanien ein Engel erschienen sei, der ihm gezeigt habe, wie Menschen auf Wolken segeln könnten. Und der finstere spanische König habe schon eine Armee von zehntausend Mann versammelt, um von der Luft aus in England einzudringen. Ferner hieß es, eine Hofdame der Königin habe an einem Sonntag getanzt und am darauffolgenden Morgen zu ihrem Schrecken entdecken müssen, daß ihre Füße sich in Pferdehufe verwandelt hatten. Und in Warwick, so erzählte man sich tuschelnd, sei ein Kind mit drei Köpfen zur Welt gekommen, das die Mutter unerschrocken auf den Namen Dreifaltigkeit habe taufen lassen. Auch von John Shakespeares Sohn Will war die Rede: er habe ein leichtfertiges Mädchen aus Shottery geschwängert und sei nach London geflohen. «Wer kann ihm das verübeln!» rief ein junger Bursche, und die Männer lachten. Auch die Frauen fanden, daß dem Mädchen recht geschah. «Ich wette, sie hat ihn in die Falle gelockt. Damit er sie heiratet», sagte eine. Und eine andere setzte düster hinzu: «Bastarde sind meistens Mißgeburten. Sie kommen mit einem Klumpfuß, einer Hasenscharte oder einem Wolfsrachen zur Welt! Oder sie haben ein Muttermal auf der Stirn, das wie ein großer Blutstropfen aussieht!»

Anne stand dabei. Sie hatte die Kapuze ihres alten grauen Mantels tief ins Gesicht gezogen. Ihr war schwach und elend zumute. Sie ängstigte sich. Auch ihre Stiefmutter prophezeite ihr Tag für Tag, sie werde eine Mißgeburt zur Welt bringen.

Die Postkutsche hatte Verspätung. Anne war müde. Das Raunen und Plappern rings um sie her klang wie das Summen von Bienen und das Schnattern von Gänsen. Es fing an zu nieseln. Die Wolken sahen nach Landregen aus. Und es war beinahe winterlich kalt. Ihr dünner Mantel war bald durchnäßt, und das Wasser der Pfützen drang in ihre kaputten Schuhe ein. Dicke Tropfen fielen von ihrer Kapuze herab. Die Frauen schnatterten fröhlich weiter. Eine von ihnen erklärte, daß ihrer Meinung nach jedes unverheiratete Mädchen, das ein Kind erwarte, ausgepeitscht gehöre. Die anderen Frauen stimmten aus vollem Herzen zu. Ja, es müsse etwas geschehen. Wo käme man denn sonst noch hin?

Sollte sie nach Hause gehen? Es konnte noch Stunden dauern, bis die Kutsche kam, und sie würde sicherlich keinen Brief für sie mitbringen. Lohnte es sich überhaupt, noch länger zu warten? Um am Ende wieder enttäuscht und bis auf die Haut durchnäßt heimzugehen?

Aber sie blieb. Sie wäre bereit gewesen, ein Leben lang auf Will zu warten. Noch immer hoffte sie auf einen Brief von ihm. Sie zog die Kapuze tiefer herunter, bewegte ihre kalten Zehen, um sie zu wärmen, in den nassen Schuhen und wartete.

Es war schon beinahe dunkel, als die Postkutsche in Stratford eintraf. Über dem Kopf des Pferdes glomm gelb das Licht einer kleinen Laterne.

Die meisten Menschen waren längst heimgegangen. Aber Anne wartete immer noch. Und jetzt fürchtete sie sich vor einer neuen Enttäuschung.

Das Klipp-Klapp der Hufe verstummte. Der Kutscher sprang vom Bock, vertrat sich die steif gewordenen Beine und hauchte in seine klammen Hände. Anne ging zu ihm hin. «Habt Ihr einen Brief für mich, Herr? Für Anne Hathaway aus Shottery?»

Sie wußte, was er sagen würde: «Nein.» Er sagte es jedesmal, jede Woche, wenn er kam. Und die Monate, bis ihr Kind geboren wurde, vergingen so schnell! Ängstlich sah sie ihn an, beobachtete besorgt seine Miene.

Doch der Kutscher musterte sie nur auf Männerart mit einem abschätzenden Blick. Hübsch, dachte er, aber ein bißchen fade. Nichts für ihn. Er liebte kräftige Mädchen, etwas, woran man sich halten konnte.

Noch einmal fragte sie: «Habt Ihr einen Brief, Herr, für Anne Hathaway?»

«Verflucht!» brüllte der Kutscher unversehens und ergriff das Pferd am Zaum. «Halt!» Er zerrte das arme Tier heftig zurück. Das Pferd warf erschreckt und mit blitzenden Augen den Kopf hoch. Wie Ned Alleyn, wenn er auf der Bühne des Königs Furcht zum Ausdruck bringt, dachte William Shakespeare, der in diesem Augenblick um die Kutsche herumkam.

«Einen Brief?» sagte der Kutscher. «Nein, ich hab keine Briefe.»

Anne war verzweifelt. Nun würde er auch nicht mehr schreiben. Wenn er jetzt nicht geschrieben hatte, würde er es auch nicht mehr tun. Zuviel Zeit war inzwischen vergangen. Will hatte sie und sein Kind im Stich gelassen. Trotzdem fragte sie noch einmal mit kläglicher Stimme: «Seid Ihr auch sicher?»

«Ja», sagte der Kutscher und sah sie mitleidig an. «Ganz sicher», fügte er hinzu und zog wieder am Zaum seines Pferdes.

Anne neigte höflich den Kopf. «Ich dank Euch auch, Herr», sagte sie und wandte sich zum Gehen. Nein, in der nächsten Woche wollte sie nicht wieder auf die Postkutsche warten. Es war zu demütigend. Und zu schmerzlich. Auch wurden die Tage immer kürzer, so daß sie erst lange nach Einbruch der Dunkelheit wieder daheim war. Sie erschauderte bei dem Gedanken an die einhundertsiebenundzwanzig Kobolde und bösen Geister, die einer glaubhaften Schätzung zufolge zwischen Stratford und Shottery am Wege lauerten. Ihr graute vor dem langen Heimweg durch die Finsternis.

Aus den Augenwinkeln sah sie einen bärtigen jungen Mann mit einem Kleiderbündel in der Hand. Er war wohl mit der Postkutsche gekommen. Vielleicht ein Student aus Oxford. Oder ein Reisender aus London! Manchmal gaben Leute ihre Briefe einem vertrauenswürdig aussehenden Reisenden mit. Gab es noch eine Hoffnung?

Anne war ein schüchternes Mädchen, und sie wußte, daß es nicht ungefährlich war, einen jungen Mann in der Dämmerung anzusprechen. Die jungen Männer nahmen hoffnungsvoll immer gleich das Schlimmste von einem solchen Mädchen an und verhielten sich danach.

Nein, sie wagte es nicht, den jungen Mann zu fragen. Sie war müde, naß, enttäuscht und verängstigt und wollte nicht obendrein noch ihre Ehre verteidigen müssen.

Der Reisende ging seines Weges, und sie ließ ihn gehen. Bestimmt hatte er keinen Brief für sie. Will war für sie verloren. Will war vom Rachen der großen Stadt London verschlungen worden.

Je schneller sie ihn vergaß und auf eigenen Füßen zu stehen versuchte, um so besser war es für sie.

Will ging seines Weges. Da niemand wußte, daß er kam, konnte er sich nicht darüber beklagen, daß niemand zu seinem Empfang gekommen war.

Aber es war eine einsame, unfreundliche Heimkehr. Und er fürchtete sich vor den Qualen, die ihm hier bevorstanden. Der fröhliche und bei den Schauspielern so beliebte Will, ein Bursche von unendlichem Humor, war mit den letzten Sommertagen in London gestorben. Ein bleicher, trübseliger Will kam ins winterliche Stratford.

Er wußte, was ihn erwartete: Vorwürfe, Zorn und Verachtung. Und dann ein langweiliges Gewerbe und ein trostloses Leben in Elend und Armut.

Der kurze Aufenthalt in Oxford hatte ihn auch nicht aufgeheitert. Wenn er seine Lage mit der jener hochnäsigen Studenten verglich, die dort in ihrer schönen Umgebung müßiggingen oder lernten und alles hatten, was man sich nur wünschen konnte ... Aber erst hier in Stratford wurde ihm sein ganzes Elend wirklich bewußt. Er war noch nicht zwanzig Jahre alt und schon mit Frau und Kind beladen. Nie würden sie sich ein eigenes Haus bauen können. Sie mußten bei Annes Stiefmutter oder bei seinen Eltern wohnen, wer immer bereit war, sie aufzunehmen. Und wahrscheinlich würde er lange bitten müssen. Will war seinem Wesen nach großmütig und freigebig, doch fiel es ihm schwer, andere Menschen um etwas zu bitten.

Er würde seinen Eltern eine Beichte ablegen müssen. Und er hörte auch schon, wie die Mädchen und die Bauernjungen hinter seinem Rücken kicherten und lachten. William Shakespeare, der Poet, der in die Dienste des Grafen getreten, nach London geflohen und nun zu den Schürzenbändern einer Frauensperson zurückgekehrt war.

Nur ein einziger Mensch würde sich über seine Heimkehr von Herzen freuen: die süße, liebliche Anne. Unter seinen lustigen Freunden in London hatte er zu selten an sie gedacht. Nun, in der feindseligen kleinen Welt Stratfords, sehnte er sich nach dem weichen Trost ihrer Arme. Aber noch war es nicht soweit. Gewiß, er würde Anne bald wiedersehen. Er würde sie heiraten. Er wollte sie lieben und schützen, bis der Tod sie trennte. Aber noch war es nicht soweit. Erst mußte er wieder der unbeholfene Jüngling werden, der er gewesen war, der Träumer Will Shakespeare aus Stratford am Avon.

Ihre Unentschlossenheit quälte sie. Wenn der bärtige Fremde nun doch einen Brief mitgebracht hatte! Aber es war schon zu spät. Oder doch beinahe zu spät. Noch ein paar Schritte, und er würde um die Ecke biegen.

Sie lief hinter ihm her. «Herr!» rief sie. «Bitte, Herr, wartet einen Augenblick!» Was bedeuteten Gefahren im Vergleich mit dem Fünkchen Hoffnung, daß der Fremde vielleicht doch einen Brief von ihrem William mitgebracht hatte?

Will blieb neugierig stehen. Die junge Frau in dem grauen Mantel, die er für des Kutschers Liebchen gehalten hatte, kam auf ihn zugelaufen. Der Lockvogel eines Halsabschneiders? Ein Mädchen in Bedrängnis? Eines jedenfalls ist sicher, dachte er spöttisch, falls sie etwas zu verkaufen hat um diese Tageszeit, wird es kaum ein Sträußchen Lavendel sein. Aber er war nicht daran interessiert. Und falls ihr Gefahr drohte, sollte sie sich einen anderen Beschützer suchen. Er hatte seine eigenen Sorgen. Er wollte weitergehen. Aber irgend etwas an ihr kam ihm bekannt vor.

Sie blieb in sicherer Entfernung stehen. «Herr, habt Ihr vielleicht einen Brief für mich aus London mitgebracht?»

Ihre Stimme – wie gut er sich an sie erinnerte! Ihre Stimme war stets sanft, zärtlich und mild. «Anne!» flüsterte er. «Anne!» Voller Sehnsucht streckte er die Arme nach ihr aus.

Ängstlich trat Anne einen Schritt zurück. Das neue Gesetz, daß jeder Hausbesitzer die Vorderseite seines Hauses zu beleuchten habe, wurde in Stratford noch nicht von allen Bürgern befolgt. Will stand im Dunkeln, und da, wo sein Gesicht war, sah Anne nur gräßliche schwarze Leere. Sie zitterte am ganzen Leibe.

Wenn ich auf sie zugehe, dachte Will besorgt, wird sie vor Angst bis nach Shottery laufen. «Anne!» rief er abermals.

Er sah, wie sie zusammenzuckte. «Will?» rief sie zurück, und in ihrer Stimme schwangen Mißtrauen, Furcht, Sehnsucht, Liebe und sogar Hoffnung mit. Aber vor allem Furcht. Furcht vor der trügerischen Hoffnung und ihren glitzernden, falschen Versprechungen.

«Ja, natürlich bin ich es», rief er lachend, und nun ging er auf sie zu.

Anne war einer Ohnmacht nahe. Da war sie einem bärtigen Fremden gefolgt, um ihn zu fragen, ob er vielleicht einen Brief für sie mitgebracht hatte, und plötzlich hatte der Fremde sich in Will verwandelt und sprach und lachte wie Will. Das konnte nur ein Traum sein. Als nächstes würde er sich in einen Bären verwandeln, in einen Hund, eine Katze, und dann würde sie erwachen.

Er stand mit ausgestreckten Armen vor ihr und wartete geduldig, daß die Angst von ihr wich.

Und dann wußte sie, daß er es wirklich war. «Will!» rief sie erlöst. Es war ein Jauchzen, ein Freudenschrei. «Oh, Will!» Sie umschlang ihn mit beiden Armen. Es war wie ein Wunder. Ein bärtiger Fremder hatte sich in den Geliebten verwandelt! Ihr Will, ihr Irrlicht, war nach Stratford zurückgekehrt, nachdem sie schon alle Hoffnung aufgegeben hatte. Er zog sie an sich, küßte sie auf die Lippen, er küßte ihre Augen und ihre Stirn, und sein regenfeuchter Bart berührte ihre kalten Wangen. Aber zu ihrer Verwunderung war sie noch immer ein wenig enttäuscht, daß kein Brief für sie angekommen war. Und zugleich empfand sie eine Furcht, für die sie selbst keine Erklärung wußte.

Sie hätte ihn die ganze Nacht küssen und streicheln und in den Armen halten mögen. Wie anders konnte sie sich beweisen, daß er wirklich wieder da war? Aber Will fand, daß es genug sei und löste sich sanft von ihr. «Wie wußtest du, daß ich mit der Kutsche komme?»

«Ich wußte es nicht. Ich kam, weil ich auf einen Brief von dir hoffte.» Sie sah ihn ernst an. Sie wußte nun, warum sie Angst hatte. Es war Angst um ihn, um Will. «Und der Graf?» fragte sie.

«Sei unbesorgt», sagte er lächelnd. «Ich sah ihn mit großem Gefolge nach London reiten. Und es sah ganz so aus, als ob er dort einige Zeit zu bleiben gedenke.»

Sie seufzte erleichtert auf. Aber da war noch eine Frage, die sie ihm stellen mußte. «Will, bleibst du hier?»

«Ja», sagte er. «Ich bleibe.» Es war gut, daß die Dunkelheit seine bittere Miene vor ihr verbarg. Aber sie hörte doch die Bitternis in seiner Stimme. Sie schwieg. Sie hätte ihm so vieles sagen wollen, aber ihr fehlten die Worte. Sie nahm seine Hand, und gemeinsam machten sie sich auf den Weg nach Shottery. Nach einer Weile sagte sie: «Ich möchte aber keinen unwilligen Ehemann.» Will wollte ihr ins Wort fallen. «Nein, hör mir zu», fuhr sie fort. «Du bist wie eine Schwalbe, wie eine Wildgans. Ich könnte dich nie halten, mein Geliebter.»

Der nüchterne, traurige Ton, in dem sie das sagte, zerriß ihm fast das Herz. «Ich will ... ich werde immer bei dir bleiben, Anne.» Oh, die spitzen Dächer und die Türme von London! Das Knarren der Bühnenbretter und die erhabenen Worte der Dichter, die dort gesprochen wurden! Die Freundschaft der Schauspieler und das gemeinsame Gelächter! Das alles war nun dahin, preisgegeben für immer.

Anne war stehengeblieben. Sie drückte ihn fest an sich und preßte ihre Wange an die seine. «Oh, Will», murmelte sie, und es klang so unendlich traurig, daß er in diesem Augenblick zu jedem Opfer bereit gewesen wäre. Er zog einen kleinen Dolch, den er immer bei sich trug, aus der Scheide und hielt ihn an der Klinge hoch. «Schau, Anne, bei diesem Kreuz will ich dir schwören ...»

Sie entriß ihm den Dolch. «Nein, Will, keine Schwüre. Es wird eine Zeit kommen, da du ...» Sie blickte ihn lächelnd an, obwohl er ihr Gesicht in der Finsternis nicht sehen konnte. «Ich habe die Schwalben sich versammeln und die Wildgänse fortfliegen sehen – vergiß das nicht.»

Ich bin keine Wildgans, dachte er verzweifelt. Meine Schwingen sind gestutzt. Von nun an gibt es für mich nur noch den Scheunenhof.

«Außerdem bin ich älter als du», fuhr sie fort. «Alle Leute werden sagen, und sie sagen es jetzt schon, daß ich dich in die Falle lockte, als du noch ein Knabe warst. Und wer weiß, vielleicht wirst du auch eines Tages denken ...»

«Verflucht sollen ihre bösen Zungen sein!» rief er. Schließlich war er ein erwachsener Mann. Er wußte, was er tat. Und Anne – Anne hatte ihn gewähren lassen, hatte sich ihm in Liebe und Zärtlichkeit hingegeben. Wie konnten sie es wagen, seine Mannesehre und Annes Frauenehre in den Schmutz zu ziehen!

Er geriet nicht leicht in Zorn, doch jetzt schüttelte ihn seine Wut wie ein Sturmwind und ließ ihn zitternd und verwirrt zurück. Er sagte: «Ich bringe dich heim. Dann gehe ich zu meinen Eltern, und bald werde ich den Pfarrer besuchen.»

Bald! Ein unbestimmtes Wort. Aber sie hatte nun keine Angst mehr. Will mochte in den Wolken leben, den Sternen näher als der Erde, er mochte ein tanzendes Irrlicht sein, aber wenn er etwas sagte, dann meinte er es auch. Will war für sie wie ein Fels. Er war ihr Hort, ihre Zuflucht.

Mary Shakespeare saß am Feuer und nähte. Ihr gegenüber wälzte sich John Shakespeare schnarchend in seinem Sessel. Auf seinem Bauch lag ein leerer Weinbecher. Die Kinder waren im Bett.

Mary sah ihren Ehemann kopfschüttelnd, aber nicht ohne Zuneigung an. Die geschürzten Lippen in ihrem schmalen dunklen Gesicht verrieten Belustigung. Der arme John! Er gab sich alle Mühe. Und ganz allmählich fand er mit ihrer Hilfe, ihrer unermüdlichen Hilfe zu sich selbst zurück. Aber es ging nur langsam voran – einen Schritt, und noch einen Schritt, und dann kam wieder ein Rückfall, und alles begann wieder von vorn.

Gütige Mutter Gottes, wie müde sie war! Tag um Tag, Woche um Woche gab sie ihm ihre Stärke, zwang ihn, stark zu sein, flehte ihn an, schmeichelte ihm, schalt und ermutigte ihn. Sie kämpfte gegen den gezuckerten Wein, als ringe sie mit dem Teufel. Aber dieser Kampf zehrte an ihrer Kraft. Und wie ihre Kraft schwand auch ihr Vermögen dahin. Sie hatte kostbare Ländereien verkauft, um seine Schulden zu tilgen. Doch nun raubte er ihr etwas, was noch kostbarer war als Besitz. Er raubte ihr, was ihr von ihrer Jugend geblieben war.

Sie gab alles für ihn hin, und er wußte nicht einmal, was er ihr nahm.

Draußen klopfte es an der Tür.

John fuhr zusammen, japste nach Luft und schnarchte weiter.

Mary erstarrte. Zu so später Stunde kam kein Besucher. Wie oft war es geschehen, daß Leute, die zu nächtlicher Zeit die Haustür geöffnet hatten, es hinterher bereuten. Luke Grafton war von einem Unhold entführt worden. Und Rose Granthan war so entsetzt gewesen, als sie auf ihrer Schwelle den Tod mit seiner Sense erblickte, daß sie den Verstand verloren hatte. Aber Mary wußte, was zu tun war. Sie nahm ein Kruzifix in die eine Hand und in die andere eine Kerze und ging hinaus und öffnete beherzt die Tür.

Ein bärtiger Fremder stand vor ihr im Kerzenschein, und trotz des flackernden Lichts sah er durchaus wie ein Mensch aus. Mary verbarg das Kruzifix in ihrer Hand. Für viele Menschen war ein Katholik nichts anderes als ein Verräter.

«Mutter!» rief der bärtige Fremde. Und er streckte die Arme aus.

Mary starrte ihn an. Dann ergriff sie seine Hand, wobei sie ihn versehentlich mit dem Kruzifix kratzte, und zog ihn ins Haus. Sie schloß die Tür, schob den Riegel vor und drehte den großen Schlüssel um. Dann richtete sie sich auf, hielt die Kerze hoch und sah ihm prüfend ins Gesicht. Schließlich warf sie einen Blick auf seine linke Hand und atmete erleichtert auf. Die Hand blutete ein wenig von dem Kratzer, aber sie war noch da, war nicht abgeschlagen. «Will, bist du auch sicher hier? Was ist mit dem Grafen? Warum bist du gekommen?»

«Der Graf ist bei Hofe. Ich bin hier sicherer als in London.»

Sie schob ihn ins Wohnzimmer. Sein Vater schlug die Augen auf, starrte ihn ungläubig an und kam offenkundig zu dem Schluß, daß er träumte. Jedenfalls schlief er wieder ein. Mary sagte: «Er bessert sich. Die letzten vier Abende war er nüchtern. Aber heute abend ist's wieder schlimm gewesen. Du kannst mir helfen, ihn hinaufzubringen.»

Es war mühsam, aber sie schafften es. Wie gut, dachte Mary, die ihren Mann oft schon allein hinaufgebracht hatte, einen kräftigen Sohn im Hause zu haben, der einem die Hälfte der Last von den Schultern nimmt. Sie gingen wieder hinunter. «Nun aber in die Küche», sagte sie. «Und während ich dir etwas zu essen mache, erzählst du mir, wie's dir ergangen ist.»

Sie stellte kalte Krähenpastete, einen Becher Milch und selbstgebackenes Brot vor ihn hin. Hungrig machte er sich darüber her. Er stopfte sich den Mund voll und spülte das Essen mit der Milch hinunter. Lange hatte es ihm nicht mehr so gut geschmeckt. Was waren Schönheit, Poesie und Philosophie? Nichts dünkte ihn so herrlich in diesem Augenblick, wie einen leeren Magen zu füllen. Es war das eigentliche Ziel allen menschlichen Strebens, war höchste Erfüllung und Befriedigung.

Seine Mutter sah ihm über den Tisch hinweg zu. Seine Tischmanieren hatten sich in London augenscheinlich nicht gebessert, dachte sie bei sich. Und sehr wohl sah er auch nicht gerade aus. Wie war aus ihrem verwöhnten rotbackigen William dieser bärtige, abgerissene Lümmel geworden, der schmatzend seine Speise hinunterschlang? «Wann hast du denn das letzte Mal gegessen?» fragte sie.

Er sah sie erstaunt an und zuckte mit den Schultern. «Gestern irgendwann.»

Das erklärte einiges. «Und was führt dich heim?» fragte sie.

Er brach sich ein Stück Brot ab und schob es in den Mund. Es sah so aus, als ob er seine halbe Faust mit hineinschieben wollte. Er kaute hastig, schluckte und sah sie lächelnd an. Jetzt erkannte sie ihren William wieder. Lächeln konnte er also noch. Aber irgend etwas war nicht in Ordnung. Sie merkte es ihm an. Doch sie mußte geduldig sein. Männer taten nicht gern zweierlei auf einmal. Entweder sie aßen oder sie sprachen. Entweder sie beruhigten und beschwichtigten eine Frau oder sie raubten ihr für immer die Ruhe. Sie waren nicht wie die Frauen, die zur gleichen Zeit aßen oder nähten und plauderten.

Er trank die Milch aus und lächelte sie wieder an. «Es tut mir leid, Mutter, aber sei unbesorgt. Ich habe die guten Manieren, die du mich gelehrt hast, nicht ganz vergessen.»

«Ich bin erleichtert, das zu hören», sagte sie trocken. Sie stand auf, holte den Krug und füllte seinen Becher. «Nun, was führt dich heim?» fragte sie wieder.

Nun lächelte er nicht mehr. «Nichts Gutes, Mutter.»

Von den Fußbodenfliesen stieg eisige Kälte auf. Mary ging an den Herd. Sie wollte das Feuer schüren, aber es war keine Glut mehr unter der grauen Asche.

«Ehre, Unehre, Schande – ich weiß nicht, wie du es nennen wirst, Mutter», sagte Will.

«Ein Mädchen?»

Er senkte den Kopf. Es konnte eine Bestätigung, ein Zeichen der Scham oder beides sein.

«Anne Hathaway aus Shottery», sagte er.

«Oh, Will!» Es war der einzige Vorwurf, den er von ihr zu hören bekam. Aber es gab ihm einen Stich ins Herz. Sie trat wieder an den Tisch und setzte sich schweigend. Nach einer Weile sagte sie: «Dein Vater hat einst Richard Hathaway einen großen Gefallen erwiesen. Seine Tochter hat es uns schlecht vergolten! Eine Frau in ihrem Alter, die einen Knaben in die Falle lockt ...»

Will sprang auf und schlug mit der Hand auf den Tisch. «*Nein*, Mutter. Es war *meine* Schuld.»

Sie blickte ihm kühl in die Augen. «Es tut mir leid, Will, aber jede Mutter hätte an meiner Stelle das gleiche gedacht», sagte sie und fuhr mit heftiger Stimme fort: «Da drücken wir euch an unsere Brust, und ihr seid voller Unschuld, bis ihr dann eines Tages unversehens an einer Frauenbrust liegt. Darum können wir nie glauben –»

«Glaub mir, es war meine Schuld», beteuerte er.

«Ich verstehe», sagte sie und beugte sich über den Tisch. Sie legte ihre kalten Hände auf die seinen. «Und was wirst du tun?» fragte sie.

«Ich werde sie heiraten. So schnell wie möglich.»

Nun, die Hathaways waren eine angesehene Familie. Es war keine Schande, wenn Will das Mädchen heiratete. Aber das war auch nicht so wichtig. Die Hauptsache war, daß Will glücklich wurde. Sie sagte: «Du kannst sie herbringen, Will. Wir werden schon Platz für euch finden.»

«Und Vater?»

«Alles, was dein Vater besaß, ist verpfändet. Er lebt von meinem Geld. Und er weiß es. Er wird sich meinen Plänen nicht widersetzen.»

«Armer Vater.»

Sie blickte ihn prüfend an. Stets hatte sie sich bemüht, ihn Mitleid zu lehren. Es sah so aus, als trügen ihre Bemühungen Frucht. «Ja», sagte sie. «Armer Vater.»

Und arme Mutter, dachte sie halb belustigt, halb bekümmert, aber ohne Selbstmitleid. Alles ruhte auf ihren Schultern. Die Sorge für die Kleinen, die Sorge für einen verschuldeten und oft trunkenen Ehemann und nun auch noch die Sorge für ihren ältesten Sohn, der bis über die Ohren in Schwierigkeiten steckte und ihr, zu allem Überfluß, eine Schwiegertochter und ein schreiendes Enkelkind ins Haus brachte. Sie dankte Gott für ihren unbeugsamen Willen und für ihre Schaffenskraft. Dieses Erbe ihrer Vorfahren würde ihr helfen, auch weiterhin ihre schwere Bürde zu tragen. Und es war wunderbar, Will, ihren Lieblingssohn, wieder im Hause zu haben, einerlei, unter welchen Umständen. Ein Lächeln ging über ihr Gesicht, und sie sah ihn an. «Bist du müde?» fragte sie. Will schüttelte den Kopf. «Dann zünde das Feuer an und erzähle mir, wie's dir ergangen ist.»

Bis spät in die Nacht hinein saßen sie zusammen am wärmenden Herdfeuer. Im flackernden Kerzenschein sprachen sie von Geburt und Leben und Tod. Sie sprachen von der sonnigen, unbeschwerten Vergangenheit, von allem, was nun zu tun war und von der unsicheren Zukunft. Gemeinsam versuchten Mutter und Sohn, die verschlungenen Fäden des Schicksals zu entwirren.

John Shakespeare schlief bis weit in den Vormittag hinein. Er erwachte mit einem üblen Geschmack im Mund, einem Brummschädel und einem Reißen in den Gliedern. Mehr noch aber quälte ihn die verschwommene Erinnerung an einen furchtbaren Traum.

Nein, kein Traum. Dafür war es zu wirklich gewesen. Eher eine Vision. Sein Sohn Will war ihm in einer Vision erschienen, und an seinem linken Ärmel hatte er tropfendes Blut gesehen. Es gab nur eine Deutung dafür. Der Graf von Leicester hatte sich an William gerächt.

John Shakespeare wälzte sich aus dem Bett und taumelte zur Treppe. «Frau!» rief er. «Frau!»

In seiner Stimme schwang Verzweiflung mit. Aber Mary blieb kühl und ließ sich Zeit. Sie hatte Sorgen genug. Schließlich gab sie sich einen Ruck und ging hinauf.

Als sie das Schlafzimmer betrat, saß John, nur mit einem Hemd bekleidet, zusammengesunken auf dem Bettrand und ließ die Arme zwischen seinen Knien herabhängen. Er blickte sie finster an. «Frau, ich hab eine böse Nachricht.»

Nach allem, was vorausgegangen war, konnte sie kaum noch etwas treffen. Dennoch fühlte sie, wie ihr der Herzschlag stockte. «Was ist, John?»

Gewichtig sagte er: «Ich habe eine Vision gehabt.» Dann schüttelte er trauervoll den Kopf. «Eine Vision, die nur Schlimmes bedeuten kann.»

Mary bekreuzigte sich. Wenn es um Visionen ging, half nur der alte katholische Glaube. Die alte Religion hatte viel Erfahrung mit Visionen.

Sie wartete. «Unser William ist mir erschienen. Und seine linke Hand war nur ein blutiger Stumpf», sagte John ächzend.

Einen Augenblick lang verschlug ihr der Schrecken den Atem. Dann begriff sie. «Oh, John!» rief sie lächelnd. «Das war –»

Aber er ließ sie nicht ausreden. «Bestimmt hat Leicester sich an ihm gerächt. Oh, mein armer Sohn, wärst du doch ein Handschuhmacher geworden!»

«Es war keine Vision», sagte Mary und fuhr in strengem Tonfall fort: «Es *war* Will. Nur warst du so trunken vom Wein, daß du ihn nicht erkannt hast!»

Er starrte sie mit offenem Munde an. «Will ist hier?»

Sie nickte. «Er hat einen kleinen Kratzer an der Hand. Aber es ist in der Tat eine schlechte Nachricht, die er uns bringt.»

«Will ist hier?» John Shakespeare kratzte sich gereizt am Knie. «Was tut er denn hier?» Das alles war zu viel, zumal in dieser Morgenstunde.

Mary wollte es ihm auch noch gar nicht sagen. Und warum sollte sie es ihm überhaupt sagen? Sollte Will ihm doch selbst seine Sünden beichten!

Doch nein. Mary war eine praktische und besonnene Frau, eine gute und gerechte Ehefrau und Mutter. Aber wenn es um ihren Will ging, konnte sie ihre zärtliche Liebe nicht verbergen, und oft genug verwöhnte sie ihn ein wenig. Es war die einzige Schwäche, die sie sich erlaubte. Abgesehen von ihrem Stolz auf ihre Vorfahren. «Die Tochter von Richard Hathaway erwartet ein Kind von Will», sagte sie.

John schwieg so lange, daß sie schon glaubte, er habe ihr nicht zugehört. Er kratzte sich nun nicht mehr am Knie, sondern rieb sich statt dessen die Wade. «Ich habe zweimal, als Richard Schulden hatte, für ihn gebürgt», sagte er. «Aber beide Male hat er sogleich nach der Ernte seine Schulden bezahlt. Er war ein guter Mann, der arme Richard. Und nun hat Gevatter Tod ihn zu sich genommen!» Seine Augen füllten sich mit Tränen.

«Und Will hat sich seine Tochter genommen», sagte Mary trocken.

«Ja», sagte er, und die Tränen quollen über. «Weißt du noch, damals, als ich Bürgermeister war, was für ein stolzer guter Junge unser Will damals gewesen ist?»

«Er ist es immer noch», sagte Mary. «Und sicherlich wird er auch ein guter Ehemann sein. Ich hoffe nur, daß Richards Tochter seiner auch wert ist.»

«Will ein Ehemann», sagte er nachdenklich. «Er ist doch noch so jung!» Er sah sie fragend an. «Wo werden sie wohnen, Frau?»

«Hier, John.»

«*Hier?* Aber wir haben keinen Platz für sie.»

«Wir werden Platz machen. Und...» Sie verstummte. Edmund, ihr jüngstes und, wie sie sich geschworen hatte, letztes Kind, war erst zwei Jahre alt. Und jetzt sah es ganz so aus, als würde er zu seinem dritten Geburtstag eine Nichte oder einen Neffen bekommen. Außerdem würde eine andere Frau im Hause wohnen, eine Fremde. Zwar hieß es allgemein, sie sei ein lammfrommes Geschöpf, aber Mary hatte noch nie eine Frau kennengelernt, die nicht auch fuchsteufelswild werden konnte.

«Will – ein Ehemann», murmelte John. «Ich muß ihm einige Ratschläge geben. Was hat mein Vater doch immer gesagt? Freundschaftsbande sind die stärksten Bande. Oder so ähnlich. Ja, mein alter Vater steckte voller solcher Weisheiten.»

«Er braucht keine Ratschläge von dir», sagte Mary spöttisch. «Er braucht ein Schlafzimmer für sich und seine junge Frau und . . .»

Plötzlich sah er sie verdutzt an. «Hast du nicht gesagt, daß sie ein Kind erwartet?»

«Ja, das habe ich gesagt.»

«Ein Kind von Will?»

«Ja, von Will», sagte sie aufgebracht.

Wieder liefen ihm Tränen über die Wangen. «Und dabei kommt es mir so vor, als sei es gestern gewesen, daß er mit seinem großen A und seinem großen B von der Schule heimkam und uns erzählte, was sein Lehrer alles gesagt hatte. Und nun . . .»

Sie überließ ihn seinen wehmütigen Erinnerungen und ging hinunter. Vielleicht, dachte sie, ist es für einen Vater schwer, sich damit abzufinden, daß sein Sohn nun selber Vater wird. Vielleicht weht ihn bei dem Gedanken daran ein kühler Hauch aus dem Tal des Todes an.

Vielleicht. Sie wußte es nicht. Sie war nur eine Frau.

Fulk Sandells und John Richardson, die beiden alten Freunde von Richard Hathaway, waren mit griesgrämigen Gesichtern bei Annes Stiefmutter erschienen, um sie über ihre Schmach hinwegzutrösten.

Es war kein fröhlicher Abend. Anne war ausgegangen , und ihre Schwester und deren junger Ehemann hatten sich, um aus dem Wege zu sein, frühzeitig schlafen gelegt. Fulk Sandells, John Richardson und Mistress Hathaway saßen auf dreibeinigen Schemeln vor dem müde glimmenden Kaminfeuer und sprachen über die Sünde.

Die Sünde war immer ein ergiebiges Thema. Aber im Augenblick und sicher auch noch in den kommenden Monaten galt es ein ganz bestimmtes Beispiel zu besprechen. «Und sie will nicht einmal den Namen des Vaters angeben?» fragte Fulk Sandells.

Mistress Hathaway schüttelte den Kopf.

«Aber der Herr kennt seinen Namen», sagte John Richardson voller Genugtuung. «Und die Feuer der Hölle werden schon für ihn geschürt und die Zangen schon erhitzt.» John Richardson hatte eine sehr hohe Meinung von der göttlichen Gerechtigkeit.

«Das alles hilft mir nichts», jammerte Mistress Hathaway. «*Ich* werde den Bastard durchfüttern müssen, und dieser Taugenichts von einem Vater lebt irgendwo in Saus und Braus.»

John Richardson war empört. «Nicht doch, Schwester. Bedenkt, daß er, auch wenn er *jetzt* vielleicht in Saus und Braus lebt, zu ewigen Qualen verurteilt und verdammt ist. Sollte das nicht die Bitterkeit in Eurer Seele ein wenig lindern?»

Mistress Hathaway ließ sich davon nicht beeindrucken. «Sie ist diejenige, die leiden sollte.»

«Sie wird auch leiden, Schwester. Verlaßt Euch drauf.»

«Nein, nein! Nicht später, sondern jetzt, in *diesem* Leben!»

Und gerade da trat Anne in das Zimmer und führte einen schüchternen William Shakespeare an der Hand herein.

Das düstere Zimmer war nur von einer Kerze und dem rötlichen Schein des glimmenden Feuers erhellt. Der Fliesenboden war so eisig und abweisend wie ein zugefrorener Teich.

Aber nicht eisiger und abweisender als die drei Gesichter, die sich ihnen fragend und prüfend im Halbdunkel zuwandten.

Arme Anne! Es war das erste Mal, daß sie Will mit heimbrachte, damit ihre Stiefmutter ihn kennenlernte. Sie war von tausend Ängsten erfüllt, und nun fand sie zu Hause zu ihrem Entsetzen diese beiden Männer vor, die sie haßte und fürchtete.

Doch für eine Umkehr war es zu spät. «Mutter, das ist William Shakespeare», sagte sie.

Will machte eine tiefe Verbeugung. Seine Mutter hatte den ganzen Tag damit verbracht, seine Kleider zu säubern und auszubessern. Er hatte gebadet, sein Haar war geschnitten, sein Bart gestutzt.

Er hatte gut gespeist. Und er benahm sich untadelig, nicht wahr? Mistress Hathaway, fand er, hatte allen Grund, Gott dankbar zu sein, daß sie ihn zum Schwiegersohn bekam.

Doch nun merkte er, daß ihn drei feindselige Augenpaare durchbohrten. Oder richtiger gesagt: zwei feindselige Augenpaare und ein tief bekümmertes. Fulk Sandells war immer zu Tode betrübt über anderer Menschen Sünden.

John Richardson stand auf, zog seinen schwarzen Schlapphut tiefer ins Gesicht, hob anklagend den Zeigefinger und rief mit furchterregender Stimme: «Seid Ihr der Vater des Kindes? Sprecht!»

«Ja.»

Fulk Sandells stöhnte im Geiste und hob die Augen gen Himmel. Seine Lippen bewegten sich im Gebet.

Aber John Richardson richtete dieses eine Mal seine Aufmerksamkeit mehr auf einen Sterblichen als auf den Allmächtigen. Er brüllte William an: «Dann heiratet sie gefälligst, Herr.»

«Genau dies habe ich vor, Herr.»

«Und versucht nicht etwa, Euch herauszuwinden. Es hilft Euch nichts.»

«Ich habe nicht die Absicht, mich herauszuwinden.»

«Bruder Sandells und ich werden dafür sorgen, daß der Gerechtigkeit Genüge getan wird. Nicht wahr, Bruder?»

Fulk Sandells nickte. «Ja, so sei es.» Er richtete seine großen, traurigen Augen auf Will. «Es hilft nichts, Junge. Ihr müßt für Euren Fehltritt büßen, mein Sohn – in dieser und in jener Welt.»

Will sagte: «Aber ich *will* sie ja heiraten.»

John Richardson redete sich immer mehr in Zorn. «Da sündigt Ihr erst, und dann wollt Ihr Euch weigern, die Folgen Eures bösen Tuns auf Euch zu nehmen.»

«Aber –»

«Seid Ihr der Sohn John Shakespeares?» erkundigte sich Mistress Hathaway.

«Ja», sagte Will und verneigte sich beflissen. Alles war besser, als diese fruchtlose Unterhaltung mit den beiden Männern fortzusetzen.

«Das war der Mann, der meinen Richard dazu verleitete, sich in Schulden zu stürzen», sagte Mistress Hathaway verbittert.

Will, der erst am Morgen die ganze Geschichte von seiner Mutter gehört hatte, rief hitzig: «Das stimmt nicht. Das ist nicht wahr. Mein Vater hat für ihn gebürgt, als er Geld brauchte.»

«Eine feine Familie!» sagte Mistress Hathaway böse. «Der Vater verleitet meinen Ehemann, Schulden zu machen, und der Sohn verführt meine Stieftochter. Eine feine Familie!»

«Aber er wird sie heiraten!» sagte John Richardson. «Keine Angst, Bruder Sandells und ich werden dafür sorgen.»

Fulk Sandells sagte mit Tränen in den Augen: «Das sind wir unserem Richard schuldig. Noch auf dem Sterbebett bat er uns: ‹Nehmt euch meiner armen, häßlichen Anne an.› Und wir haben es ihm feierlich versprochen.»

William hatte genug. «Nun hört mir einmal zu!» rief er und stieß Anne beiseite, die ihn zurückhalten wollte. «Ich bin den weiten Weg von London hergekommen, um Anne zu heiraten. Ich bin ein Ehrenmann. Ich würde nie auf den Gedanken kommen, mich meiner Verantwortung zu entziehen.»

«Das würden wir auch nicht zulassen», sagte John Richardson.

«Und es wird bald geheiratet, habt Ihr verstanden?» fügte Fulk Sandells hinzu.

Dann geschah etwas Unerwartetes. Anne ging zum Kamin, drehte sich um und blickte in die Runde. Sie zitterte so heftig, daß es trotz des schwachen Feuerscheins deutlich zu sehen war. Mit bebender Stimme sagte sie: «Ich bin eine arme Frau, Ihr Herren, weder schön noch verheiratet.» Sie schluckte und fuhr dann fort: «Ich bin eine einfache, unbedeutende Frau, aber ich trage ein Kind in meinem Leib. Und ich liebe einen ehrbaren Mann aus guter Familie und bin bereit, ihn zu heiraten.»

Niemand rührte sich, niemand sagte etwas. Alle waren erstaunt.

«Und darum», sagte Anne weiter, «ist mein Leben von nun an mein Eigentum. Ich bitte Euch, Ihr Herren, und auch dich, Stiefmutter, bedenkt das.» Ihre Stimme wurde fester und klarer. «Ich bin eine Frau, die ein Kind erwartet. Nicht eine trächtige Hündin.»

Wieder blickte sie in die Runde. Aber sie hatte noch nicht zu Ende gesprochen.

«Und nun zu dir, Will», sagte sie freundlich, aber bestimmt. «Ich möchte nicht, daß du mich als eine Last empfindest. Wenn du mich liebst, kannst du mich heiraten. Aber ehe du mich nur aus Ehrgefühl oder Mitleid heiratest, will ich lieber allein mit meinem Kind in Schmach und Armut leben.»

Will war sprachlos und voller Bewunderung. Wieder einmal hatte sie ihn in Erstaunen gesetzt. Und zum erstenmal kam ihm der Gedanke, daß eine Heirat nicht nur für Anne ein Gewinn sein würde.

Ihre Wangen waren gerötet. Ein leises, verstecktes Lächeln umspielte ihre Lippen. Und ihre Augen glänzten. Sie, die arme, unscheinbare Anne hatte sich Geltung verschafft. Und die anderen hatten ihr zugehört. Niemand hatte gewagt, ihr ins Wort zu fallen. Mit ihren sechsundzwanzig Jahren erkannte sie auf einmal, daß man mit Stärke und Entschlossenheit dem Strom nicht hilflos ausgeliefert war. Man konnte gegen die Flut ankämpfen, konnte sich zur Wehr setzen, selbst wenn man dabei unterging.

«Gute Nacht», sagte sie mit ruhiger Stimme. Dann verließ sie erhobenen Hauptes das Zimmer und ging hinauf in ihre Schlafkammer.

Die anderen sahen ihr schweigend nach – auch Will, der sonst nicht um Worte verlegen war.

Nach einer Weile zuckte John Richardson mit den Schultern und sagte: «Und nun zur Sache.» Er wandte sich an seinen Freund. «Morgen, Bruder, gehen wir beide mit William Shakespeare zum Bischof von Worcester und beantragen eine Heiratsgenehmigung.» Dann wandte er sich Mistress Hathaway zu: «Und welcher Tag würde Euch genehm sein für die Hochzeit?»

«Montag ist Waschtag. Sagen wir Dienstag?»

«Gut. Je eher, um so besser. Vor allem, wenn man es mit einem schlüpfrigen, glatten Aal zu tun hat. Und ich werde inzwischen Pfarrer Barton bitten, die beiden zu trauen. Er haßt die Papisten mehr als die Pest.»

Gütiger Gott, dachte William. Das hielt er nicht aus! Er würde nach London zurückkehren, wo er hingehörte, zurück zu den Schauspielern, die ihn schätzten und achteten. Hier dagegen wurde er behandelt, als wäre er ein Kind. Ein lüsternes Kind. Zum Teufel! Sollten diese beiden Männer und Annes Stiefmutter und Anne selbst doch sehen, wie sie zurechtkamen!

Wütend stapfte er aus dem Haus. Sein Zorn war wie ein verzehrendes Fieber. Am liebsten hätte er sich auf den Boden geworfen und wutschäumend mit den Fäusten auf die Erde getrommelt – wie sein Bruder Gilbert, wenn die Fallsucht über ihn kam. Aber er hatte keine Zeit, sich gehen zu lassen. Er mußte nach London zurück, auf der Stelle.

Draußen herrschte finstere Nacht. Will geriet von dem schmalen Gartenpfad ab und stolperte über eine abgestorbene Rosenranke. Er fluchte und rief die heilige Dreieinigkeit, die Götter Griechenlands und Roms und die halbe Gemeinschaft der Heiligen als Zeugen seines gerechten Zornes an.

«Will», rief eine klägliche Stimme. «O Will, ich wollte dich doch nicht kränken!»

In der Einsamkeit ihrer Schlafkammer war Anne bald wieder zu sich gekommen. Was hatte sie angerichtet? Es war gut und schön, gegen den Strom anzukämpfen, aber nicht, wenn sie dadurch ihren geliebten Will verlor. Und im Augenblick sah es ganz so aus, als ginge ihr lieber Will für immer davon.

Aber der Klang ihrer verzweifelten Stimme besänftigte seinen Zorn, und Will wurde so zahm wie ein wilder Stier, den man mit Weihwasser besprengt. Er spähte zu ihr hinauf.

Ihr Gesicht schimmerte in der Dunkelheit wie der Mond hinter Nebelschleiern. «Anne», flüsterte er.

«Es tut mir leid, Will. Aber sie meinen es gut.»

«Gut? Ich lasse mir nicht wie ein Sklave Befehle geben. Wir werden heiraten. Aber Tag und Stunde bestimmen *wir*.»

In diesem Augenblick fiel ein gelber Lichtschein in den Garten. Fulk Sandells und John Richardson, die zwei unermüdlichen Kämpen wider das Böse, kamen mit einer Laterne aus dem Haus gestürzt, entdeckten Will und gaben ihm den Befehl, sich am nächsten Morgen Punkt sieben Uhr am Marktplatz in Stratford einzufinden. Dann wollten sie gemeinsam nach Worcester reiten, um beim Bischof die Heiratserlaubnis zu erwirken.

«Schert Euch zum Teufel!» rief William, aufs neue von seinem Zorn übermannt.

Fulk Sandells zückte einen kleinen Dolch und begann sich damit die Fingernägel zu reinigen, als könnte er so besser über die Verstocktheit dieses Sünders nachsinnen. John Richardson, der von Natur aus weniger feinsinnig war, zog ungeduldig sein Schwert und hielt die Spitze ungemütlich nahe an Wills rechtes Auge. «So, Master Shakespeare, wie steht's? Kommt Ihr nun mit nach Worcester?»

Fulk Sandells sagte mit flehender Stimme: «Mein Freund ist ein eifriger Diener des Herrn und wird darum leicht ein wenig hitzig. Fordert ihn nicht heraus, Master Shakespeare!»

Ein sehr guter Rat, fand Will. Es lag ihm fern, irgend jemanden herauszufordern. Und er *wollte* Anne ja heiraten. So mochte der Ritt nach Worcester am Ende ein nützliches Unternehmen sein. Zudem war Eile geboten. Die Adventszeit nahte, und er wußte, daß es nicht nur schwierig, sondern auch teuer war, in der Adventszeit zu heiraten – die Kirche sah es nicht gern. Im Grunde mußte er den beiden Herren also geradezu dankbar sein, dachte er, und tatsächlich brachte er dergleichen auch zum Ausdruck.

John Richardson steckte sein Schwert in die Scheide. Und auch Fulk Sandells steckte nach einem zufriedenen Blick auf seine Fingernägel seinen Dolch wieder fort. Anne, die vom Fenster aus die Szene beobachtet hatte, sah, wie die drei Männer in schöner Eintracht zur Gartenpforte hinausgingen. Will hatte sich weder nach ihr umgedreht noch ihr gewinkt. Traurig legte sie sich schlafen. Will hatte sie anscheinend vergessen!

Ja, er hatte sie vergessen. Wie so oft war er ganz damit beschäftigt, seine eigenen Gedankengänge zu erforschen.

Hatte die rostige Klinge, die seinem Augapfel so nahe gekommen war, auf seine Entscheidung eingewirkt?

Ja, das mußte er zugeben. Er hatte Angst gehabt.

Er war in dem stolzen Bewußtsein nach Shottery gekommen, daß nicht viele junge Männer sich so ehrenhaft verhalten hätten, wie er es tat. Jetzt, auf dem Rückweg nach Stratford, mußte er sich eingestehen, daß er ein Feigling war. Er hatte schon immer gewußt, daß er nicht sehr männlich war. Das heimliche Mitleid, das er mit den Bären hatte, auch wenn er mit der Menge laut nach ihrem Blut schrie, hatte es ihm ebenso bewiesen wie der Abscheu, den er empfand, wenn die Raben in Scharen über die aufgespießten Köpfe der Verräter herfielen. Doch beim Blitzen eines Dolches höflich einzulenken und sich beim Anblick eines Schwertes demütig zu fügen, das war schlimmer, als unmännlich zu sein. Das war Feigheit! Ein solches Verhalten war eines freien Mannes unwürdig! Oh, welch ein Schurk' und niedrer Sklav' bin ich! murmelte er vor sich hin. Verwundert blieb er stehen. Der Satz war ihm fertig geprägt in den Sinn gekommen. Aber woher? Er wußte es nicht. Aber es war eine gute Zeit. Wenn ihm *mehr* solche Zeilen einfielen, dann konnte er auch ein Schauspiel schreiben, das die Zuschauer entzücken würde.

Er vergaß seine Feigheit über dieser neuen, erregenden Erkenntnis und ging beschwingten Schrittes weiter.

5

Ein schlichter Hirt ...

Es war eine traurige Hochzeit.

Schon die Jahreszeit war schlecht gewählt. Man schrieb den 30. November 1582. Aber die Zeit drängte. Advent, Weihnachten und die Fastenzeit standen bevor, und im Mai sollte schon das Kind geboren werden.

Als der Morgen graute, waren Gärten, Wälder und Wiesen mit weißem Rauhreif bedeckt. Doch bald verwandelte sich der Reif in neblige Nässe. Bäume, Gräser, Sträucher und Beeren, das alte Gemäuer der Kirche und selbst Kleider und Schuhwerk – alles dünstete kalte Feuchtigkeit aus.

Pfarrer Barton und Fulk Sandells hatten beide einen tüchtigen Schnupfen. Das einzige, dachte Will, was noch trübseliger und trostloser sein mochte als ein verschnupfter Puritaner, waren zwei verschnupfte Puritaner.

Mary Shakespeare erschien mit dem kleinen Edmund auf dem Arm und ihrem Ehemann an der Seite. Die anderen Kinder folgten ihnen im Gänsemarsch. Mary hatte nicht nur die Kinder, sondern auch ihren John sorgfältig in Augenschein genommen. Alle glänzten vor Sauberkeit. Sie selbst trug ihr schönstes Kleid und den wenigen Schmuck, den sie noch besaß. Sie war noch immer schlank und hübsch, eine Frau, der man trotz der Armut, in die sie geraten war, ihre vornehme Herkunft ansah. Ihr Will mit seinem braunen Haarschopf, der allein auf der vordersten Kirchenbank saß wie ein Gefangener auf der Anklagebank, drehte sich um und lächelte ihr zu. Aber es war eher ein verzweifeltes Lächeln, dachte sie traurig. Der arme Will! Wenn es stimmte, daß ihn das Mädchen nicht in die Falle gelockt hatte, und sie glaubte seinem Wort, dann hatte es das Schicksal getan. Mit seinen achtzehn Jahren war er zu jung für die Bürde, die er sich aufgeladen hatte, zu jung für die Ehe. Und sie zweifelte, ob er überhaupt für die Ehe bestimmt war. Er grübelte so viel und hatte, wie sie vermutete, höhere Ziele im Sinn.

Nun kam Mistress Hathaway. Am Arm ihres Sohnes Bartholomew stolzierte sie zu ihrem Platz. Hartherzig, kalt und dumm, dachte Mary ungerührt bei ihrem Anblick und dankte dem Himmel, daß diese Frau nicht Annes richtige Mutter war.

In der Kirche war es feucht und kalt. Man spürte, wie der Morgennebel von draußen hereinkroch. Keine Kerze erhellte die Düsternis, kein buntes Heiligengemälde schmückte die Säulen, kein Hochaltar erfreute das Auge. Es war eine puritanische Welt, grau wie dieser letzte Novembertag.

Deutlich vernahm man jetzt in dem dumpfen Schweigen, wie John Shakespeare rührselig hinter seinem vorgehaltenen Taschentuch schluchzte. Die Stille des Morgens verstärkte jeden Laut. Von draußen hörte man durch das offene Westportal das Muhen weidender Kühe, das Wiehern eines Pferdes, das Knirschen von Stiefeln und das gedämpfte Gemurmel einzelner Stimmen.

Mary Shakespeare wandte sich um. Anne Hathaway, die Braut, betrat die Kirche. Sie wurde von John Richardson, dem Freund ihres verstorbenen Vaters, geführt.

Das also war die ihr vom Schicksal beschiedene Schwiegertochter! Anne war acht Jahre älter als Will, und ihre Stiefmutter hatte es so eilig gehabt, Will vor den Traualtar zu schleppen, daß Mary nicht einmal Zeit geblieben war, sie vorher kennenzulernen.

Sie sah, wie die Braut aus Schüchternheit oder Scham den Kopf senkte. Sie trug ein derbes, bäuerliches Kleid und hielt ein trauriges Sträußchen Herbstblumen in der Hand. Mary spürte, daß dieses arme, von Furcht und Zweifeln geplagte Mädchen mehr als alles andere Liebe brauchte.

Langsam schritt Anne am Arm ihres Brautführers durch die Kirche, erreichte die erste Bankreihe und blieb stehen, den Blick noch immer auf ihre Füße geheftet. John Richardson trat einen Schritt zurück. Will Shakespeare erhob sich und stellte sich neben seine Braut. Und da hob Anne den Kopf und lächelte ihren Will an.

Mary stockte der Herzschlag. Noch nie in ihrem Leben hatte sie einen so liebevollen, einen so freudestrahlenden Blick gesehen. Sie war zutiefst gerührt. Sie konnte Wills Gesicht nicht sehen und hoffte nur, daß er etwas von dieser Zärtlichkeit erwiderte.

Ihr Will wurde also geliebt. Und Liebe wirkte Wunder: sie linderte die Not, würzte ein karges Mahl und machte ein hartes Lager weicher. Und sie würde ihnen allen das Zusammenleben erleichtern. Aufatmend lehnte Mary sich zurück.

Pfarrer Barton wischte sich mit dem Ärmel seines Talars die Nase und betrachtete unwillig das junge Paar. «Hasset die Sünde und liebet den Sünder.» Es fiel ihm nicht schwer, die Sünde zu hassen. Ja, er haßte sie so inbrünstig, daß er es nicht über sich brachte, die Sünder zu lieben. Und vor allem liebte er jene Sünder nicht, die ihre Trauung nicht abwarten konnten.

Die Worte der Trauformel blieben ihm beinahe in der Kehle stecken. Aber er brachte sie heraus und gab dem jungen Paar widerwillig seinen Segen. Wieder einmal hatte er eine Dirne und ihr in Sünde empfangenes Kind vor Schande und Schmach bewahrt – aber nicht vor dem gerechten Zorn Gottes, dachte er befriedigt. Zuweilen war der Gedanke an das Höllenfeuer sein einziger Trost in dieser sündigen Welt.

Verwundert und verwirrt blickte William auf und betrachtete die Braut, die nun seine Frau war. Während der Trauung war er wie so oft mit seinen Gedanken anderswo gewesen: in einem von Lärm und Frohsinn erfüllten Raum, wo eifrig und aufmerksam ein Stück geprobt wurde. Er war bei Ned Alleyn und der kleinen Joan Woodword gewesen, bei seinen Freunden, den Schauspielern. Und während er seinen Träumereien nachgegangen hatte, war dieses Mädchen, diese Fremde mit ehernen Reifen an ihn gebunden worden. Was wußte er von ihr, von ihren Gedanken, von ihren Wünschen und Ängsten? Die Ehe war etwas Erschreckendes, wenn man es recht bedachte – und wer dachte wirklich darüber nach, ehe es zu spät war? Da wurden zwei Menschen, die einander vertraut und doch fremd waren, plötzlich mit Leib und Seele aneinandergekettet. Für immer! Was aber geschah, wenn sie eines Tages einander haßten. Oder wenn die eine Seele sich emporzuschwingen versuchte und die andere sie niederhielt? Der einzige Chirurg, der diese Seelen mit seinem Messer zu trennen vermochte, war der Tod. Ihn fröstelte. Wer konnte je die Tiefen und Höhen einer anderen Seele ergründen?

Aber da lächelte Anne ihn so liebevoll an, daß er alle finsteren Gedanken vergaß. In einer so schönen kindlichen Seele konnte es nur sonnenbeschienene Höhen geben. Und so nahm er ihre Hand und führte sie hinaus in den kalten Novembertag.

«Mutter», sagte Will, als sie das Haus in der Henley Street betraten. «Das ist Anne.»

Mary Shakespeare hatte ihr Bestes getan. Ein lustig knisterndes Feuer loderte im Kamin. Sie hatte eine kostbare, schwere Decke aus ihrem Elternhaus über den Tisch gebreitet und das Ardensche Zinngeschirr aus dem Schrank geholt. Und sie hatte ein einfaches, aber köstliches Hochzeitsmahl vorbereitet: gekochte Kapaune, Würste, Knochenmark auf Röstbrot, gelbe Rüben, Quittenauflauf, Käse, Äpfel und allerlei Süßigkeiten. John, der seinen Kummer überwunden hatte und wieder guter Dinge war, mischte Wein und Zucker, worauf er sich besonders gut verstand. Die jüngeren Kinder liefen umher und starrten mit großen Augen ihren Bruder an, der nun plötzlich ein Ehemann war. Die Hathaways waren nicht zum Hochzeitsmahl mitgekommen, sondern gleich nach der Trauung nach Shottery zurückgekehrt. «Ich würde an den Speisen dieser Wucherer und Verführer ersticken, auch wenn sie nicht vergiftet wären», hatte Annes Stiefmutter gesagt.

«Anne», sagte Will. «Das ist meine Mutter.»

Die beiden Frauen betrachteten einander.

Anne sah eine vornehme, schöne, ein wenig belustigt dreinblickende Dame vor sich.

Mary sah eine junge, ungeschickt gekleidete Frau vom Lande vor sich, eine Frau, die für ihren Will erschreckend alt war, ein scheues, verängstigtes Geschöpf, das nun plötzlich in ein fremdes Haus verpflanzt wurde und mit fremden Menschen zusammen leben sollte. Und in diesem fremden Haus war sie, Mary, diejenige, die das Leben des Mädchens am meisten beeinflussen würde, mehr noch als Will. Nun wußte sie zwar, daß sich zwei Hündinnen im selben Zwinger, zwei Katzen im selben Korb und zwei Frauen in derselben Küche nie miteinander vertrugen. Doch war das für sie kein Grund, es nicht wenigstens zu versuchen. Anne kam ihr vor wie ein verängstigter, gefangener Vogel. «Oh, meine Liebe», sagte sie und breitete die Arme aus. «Willkommen in der Henley Street. Willkommen in unserer Familie.» Sie schloß Anne in die Arme und fühlte, wie der Widerstand und das Mißtrauen des Mädchens langsam schwanden. «Wir werden alles tun, um dich glücklich zu machen. Nicht wahr, John?» rief sie ihrem Mann zu, der gerade mit dem Wein erschien.

«Aber gewiß», sagte John Shakespeare strahlend. Er hatte von dem Wein gekostet, um zu sehen, ob er auch nicht zu süß geraten war. Und er hatte so reichlich davon gekostet, daß er sich angenehm beschwingt fühlte. Überschwenglich küßte er seine neue Schwiegertochter. Neuerdings wußte er manchmal nicht recht, was eigentlich rings um ihn vorging. Aber heute wußte er es genau.

Er hatte eine neue Tochter bekommen: ein hübsches Ding, wie er fand. Und sie sah so gütig und freundlich aus! Er hatte sich in der letzten Zeit oft nach ein wenig mehr Güte gesehnt. Mary hatte nichts anderes im Sinn, als ihm das Trinken abzugewöhnen. Aber Anne sah wie ein liebes Mädchen aus. Sicherlich würde sie ihm, wenn niemand in der Nähe war, heimlich eine Flasche bringen. Er und Anne würden gute Freunde werden. Er wußte es.

Aber Anne war immer noch ängstlich. Sie hatte Will geheiratet, nicht eine ganze Familie, und sie sehnte sich danach, mit Will allein zu sein. Doch daran war jetzt nicht zu denken. Sie wandte sich wieder Mary zu und sagte schüchtern: «Ich dank Euch, Mistress Shakespeare. Ich werde mir alle Mühe geben ...» Dann verstummte sie.

Mary lachte und streichelte liebevoll Annes Hand. «Was hast du mit meinem Will gemacht? Ihm ist zum erstenmal in seinem Leben die Zunge gelähmt.»

Will fühlte sich nicht wohl in seiner Haut. Er kam sich vor wie ein Schauspieler, der eine Rolle spielen muß, für die er nicht geeignet ist.

Es war eine steife, ungemütliche Mahlzeit. Sie aßen im Stehen und redeten kaum. Anne sprach nur, wenn sie etwas gefragt wurde. Dann antwortete sie bereitwillig, verfiel aber sogleich wieder in Schweigen. Will blickte verdrossen vor sich hin.

Nach dem Essen verkündete John Shakespeare wichtigtuerisch, daß er seinem Sohn einige Ratschläge zu geben wünsche. Will hörte ihm höflich zu. «Kein Borger sei und auch Verleiher nicht», begann John Shakespeare, der selber sein Leben lang Geld verliehen und verloren hatte. Sodann riet er ihm: «An den erprobten Freunden halte fest und häng dein Herz nicht jeden Tag an neue!» Zum Schluß ermahnte er ihn, sich nicht wie ein Geck zu kleiden: «Die Kleidung kostbar, wie's dein Beutel kann, doch nicht ins Grillenhafte: reich, nicht bunt.» Bei jedem Rat nickte Will ehrerbietig mit dem Kopf und sagte: «Ja, Vater.»

Danach machten Will und Anne einen Spaziergang am Fluß. Kaum hatten sie das Haus verlassen, holte Will tief Atem und legte seinen Arm um Annes Taille. So war es besser. Hier draußen, fern von der Familie, war sie plötzlich keine erschreckende ‹Ehefrau› mehr. Hier war sie wieder die süße, vertraute Anne, die er liebte. Und gemeinsam schritten sie dahin, so wie sie im Sommer durch das Kornfeld gegangen waren.

Freilich, der goldene Roggen war längst geerntet, und die grauen

Stoppelfelder sahen aus wie die Wangen eines alten Mannes. Die silberne Laterne des Mondes war erloschen, und in den Spinnweben glitzerten kleine Regentropfen.

So grau wie diese Landschaft, dachte Will düster, so grau lag seine Zukunft vor ihm.

Anne legte den Kopf an seine Schulter. «Ich danke dir, Will», sagte sie.

Er sah sie verwundert an. «Wofür?»

«Dafür, daß du mich geheiratet hast. Viele Männer hätten es nicht getan.»

«Du redest töricht», sagte er lachend. Aber ihre Worte trösteten ihn. Er fand, daß er ein wenig Lob und Anerkennung für sein ehrenhaftes Verhalten verdient hatte.

«Deine Mutter ist sehr gütig», fuhr Anne fort, «aber sie ist die Herrin des Hauses. Darum will ich tun, was sie verlangt. Sonst wird es nur Zank und Streit geben.»

«Ihr werdet euch bestimmt nie streiten», sagte er unbekümmert.

«Doch, wir werden uns streiten, wenn sie nicht die Herrin im Hause bleibt.»

«Aber du bist doch meine Frau. Ich kann nicht ...»

«Bei uns zu Hause war meine Stiefmutter die Herrin. Ich war nur ein Kind, und so wurde ich behandelt. *Hier* bin ich die junge Mistress Shakespeare, und ich will auch so behandelt werden. Aber wenn das alle wissen, dann soll deine Mutter ruhig über mich gebieten.»

Die junge Mistress Shakespeare! Anne war bereit, sich zu fügen, aber sie stellte ihre Bedingungen. Wieder einmal wurde ihm klar, daß er kein dummes Gänschen geheiratet hatte. Sie mochte unbeholfen, ein wenig schwerfällig und nicht sehr zungenfertig sein, aber sie war sich ihres Wertes bewußt. Und sicherlich auch des Wertes ihres Ehemannes, dachte Will dankbar.

Fast unmerklich ging der freudlose Tag in die Nacht über. Die Kerzen wurden angezündet, die Kinder zu Bett gebracht. Und schließlich war es auch für die Erwachsenen Zeit, sich schlafen zu legen.

Niemand brachte das junge Paar mit Anspielungen auf die Hochzeitsnacht in Verlegenheit. Die Braut war im dritten Monat schwanger, und außerdem liebte Mary Shakespeare keine derben Späße, und John Shakespeare war zu betrunken, um Zoten zu reißen. Leise gingen Will und Anne hinauf in ihre Schlafkammer.

Anne war glücklich. Endlich hatte sie Will für sich allein. Im weichen, wärmenden Federbett, im Schutz der kleinen Kammer und der Dunkelheit der Nacht, hielt sie ihn fest in den Armen. Und als er schließlich einschlief, weinte sie ein wenig. Sie wußte, sie hielt einen Irrwisch an der Brust, und das war ein Wunder, das nicht lange währen konnte.

Dann schlief auch sie ein. Als sie die Augen wieder öffnete, sah sie durch das offene Fenster, daß die Sterne schon verblaßten, und voller Angst dachte sie daran, daß mit dem neuen Tag und dem neuen Monat ein neues Leben für sie begann. Trostsuchend streckte sie die Hand nach Will aus. Aber er war nicht da. Er hatte sich vor Tau und Tag fortgestohlen.

Er hatte in Annes Armen gelegen, als er mitten in der Nacht erwachte. Anne schlief und atmete ein wenig zu laut.

Das also war das Leben, dachte er. Und die Freuden dieser Nacht waren die Krönung, das höchste Glück. Eine Frau heiraten, Kinder zeugen, arbeiten, essen und schlafen, frohe Feste feiern, von Zahnweh, Bauchkneifen oder Hautjucken geplagt werden, nächtliches Alpdrücken erleiden und eines Tages sterben und zitternd vor den Toren des Himmels oder der Hölle stehen – das war das Leben eines Mannes. Und diese Nacht war die Krönung!

O Gott!

Musik hören, etwas Schönes erschaffen, dichten, eine Bühne mit Königen und Königinnen, Prinzen und Prälaten bevölkern, sprühen von Geist und Witz, mit köstlich duftenden Frauen scherzen und schäkern, mit fröhlichen Freunden tafeln und bechern – auch das war das Leben eines Mannes, oder konnte es doch sein. Auch das hätte sein Leben sein können ...

Behutsam löste er sich aus Annes Armen. Er wollte nachdenken in der nächtlichen Stille. Anne regte sich und stöhnte leise, aber sie wachte nicht auf.

Nein, er konnte es nicht ertragen. *Er konnte es nicht ertragen!* Er liebte Anne, er hatte Mitleid mit ihr und wollte ihr nicht weh tun. Sie würden glücklich miteinander sein, und ihre Liebe würde wachsen und sich ausdehnen wie ein Baum, der ihnen Schutz und Schirm gewährte. Doch das Leben mit Anne bot ihm keinen Ersatz für die Könige und Königinnen, für die Prinzen und Prälaten, für das Spiel mit Worten, die man aneinanderreihte wie schöne Perlen, für den Rausch des Schaffens und des Theaterlebens. Und das Leben an ihrer Seite bot ihm auch keinen Ersatz für das brodelnde, schreckliche und herrliche London.

Er konnte es nicht ertragen. Er mußte schreiben. Sein Leben gehörte dem Theater. Er würde irgendwie den Lebensunterhalt für sich und die Seinen verdienen. Als Handschuhmacher in seines Vaters Geschäft, als Bauer oder als Schulmeister. Aber er würde auch schreiben! Und eines Tages, wenn er sich ein wenig Geld zusammen verdient hatte, würde er wieder der Dichter William Shakespeare werden.

Aber er durfte keinen Augenblick verlieren. Zeit zu vergeuden war schlimmer, als Geld zu verschwenden. Leise schlüpfte er aus dem Bett, schlich auf Zehenspitzen zur Tür hinaus und ging nach unten.

Was hatte Philip Henslowe doch zu ihm gesagt? Ein Schauspiel über Zwillingsbrüder, die einander zum Verwechseln ähnlich sind. Der römische Dichter Plautus hatte eine Posse über Zwillingsbrüder geschrieben. Oh, und dem alten Plautus, der seit Jahrhunderten im Grabe lag, würde es nichts ausmachen, wenn William ihm seine Handlung stahl. Außerdem war es nichts Ehrenrühriges, eines anderen Dichters Handlung zu übernehmen. Wichtig waren die Charaktere, wie Will inzwischen gelernt hatte. Er zitterte vor Aufregung und vor Kälte.

Er zündete eine Kerze an, nahm sich Feder, Tinte und Papier und setzte sich an den Küchentisch. Er hatte die Komödie von Plautus in der Lateinschule gelesen. Aber das Buch stand oben, neben seinem Ovid und seinem Seneca. Einerlei. Er erinnerte sich noch recht gut an die Handlung. Er konnte also einen Anfang machen und die ‹Menaechmi›, das Stück von Plautus, später noch einmal lesen.

Er tauchte die Feder in die Tinte und schrieb auf den weißen Bogen: «Eine Komödie der Irrungen. Von Wm Shakespeare.» Und darunter schrieb er: «Akt I, Szene I.»

Dann saß er da und kaute an seinem Gänsekiel. Es war bitter kalt in der Küche.

Oben in der kleinen Kammer drehte Anne sich seufzend im Bett um und versuchte wieder einzuschlafen. Sie war traurig, aber nicht beunruhigt, daß Will nicht mehr neben ihr lag. Er hatte wohl immer andere Dinge im Kopf, sogar in seiner Hochzeitsnacht, dachte sie betrübt.

William schrieb und schrieb, und er fragte sich schon, ob er den alten Aegeon nicht zuviel reden ließ. Henslowe hatte von einer Komödie gesprochen, aber der alte Aegeon mit seiner langen Erzählung von Schiffbruch und Tod würde die Zuschauer schwerlich zum Lachen bringen.

Er las, was er geschrieben hatte, und war entsetzt. Wie langweilig, wie eintönig! Die Zuschauer würden davonlaufen, noch ehe die zweite Szene begann.

Er konnte nicht schreiben! Narr, pflüge den Acker, nähe Handschuhe in deines Vaters Werkstatt, oder bringe den kleinen Kindern das ABC bei. Aber bilde dir nicht ein, du könntest schreiben. Wer schreiben wollte, mußte die Universität besucht haben. Wie wollte er, Will Shakespeare, sich mit gelehrten Dichtern wie Robert Greene, John Lyly oder Thomas Nashe messen!

Nein, es war anders, und er wußte es. Er *konnte* schreiben, Er spürte die Kraft in sich. Sie war wie ein Zwang. Irgendeine Macht zwang ihn, den Federkiel zu ergreifen und zu schreiben. Er *konnte* schreiben. Er mußte nur sein Thema finden.

Er trat ans Fenster. Seine Glieder waren starr vor Kälte, so daß er sich kaum rühren konnte. Er zog den Vorhang ein wenig zur Seite. Klares, kaltes Morgenlicht breitete sich am östlichen Himmel aus: es wurde Tag. Will sah sich in einen quälenden Zwiespalt gestürzt. Bald würde Anne erwachen, er mußte an ihrer Seite sein. Doch wenn er zu ihr ging, war es für heute mit dem Schreiben vorbei. Und so würde es immer sein. Er wollte ihr nicht weh tun, sie nie vernachlässigen oder kränken. Aber er wußte, daß Anne, ohne es zu wollen und ohne es zu wissen, seinem Verlangen zu schreiben im Wege stand. Es gab keinen Ausweg.

Er las noch einmal, was er geschrieben hatte. Nein. Das war nichts. Er zog die Vorhänge auf, blies die Kerze aus und ging hinauf.

Anne war schon aufgestanden. Sie lächelte ihn an und umarmte ihn. «Will, wo bist du gewesen? Oh, du bist ja ganz kalt. Ich habe mir Sorgen um dich gemacht.»

Hätte er geantwortet: ‹Ich habe Feuer gemacht, Handschuhe zugeschnitten und meines Vaters Rechnungsbücher in Ordnung gebracht›, sie hätte ihn gewiß verstanden und es gutgeheißen. Aber er wollte wenigstens leidlich tugendhaft und aufrichtig sein, und so sagte er mit einem verlegenen Lächeln: «Ich habe an einem Schauspiel geschrieben.»

Sie sah ihn erschrocken an. Das letzte Mal, als er von einem Schauspiel gesprochen hatte, war er in Gefahr geraten und hatte fliehen müssen. Sie hatte gehofft, er hätte eine Lehre daraus gezogen.

Aber jetzt, da er ihr Ehemann war, wollte sie wenigstens begreifen, wovon er sprach. «Was *ist* ein Schauspiel?» fragte sie und runzelte die Stirn.

Er sah sie bestürzt an. Er konnte es nicht glauben, daß jemand nicht wußte, was ein Schauspiel war. Er setzte sich auf den Bettrand, zog sie zu sich herunter und versuchte geduldig, es ihr zu erklären. Sie hörte mit großen Augen zu. Schließlich sagte sie: «Aber warum willst du solche Stücke schreiben. *Ich* würde so etwas nie tun.»

«Ich will Geld damit verdienen.» Das war nur ein Teil der Antwort, aber er hatte das Gefühl, daß er ihr das andere nicht erklären konnte. Nicht jetzt, an einem kalten Dezembermorgen.

Sie hielt seine Hand und spielte in Gedanken versunken mit seinen Fingern.

Plötzlich fragte sie: «Aber könntest du nicht mehr Geld in deines Vaters Geschäft verdienen?»

«Viel mehr», sagte er. Und bereute es sogleich. «Ich könnte viele Stücke schreiben und würde vielleicht doch nie einen Penny verdienen. Vielleicht aber würde ich auch so viel verdienen, daß ich New Place erwerben könnte, das zweitgrößte Haus in Stratford.»

«New Place?» fragte sie mit zorniger Stimme. Er war erstaunt. Seine sanfte Anne konnte also auch zornig werden. «Verdien erst einmal genug», fuhr sie ärgerlich fort, «daß du ein bescheidenes Häuschen kaufen kannst, wo wir allein und in Frieden leben können. Dann können wir von mir aus über New Place reden.»

Er sah sie ernüchtert an. Schon als Lohnarbeiter in London hatte er davon geträumt, eines Tages New Place zu erwerben. Aber alle seine Träume waren wie Seifenblasen zerplatzt, und so war es vielleicht ganz gut, daß Anne sich nicht ein großes Haus erhoffte.

Er sagte: «Hör zu, Anne. Edward Alleyn, ein berühmter Schauspieler ...»

«Was ist ein Schauspieler?» fragte Anne wißbegierig.

Er erklärte es ihr. «Ned Alleyn glaubt, daß ich gute Stücke schreiben könnte.»

Allmählich begriff Anne, worum es ging. «Will, wie lange brauchst du, um so ein Stück zu schreiben?»

Er zuckte mit den Schultern. «Einen Monat vielleicht.»

«Und wie lange brauchst du, um ein Paar Handschuhe zu machen?»

«Einen Tag. Vielleicht zwei.»

«Und wieviel bekommst du für das Stück? Und wieviel für die Handschuhe?»

Nun wurde *er* zornig. Wie konnte sie ein Schauspiel mit einer Ware vergleichen. Aber dann fühlte er, wie ihre kalte Hand in der seinen zitterte, und Mitleid durchströmte ihn. «Hör zu, Anne. Ich werde für dich und das Kind arbeiten. Und in einem Jahr oder in zwei Jahren suchen wir uns ein Häuschen.»

Er sah sie von der Seite her an. Sie blickte aus dem Fenster. Die Sonne war jetzt aufgegangen, und ihre Strahlen verliehen Annes Gesicht einen warmen Glanz. Aber dieser Glanz war nichts im Vergleich zu der tiefen Freude, die aus ihren Augen leuchtete. Ein eigenes Heim, wo sie in Frieden mit ihrem Will leben und seine Kinder aufziehen konnte. Ein behagliches Häuschen mit einem kleinen Blumengarten und einem Stapel Holz für den Winter. Das war alles, was sie sich erträumte. Es war für sie der Himmel auf Erden.

In der Henley Street herrschten Liebe und Eintracht.

Mary Shakespeare hatte ihre scheue, hilfsbereite Schwiegertochter schnell ins Herz geschlossen und zeigte es ihr auch.

Anne, die seit dem Tod ihres geliebten Vaters unter ihrer mürrischen Stiefmutter gelitten hatte, traute ihrem Glück anfangs nicht recht. Aber nach und nach öffnete sie sich der Zuneigung, die ihr entgegengebracht wurde, wie eine Blume im Sonnenschein. Die beiden Frauen gingen zusammen zum Markt, und abends saßen sie beieinander und nähten und plauderten und lachten. Mary hatte bald herausgefunden, daß Anne auf ihre Weise gescheit und wißbegierig war, und gab sich Mühe, diese Eigenschaften zu fördern.

William entwickelte sich ungeachtet seiner poetischen Gefühle und Gedanken zu einem geschickten und entschiedenen Kaufmann. Unnachsichtig trieb er für seinen Vater alte, in Vergessenheit geratene Schulden ein und kränkte damit einige nicht sehr ehrenwerte Bürger. Auch sorgte er dafür, daß Bestellungen stets pünktlich ausgeführt wurden. Er war höflich und zuvorkommend, und die Kunden seines Vaters schätzten den schmucken, kräftigen jungen Mann mit den frischen roten Wangen und drängten sich vor seinem Stand auf dem Markt. Will Shakespeare, der ein Bauernmädchen in

Schande gebracht hatte, war vergessen. Der junge Master Shakespeare mit seinen lustigen Reden und artigen Manieren zählte bald zu den beliebtesten Bürgern der Stadt.

Niemand, nicht einmal Anne, wußte, wie sehr er seine Arbeit haßte.

Er tat sie, weil er Anne ein Häuschen versprochen hatte, und er machte sie gut, wie er alles, was er anfaßte, gut machte. Aber er haßte sie. Dazu war er nicht geboren.

Aber war er wirklich zum Dichter geboren? Mit seiner ‹Komödie der Irrungen› war er noch immer nicht über den ersten Akt hinausgekommen. Doch wie sollte er sein Handwerk lernen, wenn er seine Tage auf dem Markt und über Rechnungsbüchern verbringen mußte? Er war verzweifelt. Aber er ließ es sich nicht anmerken. Er war lieb und freundlich zu Anne. Er scherzte mit ihr und neckte sie. Und er merkte, daß ihre Gegenwart ihm wohltat und daß er ihrer bedurfte. Sie hatte einen Teil ihrer Schüchternheit abgelegt und lernte allmählich, daß das Leben mehr als ein bitterer Kampf sein konnte. Ebenso lernte sie, daß fröhliches Lachen nicht eine Sünde war, wie John Richardson behauptet hatte. Bei den Shakespeares war das Lachen ein zartes Liebesband und ein Heilmittel gegen die Härten des Lebens.

Im Mai wurde Will eine weitere eiserne Kette ans Bein geschmiedet: die kleine Susanna wurde geboren. Und zwei Jahre darauf, im Februar 1585 wurden ihm auch noch beide Hände gefesselt: Anne gebar Zwillinge! Will empfand es wie eine Strafe des Schicksals. Nun gab es kein Entrinnen mehr. Er war erst einundzwanzig Jahre alt und hatte schon drei Kinder!

Zwillinge! Er gab sich entzückt, aber er war entsetzt. Vater von drei Kindern! Handschuhmacher in einer kleinen Stadt! Wie konnte er da noch hoffen, je ein berühmter Dichter zu werden? Die Aussicht, daß er es dennoch schaffte, war nicht größer als die Aussicht, Erzbischof von Canterbury zu werden!

Ja, er hatte eine liebende Frau, einen Sohn, der später das Geschäft weiterführen konnte, und zwei Töchter. Er war beliebt, er hatte viele Freunde in Stratford, und er war auf dem Wege, ein wohlhabender Mann zu werden, wie er es sich immer gewünscht hatte. Wenn er so weitermachte, würden ihm sicherlich Ämter und Ehren zuteil werden.

Aber was nützte ihm das alles? Gewiß, er konnte alles, was er geschrieben hatte, zerreißen und seine Gänsekiele verbrennen. Aber konnte er das Feuer in sich ersticken? Und *wollte* er es ersticken?

Nein. Er schrieb weiter, schrieb Gedichte, Schauspiele und noch mehr Gedichte. Und vernichtete alles. Er haßte, was er geschrieben hatte. Es war schlecht, schlecht, schlecht. Und immer wieder stellte er sich die Frage, ob man, ohne die Universität besucht zu haben, ein Dichter werden konnte.

Er fing an, sich ein wenig mehr um seine Kinder zu kümmern. Mit den beiden Mädchen wußte er wenig anzufangen. Aber an seinem kleinen Sohn hatte er viel Freude. Er beobachtete, wie der kleine Hamnet mutig und tolpatschig seine ersten Schritte wagte, und er empfand eine zärtliche Liebe für den Knaben. Vielleicht würde Hamnet einmal ein Dichter werden. Wenn er, Will, dafür sorgte, daß das Geschäft blühte, konnte er Hamnet später nach Oxford schicken. Vielleicht schrieb dann *Hamnet* Shakespeare die ‹Komödie der Irrungen›!

Doch nein. Will wollte keinen Ruhm aus zweiter Hand. Und der Gedanke an die Zukunft seines Sohnes konnte den Aufruhr in seiner Seele nicht beschwichtigen und das Feuer in seinem Geist nicht ersticken.

Susanna, seine fröhliche älteste Tochter, pflückte Blumen auf den Wiesen, raschelte mit den Füßen im trockenen Herbstlaub oder spielte verwundert im Schnee. Die Zwillinge bekamen ihre ersten Zähne, sprachen ihre ersten Worte, lachten, weinten und liefen stolpernd durchs Haus. Ihr Großvater verwöhnte sie mit Zuckerwerk, und ihre Großmutter tröstete sie, wenn sie fielen. Ihre Mutter liebkoste und vergötterte sie, weil sie Will so ähnlich sahen, und ihr Vater scherzte oft mit ihnen, doch sobald sie anfingen zu weinen, überließ er sie der Mutter.

Wie so oft spielten sich diese friedlichen, häuslichen Szenen vor einem düsteren Hintergrund ab. Philipp von Spanien versammelte seine Armada, um England zu unterwerfen. In den Niederlanden metzelten und brannten die Spanier alles nieder, was ihnen in die Quere kam, und in der Neuen Welt zwangen sie den Eingeborenen mit dem Schwert das Christentum auf. Der beliebte Dichter und Staatsmann Sir Philip Sidney starb in den Niederlanden einen edlen Tod. Maria Stuart, Königin von Schottland, wurde zum Tode verurteilt und verlor bei ihrer Hinrichtung zum Entsetzen aller, die sie verehrten, ihre Perücke. Königin Elisabeth war mit aller Welt uneins. Und sie war so beliebt und gefürchtet, daß mächtige Männer wie Burghley und Leicester gleich gescholtenen Kindern umherschlichen, wenn sie ihnen zürnte. Die Pest, die Geißel Gottes, raffte bald hier und bald dort unzählige Menschen hinweg.

Die Welt war voller Leid. Aber in dem Haus in der Henley Street, das mitten im friedlichen Stratford lag, herrschten auch weiterhin Liebe und Eintracht. Anne war glücklich. Sie fand, daß Will nicht mehr so unruhig war. Er kam ihr zufriedener vor. Zwar schrieb und las er noch viel und schenkte ihr und den Kindern jeden Tag nur ein sorgfältig eingeteiltes Maß Aufmerksamkeit, aber er redete jetzt mehr vom Geschäft und besprach alles ausführlich mit seinem Vater. So hatte sie manchmal wirklich das Gefühl, ihre Hoffnung auf ein eigenes Häuschen und auf ein langes Leben mit Will in Stratford werde in Erfüllung gehen.

Aber sie glaubte es nicht lange. Und der Grund dafür, daß sie jede Hoffnung aufgab, war weder ein Krieg noch der Graf von Leicester, sondern das Erscheinen der zweiten Ausgabe der Geschichte Englands von Raphael Holinshed.

Will, der es zu einem kleinen Vermögen gebracht hatte, kaufte sich ein Exemplar. Und er fand alles: die Könige und Königinnen, die Prinzen und Prälaten, Zwietracht und Schlachten, Ehre und Unehre, das langsame Wachsen einer neuen Kraft, die über die Uneinigkeit und das Chaos triumphierte. Er brauchte nichts weiter zu tun, als diesen verstaubten Namen Fleisch und Blut zu verleihen. König Heinrich V., Bedford und Exeter. Die Namen hallten in seinem Kopf wie Trompetenschall.

Er las und schrieb und verwandelte Holinsheds Prosa in Verse, die wie das Klirren von Schwertern klangen. Nach wenigen Wochen hatte er Berge von Papier beschrieben. Er blickte kaum einmal auf. Wenn er vom Markt nach Hause geeilt kam, setzte er sich mit Anne zu Tisch, immer darauf bedacht, sich seine Ungeduld nicht anmerken zu lassen, tobte nach dem Essen einen Augenblick mit den Kindern und verbrachte dann den Rest des Abends damit, seine sich überstürzenden Einfälle und Gedanken mit kratzender Feder niederzuschreiben, während sein Vater schlummernd im Sessel saß und die beiden Frauen sich flüsternd unterhielten.

Eines Abends, als er von seinem Marktstand nach Hause eilte, kam ihm Anne entgegengelaufen und sah ihn mit strahlenden Augen an. Beide freuten sich jedesmal, wenn sie einander sahen, und obwohl sie nun schon fünf Jahre verheiratet waren, genossen sie jeden Augenblick des Zusammenseins. Will breitete lächelnd die Arme aus. «Wie lieb von dir, daß du mir entgegenkommst», sagte er. «Das solltest du öfter tun.» Er meinte es ehrlich, obwohl er insgeheim dachte, daß er sich dann abends vielleicht fünf kostbare Minuten früher an seine Arbeit begeben konnte.

Keuchend und lachend schmiegte Anne sich in seine Arme. «Will, komm, laß uns am Fluß spazierengehen.»

«Gern.» Sie bogen in die Bridge Street ein, die zum Avon hinunterführte. Anne nahm seinen Arm und drückte ihn. «Will, stell dir vor!» sagte sie aufgeregt. «Der alte Eli Barford ist gestorben.»

Er sah sie belustigt an. «Ich kann mir nicht denken, daß der alte Eli so froh darüber ist wie du offenbar.»

«Oh, daran habe ich gar nicht gedacht», sagte sie beschämt. «Aber Will, sein Haus am Chapel Lane soll verkauft werden.»

Er schwieg. Noch eine Fessel, dachte er. Frau, Kinder, Geschäft, und nun ein Haus. Er war schon an Händen und Füßen gefesselt, und nun wollte man ihm auch noch die bleierne Last eines Hauses aufladen.

Aber ein eigenes Häuschen war Annes sehnlichster Wunsch. Und das entschied für ihn die Frage. Anne wünschte es sich. Und er konnte es sich leisten. Mehr gab es da nicht zu sagen. Er sah sie lächelnd an. «Wenn wir noch ein Stückchen weitergehen, können wir ja einmal einen Blick darauf werfen.»

Es war ein hübsches Haus. Das Strohdach ragte schützend über die oberen Fenster. An der Rückseite, in dem von einer gelben Ziegelmauer umschlossenen Gärtchen, standen ein paar Apfelbäume. Das Häuschen war so klein, daß einem das Haus in der Henley Street dagegen wie ein Palast vorkam. Nach vorn hinaus blickte man auf New Place, das verfallene Herrenhaus, das Sir Hugh Clopton, der berühmteste Sohn Stratfords, einst hatte erbauen lassen.

Doch so klein es auch war, Anne hätte es weder gegen Schloß Kenilworth noch gegen Schloß Warwick getauscht, und auch nicht gegen Großmutter Ardens riesiges Haus in Wilmcote. Langsam gingen sie daran vorbei und betrachteten es möglichst unauffällig. Schließlich gehörte es noch immer Eli, der aufgebahrt, mit Penny-Münzen auf den Augen, in dem kleinen Vorraum lag. Aber Anne konnte sich, auch ohne genauer hinzusehen, ihr Leben dort ausmalen. Sie sah sich schon in der heißen Küche wirtschaften, wo es nach frisch gebackenem Brot, nach Kräutern und nach Braten roch. Sie sah die Kinder draußen im Garten auf die Apfelbäume klettern. Und sie sah Will im behaglichen Wohnzimmer lesen. Für sie war es der Himmel auf Erden. Sie konnte sich nichts Schöneres vorstellen.

Sie gingen weiter. Wieder drückte sie seinen Arm. «Können wir es kaufen?» fragte sie. «O Will, können wir es kaufen?»

Er spielte den besorgten Familienvater. «Vielleicht ist es kalt und feucht.»

Sie schüttelte ihn. «Will, mach dich nicht über mich lustig.»

«Das Strohdach muß erneuert werden, bevor . . .»

«Bevor –?»

«Bevor ich es kaufe.» Er lachte und fuhr sich mit der Hand durch sein krauses Haar.

Sie klammerte sich an seinen Arm. «Kaufen wir es wirklich?»

«Ja», sagte er. «Wenn du es haben willst, Anne, dann wollen wir es kaufen.»

Er liebte sie so innig, daß er bereit war, ihr alles zu schenken, worum sie bat.

Nur sich selbst vielleicht nicht.

Für Anne waren es die schönsten Tage ihres Lebens. Sie putzte, fegte, polierte. Sie kaufte Vorhänge und Wäsche. Sie suchte im Haus in der Henley Street und auf dem Markt Möbel aus. Und sie holte sogar ihr altes Bett aus Shottery, obwohl ihre Stiefmutter es nicht zulassen wollte. Sie kochte ihre erste Mahlzeit. Und dann verbrachten sie ihre erste Nacht unter dem überhängenden Dach. Früh am Morgen weckten sie die schilpenden Spatzen, und Anne war glücklich. Ein langer Tag lag vor ihr, ein Tag in ihrem eigenen kleinen Reich, wo sie die Herrin, die Königin war.

Auch Will war glücklich – so glücklich, wie ein verhinderter Dichter sein konnte. Jeden Abend erwartete ihn eine lächelnde Frau, ein fröhliches, knisterndes Herdfeuer, ein gedeckter Tisch. Konnte ein Mann mehr verlangen?

Er hatte etwas geschrieben, was ihm gefiel. Doch würde es auch anderen gefallen? Wie konnte er das herausfinden, ohne nach London zu reisen? Aber eine Reise nach London kostete viel Zeit. Und mußte er nicht befürchten, daß er in London der Versuchung, dort zu bleiben, erliegen würde?

Nein, er durfte nicht nach London reisen.

Eines Abends überraschte er Anne mit der Frage: «Soll ich dir etwas aus meinem Stück vorlesen?»

Sie erschrak. Sie würde nichts verstehen. Er hatte seit jenem ersten Versuch, ihr zu erklären, was ein Schauspiel sei, nie wieder mit ihr über seine Arbeit gesprochen. Sie unterhielten sich über vieles, über die Kinder, das Haus, die Pest, über Hexerei und darüber, wie man Mäuse und böse Geister vom Haus fernhielt. Aber über seine abendliche Arbeit sprachen sie nie.

Trotz ihrer Bangigkeit fühlte sie sich geschmeichelt. Und sie wollte sich alle Mühe geben, das Geheimnisvolle, was er da geschrieben hatte, zu verstehen. «Ja, bitte, Will», sagte sie.

«Es handelt von König Heinrich VI.», sagte er. Und dann las er vor.

Anne hörte ihm gebannt zu. Und zu ihrem Entzücken war es gar nicht so geheimnisvoll und rätselhaft, wie sie befürchtet hatte. Vieles von dem, was die Leute da sagten, konnte sie begreifen. Aber daß dies alles Wills Kopf entsprungen war, das grenzte an ein Wunder! Sie sah ihn ehrfürchtig an. Woher wußte er so gut über Könige und Ritter Bescheid? Woher wußte er, wie sie sprachen und sich gebärdeten? Einen winzigen Augenblick lang dachte sie mißtrauisch und angstvoll an Hexerei. Aber nein. Ihr Will würde sich nie gegen Gott versündigen, sagte sie sich beruhigt und getröstet.

Er las, bis es Zeit war, zu Bett zu gehen. Mitgerissen vom Strom der Worte und Gedanken hörte sie zu. In dieser Nacht konnte sie lange nicht einschlafen. Einerseits war es der glücklichste Abend gewesen, den sie je erlebt hatte: im Feuerschein und Kerzenlicht, den Kopf auf Wills Knien und seine Hand auf ihrer Schulter, sie beide allein, dicht beieinander, warm und geborgen wie zwei Hasen in einer Erdhöhle.

Andererseits war es erschreckend für sie gewesen. Zum erstenmal hatte sie in den schwindelnden Abgrund geblickt, der ihren Geist von seinem trennte. Wills hochfliegender Geist würde sich bestimmt nicht für immer mit Stratford zufriedengeben. Und wohl auch nicht mit ihr. Sie preßte ihn an sich in der Dunkelheit. Sie hielt ihn fest. Aber in ihrem Herzen wußte sie so sicher wie nie zuvor, daß sie ihn nicht wirklich festhalten und für sich allein haben konnte.

«Lies mir etwas vor», sagte sie von nun an öfter zu ihm, wenn die Kinder im Bett lagen, das Geschirr fortgeräumt war und Will ein frisches Holzscheit aufs Feuer gelegt hatte.

Sie unterbrach ihn nie und übte nie Kritik an dem, was er ihr vorlas. Sie hörte still zu, staunte immer wieder über Wills Klugheit, war nun aber auch neugierig, wie die Geschichte weiterging, und empfand tiefes Mitleid mit diesem traurigen, schwachen König. Sie hoffte, er würde nicht sterben. Nein. Will war ein gütiger Mann, er würde nicht zulassen, daß er starb.

Die Worte flossen dahin. Und dann las Will plötzlich etwas vor, was sie mitten ins Herz traf:

> «O Gott! mich dünkt, es wär ein glücklich Leben,
> Nichts Höher's als ein schlichter Hirt zu sein;
> Auf einem Hügel sitzend, wie ich jetzt,
> Mir Sonnenuhren zierlich auszuschnitzen,
> Daran zu sehn, wie die Minuten laufen,
> Wie viele eine Stunde machen voll,
> Wie viele Stunden einen Tag vollbringen,
> Wie viele Tage endigen ein Jahr,
> Wie viele Jahr ein Mensch auf Erden lebt.
> Wann ich dies weiß, dann teil ich ein die Zeiten:
> So viele Stunden muß die Herd' ich warten,
> So viele Stunden muß der Ruh ich pflegen,
> So viele Stunden muß ich Andacht üben,
> So viele Stunden muß ich mich ergötzen,
> So viele Tage trugen schon die Schafe,
> So viele Wochen, bis die armen lammen,
> So viele Jahr', eh ich die Wolle schere.
> Minuten, Stunden, Tage, Monde, Jahre,
> Zu ihrem Ziel gediehen, würden so
> Das weiße Haar zum stillen Grabe bringen.
> Ach, welch' ein Leben wär's. Wie süß! Wie lieblich!»

Zum erstenmal unterbrach sie ihn. Sie wandte sich ihm zu und sah ihn ernst an. «Lies das noch einmal, Will.»

Erfreut und geschmeichelt las er es noch einmal vor. Anne seufzte. «Geradeso möchte ich leben – immer.»

Will wurde plötzlich traurig. Er wich ihrem Blick aus, saß schweigend da und spielte mit ihren blonden Haaren. Ängstlich fragte sie ihn: «Aber du nicht, Will, nicht wahr?»

«Doch», sagte er zu ihrem Erstaunen. «Ich auch. Wenn es mir vergönnt wäre.»

«Vergönnt? Aber wer könnte dich daran hindern?»

Er zeigte auf sein Herz und dann auf seine Stirn. «Da sind Dämonen, und die geben mir keine Ruhe.»

Sie stieß einen kleinen Schrei aus und bekreuzigte sich. Ihre Stiefmutter wäre entsetzt gewesen, aber Anne war wie ihre Schwiegermutter der Meinung, daß man es ruhig mit beiden Religionen halten sollte. «Dämonen?» fragte sie erschrocken.

Lachend legte er den Arm um ihre Schultern. «Nein, keine richtigen Dämonen, meine Süße.» Und er versuchte ihr zu erklären, was er sich selbst nicht richtig erklären konnte.

Anne schüttelte verwirrt den Kopf. Oh, warum konnte Will nicht zufrieden sein? Warum beschied er sich nicht damit, nichts Höheres als ein schlichter Hirt zu sein? «Das Leben, von dem der König sprach, ist ein gutes Leben», sagte sie.

Will sah sie an. Und plötzlich fragte er sie etwas, was er sie schon lange hatte fragen wollen. Er zog sie an sich: «Würdest du gern in London leben?»

«In London?» Er fühlte, wie sie zusammenzuckte. «London? O nein, Will. Das wär nichts für mich.»

«Es ist eine herrliche Stadt.»

«Nein, nein, Will, das wär nichts für mich!» sagte sie erschrocken und schüttelte heftig den Kopf. «Schon Stratford ist mir zu groß ... Und außerdem, denk an unser schönes Häuschen ...» Ein kalter Schauer lief ihr über den Rücken. War ihr kleines Stückchen Himmel auf Erden nach so kurzer Zeit schon bedroht?

Er hätte sie gern beruhigt und getröstet. Aber irgendwann mußte er dies mit ihr besprechen. Und nun war schon ein Anfang gemacht. «Ja», sagte er, «aber ich *muß* nach London gehen, wenn ich meine Stücke verkaufen will.»

Anne war verwirrt. Warum konnte er seine Stücke nicht in Stratford verkaufen? Und wenn man in Stratford Handschuhe, aber keine Stücke verkaufen konnte, warum blieb er dann nicht bei seinen Handschuhen? Will war unvernünftig. Abend für Abend hatte sie still dagesessen, hatte nichts als das Kratzen seiner Feder gehört. Und sie hatte sich nicht ein einziges Mal darüber beklagt. Aber das war nun anscheinend nicht mehr genug. Jetzt wollte er, daß sie in London lebten, damit er dort seine Stücke verkaufen konnte. Das war doch lächerlich. Vor allem, wenn man daheim ein blühendes Geschäft hatte.

Sie antwortete: «Dann geh allein.»

Allein nach London! Die Schauspieler, seine Freunde, Ned, Richard, der Lärm und die Geschäftigkeit, die Aufregung, die in der Luft lag, die schönen, berauschend duftenden Frauen. Oh, herrliches London!

Aber er vertrieb diese treulosen Gedanken. «Stell dir vor, Anne», sagte er. «Ich könnte dir den Tower zeigen, die Paläste der Königin. Ich könnte dich ins Theater führen. Du würdest *mein Stück* sehen», fügte er leise hinzu.

«Merk dir ein für allemal, ich will nicht in London leben», sagte sie.

Gewiß, sie hatte recht. Sie gehörte dort nicht hin. Er konnte sich vorstellen, wie die Leute dort bei ihrem Anblick lächeln würden. Obwohl seine Mutter sie gelehrt hatte, sich hübscher und vornehmer zu kleiden, als sie es vor der Hochzeit getan hatte.

Aber warum war sie so unvernünftig? Obwohl er wußte, daß es ungerecht und gefährlich war, bemitleidete er sich selbst. Er hatte als Ehrenmann gehandelt, hatte um ihretwillen London verlassen und war zu ihr zurückgekommen. Und jetzt, da sie ihn da hatte, weigerte sie sich, mit ihm fortzugehen! Es war ihr gleichgültig, ob er als Schauspieldichter Erfolg hatte oder nicht. Es machte ihr nichts aus, daß er, der Dichter William Shakespeare, sein Talent vergeudete. Wenn sie nur selbst zufrieden war und ihren Willen bekam! Hatte er da nicht sehr viel mehr Grund, ärgerlich zu sein, als sie?

Er wandte sich von ihr ab und erhob sich. Zorn wallte in ihm auf. «Verstehst du denn nicht –?» schrie er.

«Du hast ein blühendes Geschäft, und es ist deine Pflicht, für mich, deine Kinder und deine Eltern zu sorgen. Wie soll ich da verstehen, daß du, ein erwachsener Mann, das alles fortwerfen und deine Pflichten vernachlässigen willst, um nach London zu gehen und dich mit unzüchtigen Schauspielern herumzutreiben?»

«Gott im Himmel, Anne! Diese Leute sind keine Gaukler, es sind gute, ehrbare Schauspieler. Und ich weiß, daß ich ihnen die Stücke schreiben kann, die sie brauchen.»

«Ist dir das wichtiger, als deinen Kindern das Brot zu geben, das *sie* brauchen.»

Will haßte Zorn. Er wußte, daß Zorn seine Kräfte verzehrte und ihn erschöpfte. Und Anne hatte Angst. Sie hatte versucht, Will mit Bändern der Liebe an sich zu binden. Und nun setzte sie alles, was sie besaß, aufs Spiel! Weil sie zornig war. Weil sie und Will in dem kleinen, niedrigen Zimmer die blitzenden, scharfen Klingen des Zorns kreuzten. Will kämpfte für seine Zukunft und gegen den Menschen, den er am zärtlichsten liebte. Und Anne kämpfte für sich und ihre Kinder – gegen den Mann, der ihr teurer war als ihr Leben.

Als es Zeit war, schlafen zu gehen, hatte der Sturm sich gelegt. Sie waren wieder Freunde, waren wieder Liebende. Traurig und verzweifelt suchten sie beieinander Trost.

Aber die Frage war nur hinausgeschoben, nicht beantwortet. Und Anne spürte, daß irgend etwas für immer zerbrochen war. Sie hatte verstanden, daß bei ihr und Will des einen Glück das Unglück des anderen war. Immer würden sie wie ungestüme Pferde in verschiedene Richtungen streben. Und das Band ihrer Ehe drohte dabei zu zerreißen. Nein, das durfte nie geschehen! Traurig hielten sie einander bei den Händen. Sie wußten, daß es zwischen ihnen nie wieder so sein würde, wie es gewesen war. «O Gott! mich dünkt, es wär ein glücklich Leben, nichts Höher's als ein schlichter Hirt zu sein ...»

Will würde noch vieles schreiben, was ihr gefiel, dachte Anne. Aber sicherlich würde er nie etwas Schöneres, Wahreres, Tieferes und Herzbewegenderes schreiben. Für sie waren König Heinrichs Betrachtungen über ein glückliches Leben Wills größtes Werk und zugleich ein Denkmal ihrer begrabenen Hoffnungen. Sie war besiegt.

6

Willkommen,
meine guten Freunde …

Im Londoner Hafen verließ eine graue Ratte ein keineswegs sinkendes Schiff. Mit geringeltem Schwanz und kalten, aufmerksamen Knopfaugen lief sie ein Kabeltau hinunter, hielt lauernd inne und huschte dann in die Küche einer Hafentaverne.

Die Ratte hatte die Beulenpest.

Im Fell der Ratte hockten Flöhe, die sich mit ihrem Blut vollgesogen hatten. In der Taverne verließen die Flöhe die Ratte und fielen über die Matrosen her, die dort aßen und tranken und dann weiterzogen, um sich mit den Hafendirnen zu vergnügen.

«Bringt eure Toten heraus!» riefen die Männer, die mit Leichenkarren durch die Straßen Londons zogen. «Wehe euch, ihr verderbten, ruchlosen Sünder!» riefen die Prediger von den Kanzeln herab. «Wehe euch, Gottes Zorn ist gegen euch entbrannt.»

Die Menschen taten alles, um das Unheil abzuwehren. Sie stellten Gartenraute zum Zeichen der Reue in ihre Fenster und versuchten, weniger zu sündigen. Aber es war vergebens. Die Pest breitete sich immer weiter aus. Hatte Gott vergessen, gnädig zu sein?

Die Stadtväter waren von morgens bis abends damit beschäftigt, für Massengräber zu sorgen und die Bürger zum Gebet aufzurufen. Außerdem nutzten sie die Gelegenheit, unter dem Vorwand der Pest wieder einmal die Theater, die ihnen stets ein Ärgernis waren, zu schließen. Und da die Geißel Gottes diesmal besonders verheerend wütete, schlossen sie auch Philip Henslowes Freudenhäuser. «Ausgerechnet in einer Zeit», sagte Henslowe empört, «da die Menschen dringender denn je der Zerstreuung bedürfen.»

So war die Pest schuld daran, daß Edward Alleyn mürrisch auf einem müden Gaul gen Norden ritt. Ihm folgten Gepäckwagen und lange, zweirädrige Karren mit Brettern, mit denen man in Wirtshaushöfen eine Bühne errichten konnte, weitere berittene Schauspieler, ein Planwagen mit kichernden und kreischenden Knabenschauspielern für die Frauenrollen und schließlich eine Schar Dir-

nen und Hunde. Edward Alleyn kam sich an der Spitze dieses traurigen Zuges wie ein geschlagener Feldherr vor und war von tiefem
Mitleid mit sich selbst erfüllt, als er in Stratford ankam.

Sie spielten ‹Die spanische Tragödie› von Thomas Kyd. Es war eine
gute Aufführung, und die Zuschauer applaudierten begeistert. Alleyn hatte sich in der Rolle des alten Hieronimo völlig verausgabt –
gegen seinen Willen. Er war ein viel zu bedeutender Schauspieler,
um seine Kräfte an diese Bauerntölpel zu verschwenden. Aber es
war immer das gleiche. Wenn er erst auf der Bühne stand, ließ er
sich jedesmal wieder mitreißen.

Zögernd machten sich die Zuschauer auf den Heimweg. Immer
wieder wandten sie die Köpfe, um mit törichtem Grinsen und offenen Mündern diese herrlichen Wesen aus einer anderen Welt zu
begaffen.

Im Schein der Fackeln überwachte Alleyn die Aufräumungsar-
beiten. Ohne ihn waren die anderen nicht imstande, die Bühne ab-
zuschlagen, die Wagen zu packen und die Knaben ins Bett zu schik-
ken. Er stöhnte. Es war zuviel, so anstrengende Rollen wie den
Hieronimo zu spielen und sich dann auch noch um alles andere
kümmern zu müssen, dachte er verdrossen.

«Ned!» sagte eine leise Stimme hinter ihm.

Er drehte sich um.

Vor ihm stand mit ausgebreiteten Armen Will Shakespeare und
sah ihn freudestrahlend an. In seinen Augen schimmerten Tränen.

Will hatte während der ganzen Aufführung geweint. Nicht daß
ihn das Stück ergriffen hatte. Es war schlecht und schwülstig. Aber
es war ihm nahegegangen, gleichsam durch einen Spalt in den Wolken die glücklichen Unsterblichen bei ihrem Spiel zu beobachten. Er
hätte lieber nicht kommen sollen, sagte er sich. Die Qual war zu groß
gewesen. Doch er hatte der Versuchung nicht widerstehen können.

«Ned», sagte er wieder leise und beinahe ehrfürchtig.

Alleyn trug noch immer sein Kostüm, einen langen, weiten Umhang, und die Schminke verlieh seinem Gesicht einen wilden, tragischen Ausdruck. Er starrte Will abwesend an. «Oh, du bis es!» rief
er schließlich.

«Ned, ich wollte dich gern zum Abendessen einladen. Nur ein
einfaches Mahl, aber … Und ich habe auch ein neues Stück geschrieben. Eigentlich sind es drei Stücke. Über König Heinrich VI.
Ich dachte, die Rolle könnte dir liegen.»

Drei Stücke mit einer durchgehenden Rolle für ihn! Das klang gut. Und auch das Abendessen lockte ihn. Eine willkommene Abwechslung von den üblichen Wirtshausmahlzeiten. Er überlegte, ob er Will auch herzlich genug begrüßt hatte. Er umarmte ihn. «Mein lieber Will, verzeih mir», sagte er. «Ich war noch ganz in meine Rolle vertieft.» Er schloß die Augen. «Welch eine Qual!»

«Du hast wunderbar gespielt, Ned.»

Alleyn schlug die Augen auf und sah Will dankbar an. «Wirklich, Will? Findest du das *wirklich*?»

Wills Abgott hatte sich verändert, war dicker und gesetzter geworden. Der hochmütige, lebhafte Jüngling hatte sich in einen Mimen verwandelt, der auch dann noch schauspielerte, wenn das Stück längst zu Ende war. Vielleicht, dachte William, war er keines aufrichtigen Wortes, keiner natürlichen Geste, keines ehrlichen Gedankens mehr fähig. Aber was machte das? War es für einen Schauspieler nicht wichtiger, daß er seine Rollen gut spielte? Waren Hieronimo oder König Heinrich VI. nicht wichtiger?

Die Zimmerdecke mit den dunklen Holzbalken war verdammt niedrig. Edward Alleyn, der sich gern in seiner ganzen Größe zeigte, zog leise fluchend den Kopf ein.

«So, Anne», sagte Will, «das ist mein Freund, Master Alleyn, der größte Schauspieler Londons.»

Alleyn lächelte freundlich, um der Landpomeranze, wie er dachte, die Befangenheit zu nehmen, und verneigte sich so schwungvoll, wie das kleine Wohnzimmer es zuließ.

Aber die Landpomeranze war gar nicht so befangen, wie er geglaubt hatte. Sie machte einen anmutigen Knicks. «Es ist mir eine Ehre, Master Alleyn. Bitte, setzt Euch», sagte sie gelassen und wies auf einen dreibeinigen Schemel. Anne war bei ihrer Schwiegermutter in eine gute Lehre gegangen.

«Ich danke Euch, Mistress.» Er nahm Platz. Will und Anne setzten sich ihm gegenüber auf eine Holzbank. Alleyn sah sich neugierig um: sauber geweißte Wände, dunkle Eichenmöbel, Feuerschein und Kerzenlicht, ein hübsches Leinentuch auf dem Tisch und an jedem Platz ein Zinnbecher, ein Zinnteller und eine weiße Serviette. Master Shakespeare ging es anscheinend recht gut. Es würde nicht leicht sein, ihn zu überreden, daß er wieder nach London kam.

Anne entschuldigte sich und ging in die Küche. Trotz der Gelassenheit, die sie zur Schau trug, war sie tief beunruhigt. Will war nicht nach London gegangen, doch nun war London zu Will gekommen. Wollte der große, schmucke Fremde ihn von ihr fortlokken?

Sie trug das Essen in die Stube – gebratene Kaninchen, ein gekochtes Huhn mit Porreegemüse, dann Brot, Käse und einen Krug Bier. Während sie die Gerichte auf den Tisch stellte, musterte sie besorgt den hochgewachsenen Fremden und ihren Will.

Sie hatten sich in seine ihm so teuren Stücke vertieft, und Anne sah zu ihrem Schrecken einen ganz neuen Will vor sich. Nein, das war nicht mehr der sanfte, artige und liebe Will, den sie kannte, sondern ein Mann, der lebhaft und voller Eifer über etwas sprach, das ihn zutiefst bewegte. Und der berühmte Mann aus London hörte ihm zu wie ein Schuljunge, der zu seines Meisters Füßen sitzt.

Sie bat die beiden Männer zu Tisch. Fast widerwillig folgten sie der Aufforderung und setzten sich, nahmen ihre gefüllten Teller entgegen, ihre gefüllten Bierbecher und redeten immer weiter. Anne sprach das Tischgebet. Die beiden Männer murmelten: «Amen.» Und redeten weiter. Anne ergriff ihre Gabel und sagte ein wenig frostig: «Wohl bekomm's, Herr.»

Alleyn hörte den tadelnden Unterton, der in ihrer Stimme mitschwang, und ärgerte sich über sich selbst. «Verzeiht, Mistress Shakespeare, es war sehr ungehörig von mir, Euren Mann so mit Beschlag zu belegen. Sagt, wie geht es Eurem Kind?»

«Den Kindern», sagte Anne. «Wir haben drei.»

Mein Gott, dachte Alleyn, in Stratford wußte man die Zeit zu nutzen! Hoffentlich hatte Will sich nicht schon zu fest eingerichtet in diesem Nest. Er brauchte ihn in London, wenn Philip Henslowe sein Theater bauen ließ.

Diese Stücke über Heinrich VI. waren nicht sehr gut. Doch gab es in ihnen genau wie in dem verrückten Hamlet-Stück damals großartige Szenen. Und auf die Dauer war der schlichte Will als Stückeschreiber sicherlich brauchbarer als der Feuerkopf Marlowe.

Plötzlich fiel ihm ein, was er zu tun hatte. Er bedachte Anne Shakespeare mit seinem strahlendsten Bühnenlächeln und sagte mit honigsüßer Stimme: «Mistress Shakespeare, würdet Ihr mir wohl einen großen Gefallen erweisen?»

Anne sah ihn erstaunt und mißtrauisch an. «Ich?» Was konnte sie dem größten Schauspieler Londons schon für einen Gefallen erweisen?

«Ich möchte, daß Ihr Euren klugen Mann – oh, und natürlich auch Eure lieben Kinder nach London bringt.»

«Nie!» sagte Anne entschieden.

Alleyn bemerkte Wills unglückliche Miene. «Aber Mistress Anne!» rief er und breitete die Arme aus. «Wir brauchen ihn, London braucht ihn.»

«Seine Kinder brauchen ihn auch, Master Alleyn.»

«Aber sie haben ihn ja auch in London. Es gibt sehr gute Schulen in London, Mistress Shakespeare.» Er wagte es nicht, sie noch einmal mit *Mistress Anne* anzureden, nachdem sie ihn mit ihrem *Master Alleyn* deutlich zurechtgewiesen hatte.

Er zog einen Shilling aus seinem Beutel. «Hier, Will, hol uns ein Maß Bordeaux aus der Taverne. Wir wollen auf unser Wiedersehen trinken.»

«Das ist nicht nötig», sagte Anne und stand auf. «Wir haben unseren eigenen Wein.» Sie ging in den Keller hinunter, um eine Flasche Rheinwein zu holen. Sie war froh, mit dem glattzüngigen Fremden nicht allein im Hause bleiben zu müssen. Sie spürte, daß er ihr kleines irdisches Paradies gefährdete. Sie wußte, daß es nicht ewig währen würde. Aber sie wollte selbst entscheiden, wann sie es aufgab. Und auf keinen Fall wollte sie es sich von einem durchreisenden Fremden rauben lassen.

Als sie wieder ins Zimmer trat, hatten Will und der Fremde die Stücke vor sich auf dem Tisch. Und Will schnitt sich den Käse mit seinem Dolch zurecht! Er mußte tief in Gedanken sein, denn sonst war er immer manierlich bei Tisch.

Sie schenkte den beiden Männern Wein ein. «Ah», sagte Alleyn. Seine Hand griff nach dem Glas, seine langen Finger umschlossen es, aber seine Augen waren noch immer auf das Manuskript gerichtet. Anne war empört. Ihr sicherer bäuerlicher Instinkt sagte ihr, daß auf einen Mann, der sie in einem Augenblick wie eine Königin und im nächsten wie eine Dienstmagd behandelte, kein Verlaß war. Um so mehr freute sie sich, als Will eine Sekunde lang aufblickte und ihr verständnisinnig zulächelte. Dann wandte auch er sich wieder den Stücken zu.

Alleyn erinnerte sich an sein Vorhaben. Er hob sein Glas und warf Anne über den Rand hinweg einen fast verliebten Blick zu. «Versprechen Sie mir, daß Sie über meinen Vorschlag noch einmal nachdenken, Mistress Shakespeare?»

Nun war es genug. «Das wäre ja noch schöner!» sagte sie zornig. «Wie kann ich meine armen Kinder in eine Stadt bringen, wo die Pest wütet und wo Halsabschneider und Dirnen, Ungläubige und

Gotteslästerer ihr Unwesen treiben.» Anne, die puritanisch erzogen worden war, hatte im Gegensatz zu Will keine sehr hohe Meinung von London.

Alleyn lachte. «Aber Mistress Shakespeare! In London residiert die Königin. London ist das Zentrum der Philosophie und der Wissenschaft. Männer wie John Lyly, Robert Greene, Christopher Marlowe –»

Sie kannte keinen einzigen der Namen, die er aufzählte. Doch sie war unhöflich zu einem Gast gewesen. «Verzeiht, Herr», sagte sie. «Aber ich möchte meine Kinder nicht den Gefahren Londons aussetzen. Und mich selbst auch nicht. Wenn Will nach London gehen will, muß er allein gehen.»

Will blickte mit leuchtenden Augen auf, senkte aber sogleich wieder mutlos den Kopf. Er *konnte nicht* allein nach London gehen. Er war an Händen und Füßen gefesselt. Er war geknebelt. Die Augen waren ihm verbunden. Er würde nie zur Schar der auserwählten Dichter gehören, die Alleyn da gerade erwähnt hatte. Und falls Henslowes Schauspieler je seinen ‹Heinrich VI.› spielten, würde er die Aufführung nie sehen. Er würde vielleicht fünf Pfund dafür bekommen. Aber das war auch alles.

«So, und nun entschuldigt mich bitte», sagte Anne. Sie trug das Geschirr in die Küche, wusch es ab und stellte es fort. Als sie zurückkam, saßen die Männer mit ihrem Wein und den Manuskripten vor dem Kaminfeuer. Sie bemerkten Anne nicht einmal.

Sie zündete eine Kerze an und ging damit zur Tür. «Gute Nacht, Ihr Herren.»

Sie sprangen auf, und Alleyn machte eine tiefe Verbeugung. Aber Anne beachtete ihn nicht. Sie beobachtete Will.

Wills Gesicht war gerötet. Wein wirkte immer schnell bei ihm. Und er lächelte nicht, sondern verbeugte sich vor ihr wie vor einer Fremden. Lag Unmut oder gar Feindseligkeit in seinem Blick? Oder hatte er so viel getrunken, daß er sich anstrengen mußte, um sich aufrecht zu halten? Traurig und verzagt stieg sie die knarrende Treppe hinauf, bekümmert, daß Will ihr nicht folgte.

Oben in der kleinen Schlafkammer blickte sie lange in den Spiegel. Sie sah eine Frau in den Dreißigern vor sich, in deren Gesicht die unaufhörlichen Mühen und Plagen des Alltags ihre tiefen Furchen hinterlassen hatten. Und in London, so hieß es, waren die Frauen sanft wie die Tauben, mit einer Haut so glatt wie der Samt und die Seide der Gewänder, die sie trugen.

Es war kalt in der Schlafkammer, und die Kerze gab nur ein spärliches Licht. In London, so hieß es, wärmten lodernde Kaminfeuer die Schlafgemächer der feinen Leute, und Hunderte von Kerzen leuchteten in hellem Glanz.

In London, so hieß es auch, stellten sich Laster und Wollust schamlos in den Straßen zur Schau. Hier dagegen herrschten Friede, Liebe und Eintracht. Und am Tage hörte man die Kinder lachen. Es war ein einfaches, aber schönes Leben.

So jedenfalls war es gewesen, bis dieser Fremde ihr Häuschen betreten hatte, um ihren Will in Versuchung zu führen. Er zeigte ihm alle Reiche der Welt und ihre Herrlichkeit und sprach zu ihm: Das alles will ich dir geben, so du mir nachfolgst.

Will hatte nicht geantwortet: «Heb dich weg von mir, Satan!» Stumm und kläglich saß er da, wie ein Hund, der geduldig auf eine verschlossene Tür starrt und darauf wartet, in die Freiheit zu gelangen.

Edward Alleyn hatte ihre kleine Welt zerstört. Oh, William würde wieder zu sich kommen. Er würde ihr nie absichtlich weh tun. Er würde sich aufopfern, um sie glücklich zu machen.

Sie löste ihr blondes Haar und kämmte es. Dunkel ahnte sie, daß er sich jetzt schon für sie aufopferte, auch wenn sie nicht genau wußte, worin das Opfer bestand. Und das durfte nicht sein. Sie wollte nicht, daß er sich für sie opferte.

Ihr Haus war ihr Königreich, und ihr Mann und ihre Kinder waren ihre Untertanen. Sie wäre bereit gewesen, wie eine Löwin zu kämpfen, um ihr Heim zu verteidigen. Aber nun war Will der Feind, der das Heim bedrohte. Und gegen Will konnte sie nicht kämpfen, dachte sie verzweifelt. Außerdem wußte sie, daß Will nie gegen sie kämpfen würde. Selbst wenn sie es darauf anlegte, würde er sich in keinen Kampf mit ihr einlassen. Er würde die Waffen strecken und nie ein Wort der Klage äußern. Aber was würde er denken?

William sprach mit schwerer Zunge. Es war, als stünde er neben sich und hörte sich selber zu. Die Gedanken kamen und entschwebten wie die Wolkenschatten auf den fernen Hügeln. «Nimm sie mit, Ned, ich schreibe noch mehr Stücke. Das nächste Mal, wenn du kommst, kann ich dir vielleicht eines über König Richard III. geben. Ich hab schon angefangen. ‹Nun ward der Winter unsers Mißvergnügens glorreicher Sommer . . .› Ich hab vergessen, wie es weitergeht. Aber es ist gut, findest du nicht, Ned?»

Ja, Ned fand es gut. Er sah sich im Geiste schon als König Richard III. auf der Bühne stehen. «Komm mit mir, Will», bat er inständig. «Ich *brauche* dich. London braucht dich.»

Will schüttelte traurig lächelnd den Kopf. «Ich bin in der unglücklichen Lage, zu sehr geliebt zu werden, Ned.»

«Du meinst, sie kommt wirklich nicht mit?»

«Nein. Und sie hat recht. Ich kann und will darüber mit ihr nicht hadern.»

«Dann komm doch heimlich mit. Jetzt gleich. Sie liegt im Bett. Wir könnten schon in Warwick sein, bevor –»

Will sprang auf, so heftig, daß sein Schemel umfiel. Er mochte ein wenig beschwipst sein, aber er ging festen Schrittes zur Haustür und riß sie auf. «Raus!» sagte er.

«Aber Will . . .» Wieder das reizende, bezaubernde Lächeln. «Ich wollte dich nicht kränken. Ich wollte –»

«Raus!» schrie Will.

Alleyn ging auf die Tür zu. «Mein lieber Will, ich habe es nicht so gemeint. Es tut mir leid, wenn –»

Will wartete schweigend. Alleyn trat vor ihn hin, sah ihn lächelnd an und legte die Hand auf seine Schulter. «Es tut mir leid, Will», sagte er zerknirscht und schritt hinaus in die Dunkelheit.

Will schloß die Tür und kehrte in die vertraute Wohnstube zurück. Er war stolz, aber er wußte sehr wohl, daß der Wein ihm Mut gemacht hatte. Nüchtern hätte er nie so dramatisch und entschlossen gehandelt.

Ja, dank dem Wein hatte er an diesem Abend gleichsam neben sich gestanden und sich dabei beobachtet, wie er zwischen Anne und Alleyn wählte. Die Wahl war getroffen. Er hatte sich für seine Familie und sein Heim entschieden, für Stratford, für die Handschuhe, für die Freundschaft mit Bauerntölpeln und Krämern. Er hatte auf die Bühne verzichtet, auf London, auf die Freundschaft mit Männern wie Greene und Alleyn und vielleicht sogar auf die Gunst der Königin. Er hob den Schemel auf, setzte sich ans Feuer und blätterte mißmutig in seinen Stücken. Die Freude über seine Entschlußkraft war schnell verflogen. Das Feuer prasselte noch. Er wog die Manuskripte in der Hand. Wie viele bei Kerzenlicht verbrachte Stunden! Wie viele Plagen und Zweifel! Wieviel Freude aber auch, wenn es gut voranging. Er hielt die Blätter an die Flammen. Schluß damit, dachte er. Alles verbrennen. Das Tintenfaß an die Wand werfen und den Gänsekiel zerbrechen. Der Traum vom Dichter war ausgeträumt.

Die Flammen versengten schon die Ränder der Bogen. Er zuckte zurück. Nein, er konnte seine Stücke nicht verbrennen, er brachte es nicht über sich.

Er trug die Gläser und die leere Flasche in die Küche, verschloß die Türen, sah noch einmal nach dem Feuer und blies die Kerzen bis auf eine aus. Dann schleppte er sich müde die Treppe hinauf.

Er hoffte, Anne schliefe schon. Aber sie lag wach im Bett, und er sah ihr an, wie unglücklich sie sich fühlte.

Tränen waren Anne versagt. Aber ihre stumme Verzweiflung war oft schlimmer als alle Tränen.

«Nun? Gehst du nach London?» fragte sie.

«Nein», sagte er, «natürlich nicht.»

«Wieso *natürlich* nicht?»

«Als ich zurückkam, habe ich dir versprochen, daß ich für immer bei dir bleiben würde.»

«Ich verstehe», sagte sie und schwieg. Nach einer Pause fragte sie: «Nicht weil du bleiben *möchtest*?»

Jetzt schwieg er. Schließlich sagte er: «Ich würde dich nie verlassen, Anne.»

«Aber du tätest es gern.»

«Du lieber Himmel, nein.»

«Aber du würdest gern nach London gehen?»

«Mein Gott, ja!» schrie er plötzlich verbittert.

Wieder schwieg sie. Will zog sich aus und legte sich neben sie. Anne fühlte sich kalt und steif an wie eine Leiche. Als sie wieder sprach, klang ihre Stimme so trostlos wie der winterliche Regen: «Will, ich möchte, daß du nach London gehst. Aber nur, wenn du dort auch genug verdienen kannst, um die Kinder und mich zu ernähren. Außerdem mußt du oft nach Stratford kommen.»

Er stützte sich auf den Ellbogen und sah sie mit großen Augen an. «Du meinst, ich allein?»

«Ich will nicht nach London. Das weißt du doch.»

Er sagte: «Und ich will nicht ohne dich nach London.»

«Eines Tages wirst du gehen», sagte sie. «Ich habe es immer gewußt.»

«Nein, Anne.»

«Eines Tages *wirst* du es tun. Und es ist besser, wenn du es jetzt tust, da du mich noch liebst. Wenn du bleibst, wirst du mich schließlich hassen und es mir verargen, daß ich dich zurückhielt.

Und wirst am Ende trotzdem fortgehen. Nur wird dann keine Liebe mehr zwischen uns sein.»

Gekränkt sagte er: «Du solltest mich besser kennen, Anne. Ich würde dir nie etwas nachtragen.»

«O Will, natürlich würdest du immer lieb und zärtlich zu mir sein. Aber insgeheim, in einem verborgenen Winkel deines Herzens, würdest du mir den Tod wünschen.»

«Aber Anne», sagte er lachend und versuchte sie in die Arme zu schließen. «Was redest du da für närrisches Zeug!»

«Närrisches Zeug? Oh, begreifst du denn nicht, daß es mir das Herz bricht?»

Es war ein Verzweiflungsschrei. Er wollte sie trösten, aber sie hielt ihn von sich fern, als sei der Bruch schon vollzogen. Sie starrte an die Decke der Kammer. Dann sagte sie streng: «Aber du mußt mir versprechen, daß du oft nach Hause kommst. Und ich will auch das Häuschen nicht aufgeben. Darum brauche ich Geld.»

Geld würde da sein. Das Geschäft florierte, seit er sich darum gekümmert hatte, und sein Vater war jetzt an sechs Tagen in der Woche nüchtern. Wills Anteil an den Einnahmen war groß genug, daß Anne davon leben konnte. In London würde er sechs Shilling in der Woche bekommen, wenn er sich wieder bei Philip Henslowe verdingte. Außerdem konnte er sich ein paar Shilling hinzuverdienen, indem er Stücke anderer Leute zurechtflickte. Und wenn er vielleicht gar ein eigenes Stück verkaufte, würde er ein oder zwei Pfund in der Tasche haben! Wirklich, wenn man es sich recht überlegte, war es ein sehr vernünftiger Plan.

Und doch, er konnte nicht fort. Er konnte Anne nicht allein lassen. Es war herzlos, auch nur daran zu denken. Obwohl es, geschäftlich gesehen, ein Vorteil war, wenn er nach London ging. Und wenn Anne *wirklich* nichts dagegen hatte – und sie sagte ja, sie habe nichts dagegen … Allmächtiger, er hatte wohl doch zu viel Wein getrunken. Er war so müde. Aber er durfte noch nicht einschlafen. Es gab noch so vieles zu bereden. Nein, er mußte Anne diese Idee ausreden. Sein Platz war an ihrer Seite. Andererseits …

Er schlief ein und schnarchte. Anne lag, ohne sich zu rühren, da und starrte an die Decke. Sie war noch wach, als draußen vor dem Fenster fahl der Morgen dämmerte und die Spatzen auf dem Strohdach zu schilpen begannen. Endlich schlief auch sie ein. Und jetzt, in ihren Träumen, vergoß sie bittere Tränen.

Ein stiller Sonntagnachmittag ging zu Ende. Mary Shakespeare saß am Feuer und blickte in die Flammen. Sie hätte gern genäht, gestickt oder gestopft. Aber es war der Tag des Herrn, und es lohnte sich nicht, für ein geflicktes Bettlaken oder einen gestopften Strumpf die ewige Verdammnis auf sich zu ziehen. Und so saß sie da und dachte beim Anblick des Feuers an die fernen Winternachmittage, da sie in ihrem Elternhaus in Wilmcote die züngelnden Flammen im großen Kamin beobachtet hatte.

Ihr gegenüber saß John schlummernd in seinem großen Sessel. Und er war nüchtern. Sie blickte ihn liebevoll an. Es sah ganz so aus, als würde sie den Kampf gewinnen. John nahm jetzt wieder Anteil an seinem Geschäft. Will und er arbeiteten beide eifrig, und die Zeit der Sorgen war vorüber. Ihre neue Halskrause aus gelbem Batist zeugte davon, und ebenso Johns seidenes Wams. Zwar zogen an Englands Himmel dunkle Wolken auf, denn die Armada rüstete sich zum Kampf, und aus der Neuen Welt hörte man von blutigem Tod, aber in der Familie Shakespeare stand alles zum besten.

Die Tür öffnete sich, und Will trat ein. An seiner Seite kam der kleine Hamnet hereingetrippelt. Der Junge trug ein Wams aus rotem Satin. Vertrauensvoll hatte er seine kleine Faust in die große Hand seines Vaters geschoben.

Mary strahlte. Sie war jedesmal glücklich, wenn sie Will sah, und so sehr sie auch ihre Schwiegertochter schätzte, freute sie sich doch, wenn sie ihn einmal allein bei sich hatte. «Komm herein», rief sie. «Das ist aber eine Überraschung, Will. Und du, Hamnet, du bist ja schon wieder gewachsen!»

John Shakespeare wachte auf und sah blinzelnd herüber. «Was ist, Will? Welcher Tag …?» Er schüttelte sich und rieb sich die Augen. «Entschuldige, ich war ganz in Gedanken versunken, mein Junge.» Dann erspähte er Hamnet. «Ah, der Kleine ist auch mitgekommen. Möchtest du ein wenig Zuckerwerk, du kleiner Schelm?»

Der wohlerzogene kleine Schelm war niedergekniet, um einen großväterlichen Segen zu empfangen. Doch bei dem Wort Zuckerwerk sprang er auf und tanzte vor Freude im Zimmer herum.

«So, da hast du etwas zum Naschen», sagte John. Und schon bald war das rote Wams steif und klebrig von Zuckerguß. Anne würde sich freuen! Aber Will hatte andere Dinge im Kopf. «Mutter! Vater! Ich habe eine Neuigkeit, die euch vielleicht mißfallen wird.»

Schlechte Neuigkeiten waren wie der Blitzschlag. Sie störten den Frieden und die Behaglichkeit. Sie verwandelten Glück und Ordnung in schreckliches Chaos. «Was ist? Erzähl uns», sagte Mary.

«Anne und ich haben beschlossen, daß ich zurück nach London muß. Ich bin kein Handschuhmacher. Mein Platz ist dort, bei den Schauspielern. Es tut mir leid, Vater.»

John, der über Wills ersten Aufenthalt in London wegen seiner damaligen Vorliebe für gezuckerten Wein nicht viel wußte, war empört. «Was? Bei den Schauspielern, diesen Vagabunden? Du, ein wohlangesehener Handschuhmacher?» Er konnte es nicht fassen. So sehr er Will liebte – er hatte schon immer den Verdacht, daß er zu Torheiten neigte. Nun sah er seinen Verdacht bestätigt. «Bist du von Sinnen», brauste er auf. «Du hast drei liebe Kinder und eine Frau! Und schließlich», fuhr er mit weinerlicher Stimme fort, «hast du zwei alte Eltern, die darauf bauen, daß –»

«Laß mich aus dem Spiel, John», fiel ihm Mary ins Wort. «Ich bin noch keine Greisin. Aber Will, wie willst du leben?»

«Selbst als Lohnarbeiter kann ich bei einer Schauspielertruppe sechs Shilling in der Woche verdienen.»

John lachte höhnisch. «Sechs Shilling? Das reicht kaum für deine Unterkunft. Und nun hör mir zu, Will. Du kannst nicht erwarten, daß deine Mutter und ich für Anne und die Kinder sorgen. Nicht wahr, Mary?»

«Natürlich nicht», sagte Mary. Sie wußte, daß John, wenn sie ihm nicht widersprach, bald von selbst einlenken würde.

Will, der wußte, daß seine Eltern, seine Frau und seine Kinder ohne weiteres von den Geschäftseinnahmen leben konnten, sagte: «Das würde ich dir auch nicht zumuten, Vater. Aber ich habe ein paar Stücke fertig, und ich will Gedichte schreiben. Oh, die Stücke sind unbedeutende Schmarren, damit die Zuschauer ein paar Nachmittagsstunden verländeln können. Aber Gedichte vermögen einem Mann Tür und Tore zu öffnen. Ein Poet ist überall gern gesehen, beim Adel, ja, sogar bei Hofe.»

«Davon werden deine Kinder nicht satt, Will», sagte seine Mutter trocken und beobachtete gespannt ihren John. Auf den Köder, dachte sie vergnügt, wird er bestimmt anbeißen.

John sagte: «Ist das wirklich so, Will? Und du meinst, du könntest dort mit Adligen verkehren?»

«Ja, Vater.»

«Hast du gehört, Frau? Stell dir vor! Unser Will bei Lord Burghley, dem Sekretär der Königin ...»

«Während seine Frau in Stratford betteln gehen muß ...!»

«Ich werde schon für ihren Lebensunterhalt sorgen», sagte Will zornig.

«Nein, nein, Will», sagte John. «Deine Mutter und ich werden für Anne und die Kinder sorgen. Das ist das wenigste, was wir tun können. Und, Will, falls du wirklich einmal an den Hof kommst, und ich lebe noch, was, wie Gott weiß, nicht so sicher ist, denn ich gehe auf die Sechzig zu – dann empfiehl mich Ihrer Majestät der Königin.»

«Ja, Vater. Und ich dank dir auch.»

«O Will», sagte Mary. Sie streckte die Arme aus und ergriff seine Hände. Ihre Augen glänzten feucht und ihre Stimme zitterte. «Diese letzten Jahre mit dir und Anne waren vielleicht die glücklichsten Jahre meines Lebens.»

Will war so bewegt, daß er vor ihr niederkniete. «Ich werde wiederkommen, Mutter. Bald.»

«Ja, Mary», rief John begeistert. «Und mit einem Adelstitel, wenn ich mich nicht sehr irre.»

Mary hörte ihn nicht. Sie saß da, blickte auf den gebeugten Kopf ihres Sohnes und hielt seine Hände. Sie kannte ihren Will und hatte immer geahnt, daß er nicht bleiben würde.

7

Uns, die ein Licht mit dir
beschien ...

Es war so vieles zu tun und zu bedenken, daß Anne gar keine Zeit blieb, sich zu grämen.

Doch dann, als Will fort war, hatte sie Zeit in Hülle und Fülle.

Der kleine Hamnet weinte, als sie ihn am Abend zu Bett brachte, und jammerte nach seinem Vater. Anne, die vor Kummer gereizt und ungeduldig war, schalt ihn – und machte sich hinterher bittere Vorwürfe.

Die beiden Mädchen, Susanna und Judith, ängstigten sich. Ihr Vater, dieser Fels in ihrem Leben, war plötzlich fort! Wer konnte da wissen, ob nicht auch ihre Mutter, das Haus und sogar Sonne, Mond und Sterne plötzlich verschwanden? Am Abend kam Mary Shakespeare mit ihrer Handarbeit herüber und leistete Anne Gesellschaft. Sie versuchte sich vorzustellen, wie Anne zumute war. Sie selbst hatte es gewiß nicht leicht gehabt mit ihrem John, aber jedenfalls war er immer bei ihr geblieben. Äußerlich ließ sich Anne nichts anmerken. Sie klagte nicht und vergoß keine Träne. Mary überlegte, ob sie an Annes Stelle wohl auch so tapfer gewesen wäre. Und um sie zu trösten, sagte sie: «Vielleicht kommt er ja bald wieder.»

Aber Anne schüttelte den Kopf. «Nein. Nicht Will. Er folgt einem fernen Stern.» Und dann fügte sie, als spräche sie zu sich selbst, hinzu: «Niemand von uns wird ihn je wirklich kennen. Nicht einmal du, Mutter.»

Ihre Worte versetzten Mary einen Stich ins Herz. Sie sollte ihren gutmütigen, offenherzigen Will nicht kennen? Und doch – Anne hatte recht. Irgend etwas an ihm blieb auch ihr stets ein Geheimnis. Es war immer so, als schaute Will ins Herz der Dinge. Ach, Unsinn, dachte sie und lachte über sich selbst. Ihr Will war ein schlichter, bäuerlicher Junge. Er hatte sich, noch ehe er zwanzig war, beinahe sein Leben verpfuscht, und sie fürchtete nur, daß er es nun, im fernen London, endgültig zerstörte.

Sie packte ihr Nähzeug zusammen. «Ich muß heim, Liebes. Dein Schwiegervater wird ins Bett wollen.» Sie gab Anne einen zärtlichen Kuß. Einen Augenblick lang hielten sie einander in den Armen. Dann machte Mary sich auf den Weg. Anne stand in der Tür und sah ihr nach. Und Mary, die sich noch einmal umdrehte, um ihr zu winken, dachte bei sich, daß sie noch nie ein so einsames Menschenkind gesehen hatte.

Er saß mit ernstem Gesicht auf seinem Pferd und dachte traurig an den Augenblick des Abschieds von Anne und den Kindern zurück. Aber zugleich sprudelte er über vor Freude. Er kam sich vor wie ein übermütiger Hund, den man von der Leine gelassen hat, wie ein Kind, das die Schule schwänzt. Philip Henslowe, Ned und die Schauspieler würden ihn erfreut willkommen heißen. Gewiß, Ned würde anfangs vielleicht ein wenig schmollen, doch er würde ihn schnell umstimmen. Will wußte sehr wohl, daß er die Gabe besaß, andere Menschen zu bezaubern, und er war dankbar dafür.

Frohlockend ritt er auf dem vertrauten Weg dahin. Diesmal war es keine Flucht ins Ungewisse wie bei seinem ersten Aufbruch nach London. Er hatte seine Manuskripte bei sich, die Stücke, die er in London verkaufen wollte. Aber würde man sie zu schätzen wissen?

Seine Zweifel waren berechtigt. In London hatte man in diesem Frühling andere Sorgen.

Das Jahr 1588 hatte mit schlimmen Vorzeichen und bösen Omen begonnen. Schreckliche und beunruhigende Ereignisse hatten sich zugetragen. Allenthalben in Europa waren die Flüsse blutrot. Und aus den gemalten Wunden der Heiligenstatuen war wieder das Blut der Märtyrer geflossen. In Nürnberg wie in Antwerpen hatten die Wolken sich geteilt und einen nächtlichen Himmel voll marschierender Heerscharen enthüllt. In dem Wallfahrtsort Bury St. Edmunds war ein Kalb mit sechs Beinen geboren worden. Aber das Schlimmste geschah in Reims: die Erde tat sich auf, und für einen Augenblick konnten die entsetzten Bürger nicht nur in die Flammen und die Qualen der Hölle hinabblicken, sondern auch die Schwefeldämpfe riechen und die Schreie der Verdammten hören. Ein gräßliches Erlebnis für alle, die dabei waren.

Fern in Spanien saß König Philipp in seinem neu erbauten Escorial und überwachte peinlich genau die letzten Vorbereitungen für den Angriff auf England.

Tag für Tag arbeitete er von der frühen Morgendämmerung bis gegen Mitternacht. Gelegentlich, wenn seine Augen ermüdeten oder die Hand, die den Gänsekiel hielt, erlahmte, trat er an ein Fenster seines klösterlichen Schlafgemachs, durch das er den düsteren, von Kerzenlicht erhellten Hochaltar der Kirche im Escorial sehen und die Mönche bei ihren Andachtsübungen beobachten konnte. Solchermaßen an Leib und Seele gestärkt, wandte er sich dann wieder seinen Plänen zur Unterjochung Englands und seiner ketzerischen Königin zu.

Der englische Hof tanzte. Aber insgeheim bereitete sich England auf den Angriff vor. Jedermann war sich darüber im klaren, daß die Spanier, falls sie den Sieg errangen, in jedem englischen Marktflekken Scheiterhaufen errichten würden, um zur Ehre Gottes Tausende von Ketzern zu verbrennen.

Das durfte nicht geschehen. In Tilbury wurde eine Armee aufgestellt, die den Feind abwehren sollte. Eine weitere Armee sollte in London die Königin schützen. Der Graf von Leicester wurde aus den Niederlanden zurückgerufen, damit er den Befehl über die Armeen übernahm und England rettete. Die Entscheidung für ihn beruhte auf der oft widerlegten, aber gleichwohl mit Inbrunst verfochtenen Meinung, daß ein Edelmann nicht nur mit besonderer Würde, sondern auch mit hohen Kenntnissen in der Feldherrnkunst geboren wurde.

In Schloß Whitehall saß Königin Elisabeth in ihrem Kabinett und bereitete eine Rede vor, die sie zu halten gedachte, falls das Schlimmste geschah und die Spanier sich zur Landung anschickten.

Sie war guter Dinge. Sie wollte den Angriff der Spanier nutzen – so wie sie jede sich bietende Gelegenheit nutzte –, um sich bei ihrem Volk noch beliebter zu machen. «Ich habe nur den Leib eines schwachen und kraftlosen Weibes», schrieb sie. «Aber ich habe das Herz und den Mut eines Königs.» Sie hielt inne und kaute nachdenklich an ihrem Gänsekiel. Dann schrieb sie weiter: «Jawohl, und zwar eines Königs von England!»

Bei Gott, das würde die Soldaten aufrütteln! Wäre sie nicht die Königin, hätte sie gewiß gut davon leben können, für den süßen Ned Alleyn und seine Truppe Schauspiele zurechtzuflicken.

Sie las noch einmal, was sie schon geschrieben hatte. Sie konnte es kaum erwarten, ihre Rede zu halten. Sie wollte dabei in einem silbernen Harnisch auf einem weißen Roß sitzen, von nur vier Gefolgsleuten flankiert. Oh, wenn Leicester sie diese Rede halten ließ – und er sollte nur versuchen, es ihr zu verwehren! –, würden ihre Soldaten den Angriff des Feindes abschlagen. Und man würde sich ihrer erinnern, so lange es Menschen gab, die Geschichten von England und Englands Ruhm erzählten.

Doch falls es nicht gelang, den Feind abzuwehren, dachte sie – und plötzlich sah sie sehr alt aus –, dann würde man sie wohl in Ketten nach Rom schleppen. Nur der Stellvertreter Christi konnte die Verbrennung einer königlichen Ketzerin fordern.

Und Philipp von Spanien dürfte auf den ewigen Dank des Heiligen Vaters, der Gemeinschaft der Heiligen und der Heiligen Dreifaltigkeit rechnen.

Noch war viel Zeit bis zur Stunde der Entscheidung. Doch Elisabeth setzte ihre Reden gern beizeiten auf, um sie immer wieder proben und polieren zu können, bis sie so vollkommen waren, daß sie wie frische Ausbrüche aus einem übervollen, liebenden Herzen klangen.

Und auf seltsame Weise waren sie das ja auch.

England rüstete sich zur Schlacht.

Überall standen Truppen. Piken wurden in unwillige Hände gedrückt. Bauern wurden zum Wehrdienst gepreßt, wurden gedrillt, bewaffnet und in weit entfernte Teile des Landes geschickt. Verschwörungen wurden aufgedeckt, Verschwörer aufgespürt, Katholiken heimlich verhaftet, Jesuiten hingerichtet. Die Adligen statteten sich mit kleidsamen Rüstungen aus. Die Berufssoldaten tanzten und hüpften vor Freude bei der Kunde, daß sie in die Schlacht ziehen würden. Auf den Höhen von Cottswold und Chiltern, von Malvern und Mendip, von Pennine und Cheviot, auf allen hochliegenden windigen Plätzen waren schon die Reisighaufen für die Feuerzeichen aufgeschichtet, durch die das Signal weitergegeben werden sollte.

Ganz England bebte vor Aufregung. In den letzten Jahren hatte das Land unter seiner beliebten Königin einen gewaltigen Aufschwung genommen. Auf allen Gebieten waren Wunder vollbracht worden. Doch jetzt galt es, das größte aller Wunder zu vollbringen und die neblige Insel gegen den entschlossenen Angriff eines mächtigen Imperiums zu verteidigen. Eine Niederlage bedeutete den sicheren Tod. Verleihe uns den Sieg, o Herr, auf daß wir, die wir in guten wie in bösen Zeiten vereint hinter unserer Königin stehen, unser England zu einem Reich machen, wie es noch keines gab.

Und der Mann, der wie kein anderer Dichter zum Ruhme dieses

herrlichen Reiches beitragen sollte, ritt erschöpft auf einem müden Gaul nach London hinein.

Riesige, hoch wie Burgen emporragende Schiffe verließen bei Nacht und Nebel Spaniens Häfen, vereinten sich auf hoher See und wandten sich nordwärts. Kein Mensch hätte die Zahl der Segel zu schätzen vermocht. Unterdessen wich im stillen Stratford der Winter dem Frühling. Die Wiesen grünten, und die Tage wurden wieder länger. Susanna bekam ein neues Taftkleid, Hamnet fiel beim Spielen in den Avon und verkündete prahlend, er wäre beinahe ertrunken. Judith weinte und jammerte vor Zahnschmerzen, und nichts, nicht einmal eine gekochte Maus, das wirksamste aller Heilmittel, konnte sie kurieren. Anne schaffte von früh bis spät. Die Kinder sahen sauber und adrett aus. Und im Haus war alles stets so wohlgeordnet, wie es sein sollte, falls – falls Will heimkam.

Auch Will hatte anderes als die drohende Kriegsgefahr im Kopf. Er schickte sich an, Philip Henslowe zu besuchen. Doch diesmal wollte er sich nicht als Lohnarbeiter bei ihm verdingen, sondern sich ihm als Dichter vorstellen – mit ein paar Stücken, die er geschrieben hatte, in der Tasche.

Einfach, aber sorgfältig gekleidet machte er sich auf den Weg. In den schmalen Gassen achtete er darauf, daß er der Gosse in der Straßenmitte nicht zu nahe kam, wo dank dem Gesetz der Schwerkraft das aus den vorspringenden oberen Stockwerken der Häuser gegossene Schmutzwasser landete.

Genau wie er ging natürlich jedermann möglichst dicht an den Häusern entlang, ein Umstand, der zu weit mehr Zank und Streit und Messerstechereien führte als der Genuß von Wein und Bier in den Tavernen Londons.

Drei Männer kamen ihm entgegen. Und da sie keine Anstalten machten, ihm auszuweichen, tat er es. Sie waren in der Überzahl, und Will fand es nicht geraten, sich mit ihnen anzulegen. Er hielt nichts davon, Händel zu suchen.

«Will Shakespeare!» rief der größte der drei Männer und blieb stehen. «Ich hörte schon, daß Ihr in London seid.»

Keine sehr herzliche Begrüßung, dachte er. Aber schließlich hatte er Edward Alleyn in Stratford aus dem Haus gejagt – was konnte er da anderes erwarten?

«Ned!» sagte er. «Ich war gerade auf dem Wege zu Henslowe.» Er musterte Alleyns Begleiter. Aber er wollte Alleyn zeigen, daß er freundschaftliche Gefühle für ihn hegte. «Wollen wir nicht in eine Taverne gehen?» fragte er zögernd.

Alleyns Begleiter steuerten sogleich auf die an der Straßenecke gelegene ‹Sirene› zu. Alleyn zuckte mißmutig mit den Schultern und folgte Will. Als sie die Taverne betraten, saßen die beiden anderen schon an einem Tisch, jeder mit einem Becher Bier vor sich.

Will bestellte einen großen Krug Bier für alle. Er und Alleyn setzten sich. Alleyn machte sich nicht die Mühe, ihm seine Freunde vorzustellen. Schließlich sagte Will feierlich: «Master Alleyn, ich habe mich in Stratford damals sehr unhöflich betragen. Zwar habt Ihr mich aufs heftigste gereizt, doch hätte ich mich nicht so unhöflich benehmen dürfen. Es tut mir leid.»

Alleyn nickte kühl. «Es ist vergessen. Aber Ihr habt mir damals einige Stücke versprochen. Über König Heinrich VI.»

«Sie gehören Euch», sagte Will großmütig. «Ich werde sie Euch schicken.» Er klopfte auf sein Wams. «Aber zuvor möchte ich noch ein paar Änderungen vornehmen.»

Alleyn lächelte. «Ich danke dir, Will», sagte er freundlich. «Und nun will ich dich mit meinen Freunden bekannt machen.»

Will blickte die beiden Männer an. Der eine, ein geducktes, niederträchtiges Wesen, sah aus wie ein Halsabschneider. Der andere war ein Riese von einem Mann mit finster blickenden Augen und einem langen roten Spitzbart. Alleyn sagte: «Robert, das ist William Shakespeare, der drei Stücke über Heinrich VI. geschrieben hat. Will, das ist Robert Greene, der Dichter, und das hier ist – äh – sein Schwager, Stechsauger.»

«Schwager?» Greene lachte schallend. «Schwager ist gut!» rief er prustend und wandte sich an Will. «Seine Schwester ist meine Kebse», erklärte er höflich.

«Ich verstehe», sagte Will. Das also war Robert Greene. Der gelehrte und berühmte Schauspieldichter. Und er sah aus wie ein gedungener Mörder!

Greene bemühte sich ächzend, seinen Schmerbauch in eine bequemere Lage zu bringen. «So, und Ihr schreibt also Stücke, Master –»

«Shakespeare. Ja, das tu ich, Herr.»

«Dann seid Ihr ein ebenso großer Narr wie ich.» Er sah Alleyn mit einem höhnischen Grinsen an. «Die Schauspieler erwerben sich auf unsere Kosten ein Vermögen. Nun? Stimmt es nicht, Ned?»

Alleyn schwieg. Greene wandte sich wieder Will zu. Trotz seiner

Grobheit und seiner ungeschlachten Gestalt konnte er höflich und reizend sein, wenn ihm danach zumute war. «Kennt Ihr Richard Burbage?»

«Nein.»

«Ein Mann aus dem Volk. Sein Vater war Zimmermann und hat jetzt in Shoreditch eine Truppe guter Schauspieler. Mit dem werdet Ihr besser fahren als mit dem Geizhals Henslowe.»

Alleyn erhob sich und richtete sich würdevoll in seiner ganzen Größe auf. «Ich dulde es nicht, daß in meiner Gegenwart ein rechtschaffener Mann verleumdet wird.»

«Dann geht nur!» sagte Greene verächtlich.

Alleyn zögerte. Doch dann sagte er sich, daß es sich bei Robert Greene nicht lohnte, den Schein der Höflichkeit zu wahren. Greene hatte ein paar gute Stücke geschrieben, aber es war aus mit ihm. Sein Geist war so wassersüchtig wie sein Körper.

Er, Edward Alleyn, der berühmte Schauspieler, hatte es nicht nötig, seine Zeit an einen verbrauchten Stückeschreiber zu verschwenden. Und Shakespeare konnte er jederzeit zurückpfeifen. Er nickte Will kurz zu und schritt erhobenen Hauptes aus der Taverne hinaus.

Will fühlte sich plötzlich sehr einsam.

Greene hob seinen Becher, trank einen Schluck und sah Will neugierig an. «So, Ihr schreibt also Stücke. Und welche Universität habt Ihr besucht?»

«Keine», antwortete Will kleinlaut.

Der rote Spitzbart fuhr wie ein Schwert in die Höhe. «Und Ihr wollt Stücke schreiben?» Er legte seine rechte Hand auf Wills Arm. «Hört zu, mein Junge. Ich war in Oxford *und* in Cambridge. Utriusque Academiae in Artibus Magister. Und kann dennoch nicht vom Stückeschreiben leben. Wie könnt Ihr da erwarten ...» Er sah Will verwundert, aber freundlich an. «Habt Ihr ein Manuskript bei Euch?»

«Zufällig ja», sagte Will und zog seinen ‹Heinrich VI.› aus dem Wams.

Greene beugte sich schniefend und schnaubend über die Blätter. Stechsauger rasierte sich mit einem blitzenden Dolch die Haare auf seinem Handrücken ab. Will beobachtete es mit kaltem Grausen. Plötzlich klatschte Greene das Manuskript auf den Tisch und sagte: «Master Shakespeare, ich erweise selten anderen Menschen eine Gefälligkeit, aber Euch werde ich eine erweisen. Warum?» Er zog die linke Augenbraue hoch und sah Will prüfend an. «Vielleicht weil Ihr so unerfahren seid. Kommt.»

Er stand auf und ging hinaus. Stechsauger schob seinen Dolch wieder in seinen Gürtel und folgte ihm mit federnden Schritten. Will lief hinter ihnen her. «Wohin, Master Greene?»

«Zu Burbage», sagte Greene.

Auf dem Wege nach Shoreditch hinaus redete Greene ununterbrochen. «Euer Stück ist gut, junger Mann. Unbeholfen, ungeschickt, aber gut. Ihr werdet es zu etwas bringen. Und bei Gott, ich will Euch helfen. Ich bin ein Narr. Ihr werdet mich als Leiter benutzen und dann fortstoßen.»

«Ich werde nie dergleichen tun», sagte Will hitzig und gelobte ewige Dankbarkeit.

Greene schlug ihm seine Pranke auf die Schulter. «Und wenn Ihr es tut, dann martere ich Euch zu Tode. Oder Stechsauger besorgt es für mich.» Er drehte sich nach dem anderen um, der ihm wie ein Schatten folgte. «Er begleicht meine Schulden. Mit einem Messerstich.» Er lachte brüllend über seinen Scherz.

Will lächelte ein wenig gezwungen. Er hätte sich einen etwas vornehmeren Begleiter gewünscht. Aber er beklagte sich nicht. Er hatte einen selbstlosen Helfer gefunden, einen kundigen Berater. Und da er Hilfsbereitschaft zu schätzen wußte, war er dem beunruhigenden Fremden von Herzen dankbar.

Zum erstenmal befand sich Will in einem richtigen Theater.

Auf der Bühne nagelte ein Mann ein Brett an. Greene legte freundschaftlich seinen Arm um Wills Schulter und führte ihn nach vorn. «Und jetzt», sagte er, «wirst du den größten Schauspieler unserer Zeit kennenlernen, einen Mann, der auch die Schmutzarbeit nicht scheut – im Gegensatz zu Alleyn, diesem ungebildeten Gecken!»

Der Mann blickte auf. Er hatte nichts, aber auch nichts von einem großen Schauspieler an sich, dachte Will. Eher sah er wie ein gutmütiger Lohnarbeiter aus.

Er richtete sich auf, kam ihnen ein paar Schritte entgegen und musterte sie. «Richard», rief Greene. «Ich muß ein Narr sein, aber ich bringe dir einen neuen Stückeschreiber.» Er wandte sich Will zu. «Das ist Richard Burbage vom ‹Theater›. Sagt ihm Euren Namen, junger Mann.»

«Ich bin William Shakespeare, Herr.»

«Er ist ein ungebildeter Klotz», sagte Greene in seiner unübertrefflichen Grobheit, «aber er hat die Gabe, Stücke zu schreiben. Er muß sie mit der Muttermilch eingesogen haben.»

Burbage lächelte und reichte Will die Hand. «Ihr dürft ihm seine Reden nicht übelnehmen. Die vielen Pökelheringe haben ihm die Zunge gebeizt. Könnt Ihr auch spielen?»

«Ein wenig, Herr.»

«Das ist gut! Uns fehlt nämlich ein Mann, seit Job Carter gehängt worden ist. Wir haben Arbeit genug für Euch.»

«Fein», sagte Greene. «Und falls du mir gelegentlich dafür danken möchtest, daß ich dir diesen lilienreinen Knaben zum Geschenk gemacht habe, dann kannst du ja meinen ‹Alphonsus› aufführen.» Dann wandte er sich mit seinem roten Spitzbart Will zu. «Und falls Ihr findet, ich hätt Euch einen guten Dienst erwiesen, dann erinnert Euch daran, daß ein studierter Herr den Wein, den ihm ein Bauernbursche bringt, nicht verschmähen wird.»

Mit einem spöttischen Grinsen schleppte er sich davon. Sein finsterer Leibwächter folgte ihm.

Richard Burbage und Will sahen sich lächelnd an. Sie gefielen einander. Will blickte sich in dem großen Theater um. Er atmete den Bühnengeruch ein und nahm die erregende Atmosphäre in sich auf. Dann kehrten seine Augen zu dem bescheidenen, freundlichen Mann vor ihm zurück. Und er wußte, daß er dank Robert Greene ein Zuhause gefunden hatte. Schon jetzt fühlte er sich hier fast heimischer als in seinem Häuschen in Stratford. Dies war der Ort, wo er hingehörte.

Edward Alleyn war mit sich zufrieden. Er hatte Robert Greene und William Shakespeare, diesen beiden Stückeschreibern, eine Lehre erteilt. Und seinen ‹Heinrich VI.› würde er trotzdem bekommen. Will mochte ein Hasenfuß sein, und sicherlich war er ein Narr, aber sein Versprechen würde er einlösen, sobald er das Manuskript bearbeitet und vielleicht einige der rauhen Kanten abgeschliffen hatte. Er, Edward Alleyn, konnte warten.

Christopher Marlowe war in der letzten Zeit ungewöhnlich umgänglich. Und solange Henslowe und er auf den mächtigen Marlowe zählen konnten, brauchten sie nicht hinter Grünschnäbeln wie Shakespeare herzulaufen. Sollte Will ruhig ein paar Stücke für eine andere Schauspielertruppe zurechtstutzen. Ihm, Edward Alleyn, machte das keine Sorgen. Wenn erst einmal die spanische Gefahr vorüber war und Marlowe bis dahin vielleicht noch ein paar Stücke wie seinen ‹Tamerlan› geschrieben hatte, dann würden Philip Henslowe und Edward Alleyn ihr Schiffchen im trockenen haben.

Aber die spanische Gefahr war noch bei weitem nicht vorüber.

Im Gegenteil. Am Strand von Dünkirchen stand der grausame Herzog von Parma und blickte hinaus auf das graue nördliche Meer. Er hielt nach Schiffen Ausschau: er wartete auf die Armada, die ihm bei der Überfahrt nach England Deckung gewähren sollte. Siebzehntausend Soldaten standen unter seinem Befehl und eine Flotte von flachen Lastkähnen. Sobald die mächtige Armada auftauchte, sollte das Signal gegeben werden, und dann würden seine Boote unter dem Schutz der größten Flotte, von der die Welt je gehört hatte, nach England hinübersegeln. Er wollte mit seiner Armee an den Gestaden der Grafschaft Kent landen und dort den Kampf eröffnen. Es würde ein langer, blutiger und gnadenloser Kampf werden. Er kannte die Engländer. Und auf die Hilfe der Heiligen Dreieinigkeit vertraute er weit weniger als sein Herr und Gebieter, König Philipp von Spanien.

In Stratford wurden die Männer der Bürgerwehr zu den Waffen gerufen. Stolz marschierten sie die Henley Street hinauf bis zum Marktplatz und wieder zurück. Der dreijährige Hamnet hielt mit ihnen Schritt und zog eine Pike hinter sich her. «Unser kleiner Soldat», rief John Shakespeare, und seine Augen füllten sich mit Tränen. «Welch ein Segen, daß er nicht ein paar Jahre älter ist. Unser Nesthäkchen ist gottlob zu jung fürs Schlachtfeld.»

Eine Flamme loderte empor. Funken stoben in den nächtlichen Himmel.

Und gleich darauf leuchtete fern am dunklen Horizont eine weitere Flamme auf. Und noch eine. Und noch eine.

Es war soweit. Die Spanier kamen. Und wehe, wenn sie zu landen vermochten. Dann würde in Dörfern und Städten, in jedem Marktflecken Englands das Feuer toben. Nein, bei Gott, das durfte nicht sein! Jetzt mußte der Ehemann Frau und Kinder verlassen, der Bräutigam die Braut und der Bauer das reifende Korn. Jetzt galt es, sich bereit zu machen zum Kampf, um das Land zu schützen und das Glück am häuslichen Herd. Die Armada war im Kanal!

Ähnlich wie die Königin überlegten sich auch Will und seine Freunde, obwohl sie wie alle Engländer tief beunruhigt waren, wie sie die drohende Gefahr zu ihrem Vorteil nutzen konnten. «Was wir jetzt brauchen», sagte Richard Burbage, «sind aufrührende Stücke von Krieg und Kampf.»

«O ja», rief Will Shakespeare begeistert, und er sah im Geiste Könige und Prinzen und geharnischte Krieger, die sich mit klirrenden Waffen und lautem Geschrei ins Kampfgetümmel stürzten. Er mußte in den ‹Chroniken› von Raphael Holinshed nachsehen. Dort wurde von genug Kriegen und Schlachten berichtet, um ein ganzes Dutzend Schauspiele daraus zu machen.

«Nein», sagte William Kempe, der Narr der Truppe, verächtlich, und mit seinem bleichen, schmalen Gesicht starrte er Will höhnisch und herausfordernd an. «Was wir jetzt brauchen, ist ein keckes Lustspiel. Nichts vermag einen Mann besser von seinen Sorgen abzulenken als eine zotige Posse.»

Henry Condell schüttelte den Kopf. «Ich teile Richards Meinung. Die Leute wollen kriegerische Stücke, doch lieber ohne Wunden oder Blutvergießen.»

Richard wandte sich lächelnd an Will. «Nun, Will? Wie wär's? Kannst du uns solch ein kriegerisches Stück schreiben? Man sagt, du seist ein Dichter.»

Will freute sich und fühlte sich geschmeichelt. «Ich hab drei solche Stücke über König Heinrich VI. geschrieben», sagte er stolz. Und bereute sogleich seine Großtuerei. «Aber ich hab sie schon jemandem versprochen.»

«Versprochen?» rief Burbage. Sein Zorn entflammte wie trockener Zunder. «Versprochen? Wem?»

«Edward Alleyn.»

Will war verstört. Er kannte diese Männer erst wenige Tage, aber Burbage, Condell, Heminge und Phillips standen ihm nahe wie Brüder. Es war, als kenne er sie sein Leben lang. Nur William Kempe, der in den Stücken den Narren spielte, war ihm zu seinem Kummer feindlich gesonnen. Doch nun hatte er sich augenscheinlich die Feindschaft aller zugezogen.

«*Edward Alleyn?*» schrie Burbage. «Aber du bist doch jetzt bei uns! Alles, was du schreibst, gehört *uns.*»

«Ich habe ihm die Stücke vorher versprochen. Ehe ich hierherkam.»

Burbage gab sich mit dieser Erklärung zufrieden. Aber Will

Kempe sagte voller Haß: «Schick ihn fort, Richard! Wir wollen keine Verräter in unserem Lager haben.»

Und Condell sagte mürrisch: «Selbst wenn die Stücke nicht nach unserem Gusto wären – wir hätten sie überarbeiten können.»

«Gib sie uns, Will», sagte Phillips. «Glaub mir, Alleyn würde sich dir gegenüber nicht so anständig verhalten.»

Das war sicher richtig, dachte Will. Aber dann fiel ihm wieder ein, daß Richard Field einmal zu ihm gesagt hatte, man müsse sich selbst treu bleiben. Er sagte: «Es tut mir leid. Aber ich habe ihm die Stücke *versprochen*.»

William Kempe spuckte aus. Die anderen starrten ihn schweigend an. Will erschrak über diese kalte Mißbilligung. «Ich habe noch ein anderes Stück», sagte er verzagt. «Es handelt von einem Mann, dem der Geist seines ermordeten Vaters erscheint. Und der Geist befiehlt ihm, an seinem Oheim Rache zu nehmen und –»

«Kommen Kriege und Schlachten darin vor?»

«Bisher nicht. Aber ich könnte sie einfügen.»

Burbage schüttelte den Kopf. Wieder sahen alle Will schweigend an. Dann sagte Burbage tonlos: «Schon gut. Sprechen wir nicht mehr davon. Ich will niemanden in Gewissensnöte bringen.»

«Gewissensnöte?» sagte William Kempe höhnisch. «Ich glaube eher, daß Meister Alleyn ein guter Zahlmeister ist.»

Will fühlte, wie er vor Zorn errötete. Die Bemerkung forderte dazu heraus, den Dolch zu ziehen oder Kempe einen Becher Bier in sein niederträchtiges Gesicht zu schütten. Aber Will tat nichts, und er sagte auch nichts. Die Gestalten, die seinen Geist bevölkerten, hätten ihre Schwerter geschwungen und nach Rache geschrien. Aber er, Will, schwieg. Wie immer, wenn man ihm eine Wunde beibrachte, zog er sich stumm in seine Einsamkeit zurück wie ein verletztes Tier.

Die Armada segelte durch den Kanal, und die kleinen englischen Schiffe folgten ihr wie eine Meute begieriger Hunde.

So viele Galeonen wurden versenkt, daß die englischen Seeleute prahlten, sie hätten den Spaniern eine Feder nach der anderen ausgerupft. Gleichwohl erreichte der gerupfte, aber noch stattliche Vogel die Reede von Calais. Nun brauchte nur noch die Verbindung mit dem Herzog von Parma aufgenommen zu werden, der mit seinen Booten und seinen Mannen bei Dünkirchen darauf wartete, daß die Überfahrt nach England und die Eroberung des Inselreichs beginnen konnte.

Acht große Brander, die, von den heimtückischen Engländern losgeschickt, mit dem Winde auf die spanische Flotte zutrieben, machten alle Pläne zunichte. Beim Anblick der roten Feuerbälle, die sich ihnen unter dem Donner der geladenen Kanonen unaufhaltsam näherten, kappten die Spanier erschreckt die Taue und nahmen Kurs auf die offene See, wo Drake mit seinen Schiffen ihrer harrte.

Den ganzen Tag lang tobte die Schlacht. Und als die Sonne schließlich unterging, trafen die letzten Strahlen auf ein Wirrwarr zerrissener Segel und zersplitterter Masten. Der Herzog von Medina Sidonia, ein Günstling des spanischen Hofes, der das große Unternehmen befehligte, war ein gebrochener Mann. «Wir sind verloren, Señor Oquenda», rief er. «Was sollen wir tun?»

Capitán Oquenda war aus härterem Holz geschnitzt. «Eure Exzellenz brauchen nur neue Kartuschen kommen zu lassen», sagte er in beschwichtigendem Ton.

Doch die anderen Kapitäne überstimmten ihn. Die noch vorhandenen Segel wurden gehißt. Die Armada trat die Heimfahrt an.

Aber da sowohl ungünstige Winde als auch Francis Drake mit seiner Flotte den Spaniern den Rückweg durch den Kanal versperrten, mußten sie Schottland und die gefürchteten Orkney-Inseln umschiffen. Dabei gingen ihnen viele ihrer Schiffe in den schweren Septemberstürmen verloren. Andere wurden von den wilden schottischen Hochländern und den rauhen irischen Freibeutern geentert und ausgeplündert, für die sich das große Unternehmen Philipps von Spanien als ein wahres Geschenk des Himmels erwies.

Der Herzog von Parma konnte mit seinen flachen Booten ohne den Geleitschutz der Armada nichts ausrichten. Seine Mission war gescheitert, noch ehe sie begonnen hatte.

Aber noch wußte das in England niemand. Die Armee, die zum Schutz der Königin aufgestellt worden war, marschierte und exerzierte. Und ebenso marschierte und existierte die Armee, die in Tilbury stand und den Angriff der Spanier abwehren sollte.

Die Königin verkündete, sie habe die Absicht, zu ihren Truppen in Tilbury zu sprechen. Der Thronrat und die Heerführer waren entsetzt. Doch wenn Königin Elisabeth sagte, sie fahre nach Tilbury, dann fuhr sie auch nach Tilbury. Es war nutzlos, sie darauf hinzuweisen, daß eine ganze Armee in London stand, nur um sie zu schützen. «In Tilbury steht schließlich auch eine Armee, oder etwa nicht, Ihr Herren?» – «Aber Majestät, wenn die Spanier während

Eures Aufenthalts dort landen, wird die Armee nicht in der Lage sein, Euch zu schützen.» – «Mich *schützen*? *Mich?* Ich brauche keinen Schutz, ihr Kleinmütigen. Ich werde gegen die Spanier kämpfen wie jeder brave Mann.»

Sie fuhr nach Tilbury. Und dort wurde sie von ihrem Liebling Robin empfangen, dem Grafen von Leicester, der seit jenen lächerlichen Lustbarkeiten auf Schloß Kenilworth leider nicht mehr ihr Liebling war. Diesmal empfing er sie als der oberste Befehlshaber ihrer Armeen und als kranker, sterbender Mann. Er begrüßte sie mit der zärtlich traurigen Zuneigung eines Mannes, der weiß, daß das Spiel aus und für immer verloren ist.

An diesem Abend speisten sie allein in seinem Zelt. Sie wurden beide langsam alt. Er, Robin, hatte oft geheiratet, doch nie die Frau, die er am liebsten geheiratet hätte. Und sie war noch immer die ‹jungfräuliche Königin›, doch der Glanz erlosch allmählich. Und beide waren in schrecklicher Gefahr. Morgen schon konnte ihre strahlende Welt für immer untergehen. Nein, es würde keinen Skandal mehr geben. Die Zeiten der Tändelei waren vorüber.

Der Bote spornte verzweifelt sein Pferd an. Er betete zu Gott, daß er der erste sei, der die frohe Kunde der Königin überbrachte. Die Nachricht war mindestens eine Silberkrone wert, wenn nicht gar den Ritterschlag.

Er kam nach Tilbury. Dort wurde er sogleich in Leicesters Zelt zur Königin geführt. Mit einer tiefen Verbeugung überreichte er ihr Drakes Botschaft. Und dann wartete er stolz auf ihren dankbaren Freudenschrei.

Aber Königin Elisabeth tat selten das, was die Menschen von ihr erwarteten. Sie las die Botschaft, und dann wandte sie sich an Leicester. «Übergebt ihn der Wache. Und sorgt dafür, daß er mit keinem Menschen spricht.»

Der Bote war empört. Gewiß, wenn man eine schlechte Nachricht zu überbringen hatte, mußte man auf alles gefaßt sein, auf Handschellen, Schläge, ja sogar das Halseisen. Aber eine gute Nachricht bedeutete Silber oder Gold. Und das schaffte einen gewissen Ausgleich. Doch wenn man nun auch für das Überbringen einer *guten* Nachricht eingesperrt wurde, dann lohnte es sich nicht mehr, Botendienste zu verrichten. «Aber Majestät!» sagte er.

«Es wird Euch nichts geschehen», sagte sie. Die Wachen führten den verwirrten Boten ab. Die Königin wandte sich Leicester zu. Ein sparsames, aber triumphierendes Lächeln umspielte ihre Lippen. «Die Armada ist in alle Winde zerstreut und flieht gen Norden. Doch Drake weist warnend darauf hin, daß die Spanier sich womöglich in dänischen Häfen aufs neue rüsten werden. Und auch Parma könnte noch versuchen, mit seinen Booten den Kanal zu überqueren.»

«Die Armada zerstreut? Wir müssen sogleich die Glocken läuten und die Flaggen hissen!»

«Narr! Du wirst keinem Menschen ein Sterbenswörtchen sagen.»

«Warum denn nicht?» Er sah sie verdutzt an. «Und der Bote? Ich dachte, er hätte schlechte Nachrichten gebracht.»

Sie sagte: «Ich habe eine Rede für morgen vorbereitet.» Sie richtete sich stolz auf und hob ihr königliches Kinn. «‹Und darum kam ich her›», zitierte sie. «‹Es ist mein fester Wille, auch inmitten des hitzigsten Kampfgetümmels unter euch zu sein, um mit euch zu leben oder zu sterben. Ich bin bereit, für Gott, für mein Königreich und für mein Volk, für meine Ehre und für mein Geschlecht in den Staub des Schlachtfelds zu sinken.›» Sie lehnte sich zurück. «Robin, du kannst nicht von mir erwarten, daß ich all dies umsonst vorbereitet habe.»

«Was willst du damit sagen?»

«Hör zu. Es ist die beste Rede, die ich je verfaßt habe. Sie wird mein Volk auf ewig an mich binden. Aber nur –» sie hob sein Kinn und sah ihn ernst an – «nur wenn die Truppen denken, daß jeden Augenblick die einhundertdreißig Schiffe der Armada am Horizont auftauchen können. Meine Rede wirkt nur, solange sie glauben, daß Gefahr besteht.»

Sie kam hoch aufgerichtet auf einem weißen Roß. Sie trug ein weißes Samtkleid und einen silbernen Harnisch. Ihr silberner Helm mit der weißen Feder wurde vor ihr her getragen. Zwei Pagen in weißem Samt und vier Adlige geleiteten sie: Leicester ritt zu ihrer Rechten, Essex zu ihrer Linken, Norreys ging hinter ihr her und ihr voran schritt Lord Ormonde, der das große, in der Augustsonne blitzende Reichsschwert emporhielt.

Es war ein herrlicher Anblick, und aus der gewaltigen Menschenmenge hörte man keinen Laut. Aller Augen waren auf das Königliche England gerichtet.

Sie begann zu sprechen, und ihre Stimme klang fest und klar.

Zuerst lauschte man ihr schweigend. Doch dann hob ein beifälliges Murmeln an und schließlich ein Brüllen wie von einem Rudel Löwen.

Elisabeth frohlockte. Die besten Sätze kamen ja erst. Sie senkte die Stimme: «Ich weiß, ich habe nur den Leib eines schwachen und kraftlosen Weibes», sagte sie demütig und sah in tausend Augen glühende Opferbereitschaft aufleuchten. Sie hielt inne und holte tief Atem. «Aber ich habe das Herz und den Mut eines Königs», rief sie, so laut sie nur konnte.

Begeisterte Hochrufe, tosendes Gebrüll. Und dann, sobald sich der Lärm ein wenig gelegt hatte, fügte sie fast grollend hinzu: «Jawohl, und zwar eines Königs von England!»

Es klang, als spreche sie aus dem Stegreif. Die Soldaten waren hingerissen. Und als sie mit den Worten schloß: «So werden wir eurer Tapferkeit auf dem Schlachtfeld bald einen glorreichen Sieg verdanken über diese Feinde meines Gottes, meines Königreichs und meines Volkes!», tobten sie vor Begeisterung. Ein jeder von ihnen wäre an diesem Tag bereit gewesen, für seine Königin zu sterben. Oh, sie würden wie die Teufel für sie kämpfen. Und falls sie, mit Gottes Hilfe, die Spanier besiegten, dann würden sie für die Königin arbeiten wie nie zuvor und ihren Ruhm verkünden.

Sie ritt an den Reihen der Männer entlang. Sie war heiser und erschöpft, aber sie frohlockte. Sie hatte recht gehabt. Eine so gute Gelegenheit ließ man nicht ungenutzt verstreichen.

Während die großen spanischen Galeonen mit ihrer schrecklichen Ladung verbrannter und verstümmelter Männer heimwärts segelten, feierte man in England den Sieg. Überall loderten Freudenfeuer. Der Sieg über die ‹unbesiegbare spanische Armada› hatte das Land von einer drohenden Gefahr befreit, die viele Jahre lang wie eine schwere Bürde auf ihm gelastet hatte. Unter ihrer geliebten Königin blickten die Menschen nun in eine verheißungsvolle, strahlende Zukunft.

England! Der englische Hof war so glanzvoll wie kein anderer Königshof in Europa. Die englische Königin war das klügste, mutigste, heiterste und beliebteste Menschenkind, das je auf einem Thron gesessen hatte. Ja, die Engländer waren stolz auf ihr Land. Oh, dies gekrönte Eiland, dachten sie, dies Land der Majestät, dies zweite Eden, halbe Paradies ... Gern hätten sie gerufen: So rüstet sich die Welt an dreien Enden, wir trotzen ihr: nichts bringt uns Not und Reu', bleibt England nur sich selber treu. Aber sie vermochten ihre Empfindungen nicht in Worte zu kleiden. Und als die verheißungsvollen Jahre eines nach dem anderen vergingen, sehnten sich die Leute nach jemandem, der für sie sprechen konnte.

Und wahrhaftig, einer tat es.

Im Jahre 1588 hatte der vorsichtige Philip Henslowe nach langem Zögern ein eigenes Theater errichtet, dem er den Namen ‹Die Rose› gab. Hier wurde im März 1592 ‹König Heinrich der Sechste›, ein Stück von einem unbekannten Dichter, aufgeführt.

Es kamen so viele Kriege und Schlachten darin vor, wie man sich nur wünschen konnte, und obendrein noch die Verbrennung einer Dirne namens Jeanne d'Arc auf dem Scheiterhaufen.

Das Stück hatte großen Zulauf. Die Einnahmen erreichten an einem Tag die erstaunliche Höhe von drei Pfund und zehn Shilling. Henslowe war außer sich vor Freude.

Aber William Shakespeare nahm es gleichmütig hin.

Burbage und seine Schauspieler hatten ihn nach ihrem anfänglichen Mißtrauen ins Herz geschlossen. Er hatte eine bequeme Unterkunft in Bishopsgate gefunden und schrieb an einer Verserzählung, ‹Venus und Adonis›, von der sein Freund Richard Field große Stücke hielt. Richard war inzwischen selbständiger Drucker. Sein Meister, Thomas Vautrollier, war gestorben, und Richard hatte, halb seiner Neigung, halb seinem Erwerbssinn folgend, die Witwe geheiratet und die Druckerei übernommen. Falls Richard ‹Venus und Adonis› wirklich druckte, dachte Will, durfte er sich einigen Ruhm von diesem Werk erhoffen.

Natürlich freute er sich, daß sein ‹Heinrich VI.› dem Publikum so gut gefiel. Auf das Drängen seiner Truppe hin arbeitete er nun emsig an einem ähnlichen Stück über Richard III. Und um den streitsüchtigen William Kempe zufriedenzustellen, schrieb er, wenn auch lustlos, an seiner ‹Komödie der Irrungen› weiter. Außerdem stutzte er ein altes Stück über Titus und Vespasia zurecht. Doch obwohl er auch in Zukunft die blutrünstigsten historischen Stücke, die London im Sturm eroberten, mit Freuden schreiben wollte, beschäftigten ihn nur zwei Dinge wirklich: die Verserzählung, die ihm Ruhm bringen sollte, und ein tieferer Sinn, den er in seinen historischen Stücken entdeckt hatte. Ordnung und Rang. Oh, die Zuschauer sollten ihren Bombast, ihr Schwertergeklirr und ihre Lobgesänge auf England nicht entbehren! All dies liebte er ja auch.

Doch hinter allem tragischen Geschehen standen Ordnung und Rang. Gott, die Engel, der Mensch. Die Sonne, die Planeten, die Erde. Der Herrscher, der Kronrat, das Volk. Ein jegliches Ding bewegte sich in einem genauen und von Gott bestimmten Verhältnis zum andern. Entfernte man die Sonne, irrten die Planeten ohne Regel. Welch Schrecknis! Welche Plag und welch ein Chaos! Und entfernte man den gesalbten Herrscher, kamen Krieg, Zwietracht und Elend über die Menschen. Er hatte viel über die Rosenkriege, den Thronfolgestreit zwischen den Häusern Lancester und York, gelesen. Solch ein Unglück durfte England nicht noch einmal widerfahren!

Er liebte den Frieden. Wie oft hatte er schaudernd die abgeschlagenen Köpfe der Verräter an der Brücke betrachtet. Genauso schauderte ihn, wenn er die alten Geschichten aus dem Bruderkrieg las. Mochten Marlowe, Greene und Nashe sich in den Tavernen und Bordellen herumtreiben und streiten. In seinem Leben sollte immer Ordnung herrschen. Er, William Shakespeare, war ein ehrenwerter, nüchterner und zu allen höflicher Mann. Und er würde mit Leib und Seele stets auf der Seite der Obrigkeit stehen.

So glaubte er zumindest.

Obwohl er gerade im Begriff war, den ersten Schritt auf einem Pfad zu tun, der ihn an den Rand eines schrecklichen Strudels führen sollte.

«Heda! Ihr, Herr!»

Will hatte gerade wieder über seine Verserzählung ‹Venus und Adonis› nachgedacht. Bei dem dreisten Ruf blickte er auf und sah auf der anderen Straßenseite, jenseits des schmutzigen Rinnsteins, zwei Adonisse stehen.

Er ärgerte sich über die Unhöflichkeit der beiden. Aber es war unklug, jungen Männern wie diesen seinen Ärger zu zeigen. Ihrer Kleidung und ihrem Benehmen nach zu urteilen waren sie Adlige, und das hieß, daß sie es gewohnt waren, von jedem gemeinen Mann Gehorsam zu erwarten. Was wollten die zwei vornehmen jungen Herren von ihm? Erschreckt, aber auch geschmeichelt und neugierig suchte er sich einen Weg durch den Schmutz und Kot. Schließlich konnte er nicht verlangen, daß sie zu ihm herüberkamen.

Der jüngere der beiden musterte ihn hochmütig von Kopf bis Fuß. «Seid Ihr nicht William Shakespeare?»

Will verneigte sich.

«Ich sah Euren ‹Richard den Dritten›. Das Stück gefiel mir. Kommt am Donnerstagmorgen zu mir ins Southampton-Haus. Ich möchte mich mit Euch unterhalten.»

Und damit gingen die beiden weiter und ließen Will, der sich höflich verneigte, stehen. Ins Southampton-Haus! Dann mußte es der junge Graf gewesen sein und einer seiner Freunde. Vielleicht der berühmte Essex!

Beide waren geschmeidig wie junge Hirsche, hübsch wie Frauen und eitel wie Pfauen. Aber hinter ihrer üppigen Kleidung und ihrer weiblichen Zartheit verbarg sich eine harte, männliche Angriffslust. Irdische und zugleich überirdische Geschöpfe, die imstande waren, ein Sonett zu dichten, ein Mädchen zu verführen und einen Mann zu erdolchen – alles an einem einzigen Sommertag.

Will ging benommen weiter. Was mochte Southampton von ihm wollen? Wollte er ein Schauspiel oder ein Gedicht bei ihm bestellen? Sollte der arme Schauspieler ihm zum Zeitvertreib eine Gigue vortanzen oder ihm Zoten erzählen? Oder drohte ihm, Will, gar Gefahr von den Grafen? Er erinnerte sich – oh, jene fernen, unschuldigen Tage – an Annes Besorgnis, als er nach Schloß Kenilworth gegangen war. Und wie recht sie gehabt hatte! Arme Anne! Er mußte nach Stratford fahren! Er schickte ihr regelmäßig Geld, Briefe und kleine Geschenke für die Kinder durch einen Freund von Richard Field, einen ehrlichen Burschen, der oft in Geschäften zwischen London und Stratford hin und her reiste. Ja, er mußte bald einmal nach Stratford fahren. Aber wie sollte er je die Zeit finden? Er schrieb an seiner ‹Komödie der Irrungen› und seinem Poem ‹Venus und Adonis›, arbeitete insgeheim an seinem Hamlet-Stück weiter, von dem niemand etwas wissen wollte, und mußte an vier oder fünf Tagen in der Woche im Theater auftreten. Dazu die Proben. Und nun auch noch der Graf.

Was wollte Southampton von ihm? Will, der von gesellschaftlichem Ehrgeiz beseelt war, lauschte stets begierig den endlosen Klatschgeschichten über den Adel. Was wußte er über den jungen Grafen? Henry Wriothesley, der dritte Graf von Southampton, Baron von Titchfield, war, so hieß es, ein königliches Mündel und stand unter der Vormundschaft von Lord Burghley, dem Ersten Lord der Schatzkammer. Es hieß, der alte Burghley habe ihn mit seiner Enkeltochter, Gräfin Elisabeth Vere, verheiraten wollen, aber der junge Mann hätte sie verschmäht. Es hieß, er besitze eine vortreffliche klassische Bildung und sei ein Förderer der schönen Künste. Und es hieß, er sei launisch, hochmütig, bezaubernd, eigensinnig, unberechenbar, großherzig und reich.

Will fühlte, wie sein Herz schneller schlug. Angstvoll malte er sich seinen Besuch bei dem jungen Grafen aus. Aber *nicht* zu ihm zu gehen bedeutete eine Kränkung. Und er wußte von Männern, die für Geringeres erdolcht worden waren. Außerdem, dachte er mit neuem Mut, warum sollte er nicht hingehen? Schließlich war er nicht nur ein verachteter Schauspieler. Er war ein Poet. Und stets hatten Poeten Umgang mit Adligen und sogar mit Königen gepflogen. Freilich, manche von ihnen waren auf Geheiß ihres Königs geköpft worden, erinnerte er düster. Nein, es war keine anegnehme Vorstellung, das große Southampton-Haus zu betreten und zu hören, wie hinter einem die Tür ins Schloß fiel. Aber er würde mutig hingehen – er hatte keine andere Wahl.

Er kleidete sich mit größter Sorgfalt. Aber nicht geckenhaft. Er würde die Rolle des armen, aber ehrbaren Schauspielers spielen, der sehr wohl wußte, was sich ziemte.

Zitternd und zagend machte er sich auf den Weg. Er hatte noch keine fünf Schritte getan, als er Robert Greene traf.

Es gab kein Ausweichen.

«Siehe da, der lilienreine Knabe! William – nein, nein, sagt nichts, es fällt mir von selber wieder ein – Shakespeare.» Er legte seinen Arm um Wills Schulter. «Kommt und trinkt mit mir, junger Mann.»

«Ich kann Euch nicht begleiten, Master Greene. Ich –»

Der Arm glitt von seiner Schulter. «Dann kann ich auch nicht trinken. Ich habe nämlich kein Geld. Wohin geht Ihr?»

«Nach Holborn. Zum Southampton-Haus.»

Die kleinen Schweinsäuglein weiteten sich. «So, wohl eine Liebschaft mit einer der Dienstmägde des Grafen?»

Das Gefühl der Dankbarkeit war im Nu verflogen. «Nein, Herr. Ich besuche den Grafen von Southampton.»

Greene pfiff durch die Zähne. «So schnell so hoch? Ich habe Euch besser gedient, als ich dachte, Master Shakespeare.»

Die Zeit drängte, und das Gespräch mit diesem ungehobelten Trunkenbold, der *ihn* einen Bauernklotz schalt, verdroß ihn über die Maßen. Er sagte: «Ich bin Euch ewig dankbar, Herr, für Eure Anteilnahme und für die Einführung bei Richard Burbage, dessen

Lohnarbeiter ich jetzt bin, bei sechs Shilling in der Woche. Aber den Erfolg, den ich habe, verdanke ich dem ‹Geizhals Henslowe›. Und ihn kannte ich, bevor ich Euch kennenlernte. Ich hoffe, wir sehen uns wieder, Herr. Doch jetzt entschuldigt mich.» Er lüftete seine Kappe und eilte davon.

Robert Greene sah ihm beleidigt nach. Wie die meisten Menschen, die auf ihre barschen Reden stolz sind, war er tief verletzt, wenn andere barsch zu ihm sprachen.

Der Graf saß zurückgelehnt in einem großen Sessel. Er begrüßte Will mit einem matten Blick. «Ist die Welt nicht abscheulich langweilig, Master Shakespeare?»

Will verbeugte sich tief und schwenkte seine Kappe in einem weiten Bogen. Und während er sich langsam wieder aufrichtete, überlegte er, ob es ratsamer sei, dem Grafen beizupflichten oder ihm zu widersprechen.

Immerhin hatte der schöne Jüngling ihn diesmal mit *Master* Shakespeare angeredet. Er entschloß sich, ihm zu widersprechen. «Ich kann das nicht finden, gnäd'ger Herr.»

Der Graf machte eine unzufriedene Miene. Er beugte sich in seinem Sessel vor und schob die goldenen Locken zurück, die über seine linke Schulter herabhingen. «Könnt Ihr mir vielleicht sagen, warum *ich* die Welt langweilig finde, während Ihr, ein einfacher Schauspieler, sie nicht langweilig findet?»

«Ich bin nicht nur ein Schauspieler. Ich bin auch ein Poet, gnädger Herr.»

Southampton spitzte unmutig die Lippen. «Ich bitte Euch, was ändert das?»

Will schluckte. Dann sagte er mutig: «Für einen Poeten, gnäd'ger Herr, ist die ganze Schöpfung ein kurzweiliges Spielzeug: Wolken, Musik, Sommer und Winter, Worte, Worte. Ein Poet, gnäd'ger Herr, kann das Leben nie langweilig finden.»

Der Graf ließ sich davon nicht beeindrucken. «So», sagte er, «dann rezitiert mir doch einmal ein Poem.»

Nun wollte es der glückliche Zufall, daß Will das unvollendete Manuskript von ‹Venus und Adonis› bei sich trug. Er las daraus vor. Und als er danach aufblickte, lächelte der Graf.

Es war das erste Mal, daß Will den schönen Jüngling lächeln sah, und dieses Lächeln rührte ihn. Der mißmutige Zug in seinem Gesicht war ausgelöscht, und die Augen hatten ihren hochmütigen

Blick verloren. «Das habt *Ihr* geschrieben, Master Shakespeare?» fragte er. «Und ‹Richard den Dritten› auch? Und, wie man sich erzählt, auch ‹Heinrich den Sechsten›?»

Aber er wartete die Antwort nicht ab, sondern sprach unbekümmert weiter: «Ihr solltet mehr Poeme schreiben, Master Shakespeare. Jeder Schreiberling kann den Pöbel im Theater unterhalten. Aber Euer Poem zeugt von einem verständigen, anmutigen Geist.»

«Ich dank Euch, gnäd'ger Herr», sagte Will.

«James», rief der Graf nach einem kurzen Schweigen. Ein Diener erschien und trug einen Krug Wein und ein Glas herein. «Gieße Master Shakespeare ein Glas Wein ein», befahl der Graf. Der Diener reichte Will das Glas und zog sich zurück.

Will stand mit dem Glas in der Hand vor seinem schweigenden Gastgeber. Der Graf saß in seinem Sessel und betrachtete ihn. Will kam sich wie ein Bettler vor, dem man an der Tür ein Glas Wasser gibt. Er fühlte sich gedemütigt und ärgerte sich.

Drei Wege standen ihm offen. Er konnte dem Grafen den Wein ins Gesicht schütten. Was ohne Zweifel den sofortigen Tod bedeutete. Er konnte den Wein ablehnen. Doch damit verdarb er sich vielleicht seine Zukunft. Und er konnte das Glas mit Anstand leeren, sich verbeugen, seinen Hut schwenken, «Ich dank Euch, gnäd'ger Herr» murmeln und fortgehen, ohne Böses befürchten zu müssen.

Er wußte sogleich, welchen Weg er wählen würde. Er trank einen Schluck, dann noch einen und lächelte. Und da sprang plötzlich zu seinem Erstaunen der junge Mann von seinem Sessel auf, stellte sich neben ihn, legte den Arm um seine Schulter und lachte. «Oh, Master Shakespeare, Master Will, darf ich Euch Will nennen?» Er sah aus wie ein Knabe, der über seine eigene Kühnheit erschrickt. «Ihr seid soviel älter als ich.»

Das stimmte, dachte Will. Neben diesem zarten Jüngling kam er sich wie ein gesetzter älterer Mann vor. Stotternd erwiderte er: «Gewiß, gnäd'ger Herr. Ich würde mich sehr geehrt fühlen.»

Der Arm des Grafen ruhte noch auf seiner Schulter. Aber in seiner Hand hielt er noch immer das leere Glas. Und er sah nirgendwo ein Tischchen in dem mit Seide und Brokat ausgeschlagenen Raum. Zusammen schlenderten sie zur Tür. Der Graf sagte: «Ihr müßt Euer Poem einigen meiner Freunde vorlesen – Essex, Pembroke. Ich lasse Euch holen, alter Will!» Er klopfte ihm auf die

Schulter und schob ihn dem wartenden James zu, der ihm gottlob das Glas abnahm und ihn zur Tür geleitete.

Den ganzen Weg von Holborn bis zu seinem Logis in Bishopsgate ging Will wie auf Wolken. Graf Southampton, Graf Pembroke und sogar Graf Essex – die hellsten Sterne an Englands Firmament! Und er, William Shakespeare, würde ihnen seine Verse vorlesen! Aber danach, dachte er, mußte er ohne Verzug nach Stratford fahren. Es gab so vieles zu erzählen!

Über dem Besuch beim Grafen Southampton hatte er seine Begegnung mit Robert Greene ganz vergessen. Doch als er sich nun, auf dem Heimweg, wieder daran erinnerte, schämte er sich seiner Grobheit und erforschte sein Gewissen. Und wie immer sah er die Schuld bei sich und machte sich Vorwürfe, daß er einen Mann, der ihm einen Freundschaftsdienst erwiesen hatte und den er schätzte, so schnöde behandelt hatte. Er war vor ihm geflohen, als hätte er die Pest.

Er nahm sich vor, Greene zu besuchen und sich bei ihm zu entschuldigen. Er würde ihn in eine Taverne mitnehmen, ihn zu einem Krug Wein einladen und sich höflich seine eitlen, lärmenden Reden anhören.

Ja, das wollte er tun, sobald er aus Stratford zurückkehrte.

8

Hier nagt und sticht kein Feind
ihn nicht ...

Die Kinder wuchsen heran. Susanna, nun schon neun Jahre alt, war ein niedliches Mädchen mit blondem Haar und hatte, wie Anne fand, viel von dem Liebreiz ihres Vaters geerbt. Die Zwillinge waren sieben. Hamnet neigte zu mutwilligen Streichen und war oft trotzig und aufsässig. Ihm fehlte die väterliche Hand am meisten. Er ritt auf seinem Steckenpferd, das ihm jemand geschenkt hatte, der Vater heißt und der wie Gott unsichtbar und weit fort war. Aber Vater schickte manchmal Spielzeug und Naschwerk, was Gott, obwohl er ihn beim Abendgebet oft darum bat, noch niemals getan hatte.

Die kleine Judith machte Anne Sorgen. Sie war ein kränkliches, stilles, in sich gekehrtes Kind, sprach wenig, lernte schwer und sah immer blaß und elend aus. Es war, als hätte ihr fröhlicher Zwillingsbruder bei der Geburt alles Leben und alle Gaben an sich gerafft und ihr nur einen kümmerlichen Rest gelassen.

Doch nicht nur die Kinder wurden älter. John Shakespeare hatte zwar das Trinken aufgegeben, aber er war müde und hinfällig, und nichts erinnerte mehr an den stolzen Mann, der einmal Bürgermeister von Stratford gewesen war. Er ließ den Dingen ihren Lauf, und vieles entging ihm. Und obwohl er recht gute Geschäfte machte, hatte er noch immer einige Schulden. Oft klagte er, wie schwierig es sei, sich in der Welt zurechtzufinden. Er nahm wenig Anteil am Leben seiner Kinder, aber er erzählte jedem, der es hören wollte, daß Will in London bei den Adligen ein und aus gehe. Seine einzige Freude waren seine Enkelkinder. Er konnte ihnen stundenlang beim Spielen zusehen, wobei er sich oft die Tränen aus den Augen wischte. Er verwöhnte sie mit Zuckerwerk, sagte ihnen alte Kinderreime vor und gab ihnen kleine, lustige Rätsel auf. Er merkte nicht, daß er ihnen oft lästig war.

Mary Shakespeare hatte graues Haar bekommen und bewegte sich ein wenig steif. Im Gegensatz zu John war sie zu gescheit und zu selbständig, um ihr Herz zu sehr an ihre Enkelkinder zu hängen.

Sie hatte ihr eigenes Leben und ihre eigenen Sorgen. Sie mußte sich um ihren Mann, ihre Kinder, um das Geschäft und um ihren Haushalt kümmern und hatte mehr als genug zu tun. Anne und die Enkelkinder waren ihr immer willkommen, und oft saß sie abends mit ihrer Näharbeit bei Anne am einsamen Feuer und leistete ihr Gesellschaft. Aber sie mischte sich nie ein. Sie wußte nicht, warum ihr Sohn allein fortgegangen war und ohne Frau und Kinder in London lebte. Will war ein guter Junge. Wenn er und Anne beschlossen hatten, getrennte Wege zu gehen, konnte die Schuld nicht allein bei ihm liegen. Aber es half nichts, darüber nachzugrübeln. Sie wußte, daß es in einer Ehe mehr Strömungen und Gegenströmungen, mehr Strudel und Klippen, mehr Tiefen und Untiefen gab als in dem wilden Meer.

Und Anne? Anne war nun Mitte Dreißig. Die Jahre hatten ihre Spuren hinterlassen, aber sie hatten ihr auch mehr Sicherheit und Selbständigkeit gegeben, mehr Mut und Selbstvertrauen.

Oh, sie wußte, was die Leute redeten: ihre Familie habe Will zur Heirat gezwungen, und darum sei er auf und davon, für immer. Er lebe in einem Hurenhaus an der Themse, und er habe sich bei Hofe eingeschmeichelt – er habe ja stets zu hoch hinausgewollt. Er schicke ihr nie einen Penny, und John Shakespeare, der arme Teufel, müsse für sie und ihre Kinder aufkommen, obwohl er selbst nicht genug zu beißen habe. John schulde William Burbage noch immer sieben Pfund Sterling und habe auch bei anderen noch Schulden.

Ja, sie wußte, was die Leute redeten, aber sie kümmerte sich nicht mehr darum. Sie hatte ihr Häuschen und ihre Kinder. Und sie glaubte an Will. Sie hatte von Anfang an gewußt, daß er ihr nie ganz gehören würde. Und sie verstand ihn nicht. Niemand konnte ihn verstehen. Aber sie liebte ihn.

Und vertraute ihm. Er würde zurückkommen, wenn das, was er sich vorgenommen hatte, vollbracht war. Gewiß, sie fühlte sich sehr einsam, aber dennoch war sie glücklich auf ihre stille Art. Glücklich mit ihren Kindern. Glücklich über die Landschaft, die sie rings um sich sah, über die Schönheit der Natur im Wechsel der Jahreszeiten. Sie hatte von Will gelernt, alles mit dem Auge der Liebe zu betrachten: die Blumen, das Unkraut, Sonne, Mond und Sterne, die hübschen, pfeilschnellen Vögel, ja auch den feuchtglänzenden Wurm und der beschalten Schnecke zartes Horn.

Und nun, endlich, wurde ihr Vertrauen belohnt. Will hatte geschrieben, er werde kommen!

Ein jeder nahm die Nachricht auf seine eigene Weise auf. John Shakespeare erzählte allen seinen Kunden: «Mein Sohn William wird uns besuchen. Nun werden wir alle Neuigkeiten vom Hofe und sicher auch einiges über die neuesten Moden erfahren. Mein William wird bei Hofe sehr geschätzt.»

Mary freute sich, aber sie zeigte es nicht. «Es wird auch höchste Zeit», sagte sie. «Nein, John, wir werden kein gemästetes Kalb schlachten, wenn unser verlorener Sohn heimkehrt. Und solange er bei uns ist, soll er das feine Getue, das er sich in London vielleicht angewöhnt hat, nur ablegen. Wie groß er auch ist, ich werde nicht vergessen, daß ich ihm das Leben geschenkt und ihn an meiner Brust genährt habe.» Im Grunde ihres Herzens wußte sie jedoch, daß ihr Will immer der freundliche, liebende Sohn sein würde, der er stets gewesen war.

Die Kinder fürchteten sich. In Susannas Erinnerung war der Vater ein Wesen mit einem kratzenden Bart und einer tiefen dunklen Stimme, ein Fremder, der das Haus erfüllte und Mutters Aufmerksamkeit zu sehr in Anspruch nahm. Sie wollte nicht, daß er zurückkam. Hamnet, der sich seinen Vater wie Gott vorstellte, ängstigte sich vor dem schrecklichen Glanz, in dem er vom Himmel herabsteigen würde. Und die kleine Judith, die vor allem Angst hatte, was neu und ungewohnt war, weinte still vor sich hin.

Die Bürger von Stratford ließen sich ihre Neugier nicht anmerken, obwohl ein Besucher aus dem fernen London mindestens so aufregend war wie ein Tanzbär oder ein schwarzer Mohr auf dem Marktplatz. Zwar hieß es, der junge Mann sei in London ein Kavalier geworden, aber für sie war und blieb er der junge Will Shakespeare, der einst ein Mädchen aus Shottery entehrt hatte. Einem im Staube kriechenden reuigen Sünder konnte man verzeihen, aber ein Sünder, dem es wohl erging, hatte, so fanden sie, keinen Anspruch auf Vergebung.

Und Anne? Sie scheuerte das Haus, buk Kuchen, nähte den beiden kleinen Mädchen neue Kleider und kaufte für ihren Sohn ein blauseidenes Wams. Sie vergaß sogar die ihr anerzogene Sparsamkeit und kaufte sich einen kegelförmigen spanischen Reifrock und ein spitz zulaufendes Mieder – sie konnte nicht ahnen, daß in London inzwischen tonnenförmige Reifröcke Mode waren und daß Will sie in ihren schlichten Kleidern viel hübscher fand.

Ihr war ein wenig bange. Aber auch sie wußte, daß Will noch der alte sein würde, was immer er in London erlebt haben mochte. Wir sind, wie wir sind, war einer ihrer Lieblingsaussprüche. Und ihr Will war bestimmt der letzte, der sich änderte.

Will hatte sich für die Ankunft in Stratford so unauffällig wie möglich gekleidet. Er trug ein braunes Wams, eine braune Kniehose und braune Wollstrümpfe, einen ledernen Umhang und einen runden, schmucklosen Hut. Er sah aus, als stände er in Diensten eines Edelmanns und komme, um seines Herren Besitztümer zu besichtigen.

Er dachte daran, was er alles erreicht hatte, seit er das letzte Mal diesen Weg entlanggeritten war. Seine Stücke wurden in London in bis zum Bersten vollen Theatern gespielt. Seine Verserzählung ‹Venus und Adonis› war so weit gediehen, daß Richard Field sie bald drucken konnte. Und auch mit der ‹Komödie der Irrungen› kam er gut voran. Er hatte einflußreiche Freunde gewonnen: die Grafen Essex und Southampton, die fast täglich mit der Königin würfelten, tanzten und scherzten. Und die Schauspieler der wohl besten und versprechendsten Truppe, welche die Welt je gesehen hatte, zählten zu seinen Freunden: lauter gute Kerle, die ihm, bis auf den schandmäuligen William Kempe, von Herzen zugetan waren.

Oh, wie herrlich war das Leben, wie schön war es, Stücke zu schreiben, alles zu lesen, was einem in die Hände kam, Komödien für die Aufführung zurechtzustutzen, mit den Schauspielern zu bechern – wobei er freilich darauf achten mußte, daß er nicht zuviel trank, denn dann bekam der Wein seinem Magen nicht – oder den jungen Grafen zu besuchen, der ihn wie einen Freund behandelte.

Ja, Henry Wriothesley, der dritte Graf von Southampton, behandelte ihn wie einen Freund! Seine Gedanken eilten nach Stratford voraus, und plötzlich war ihm beklommen zumute. Er hätte viel früher heimkehren sollen. Und er hatte es auch jedes Jahr vorgehabt, aber die Jahre waren so schnell vergangen ... Nein, er verdiente kein herzliches Willkommen.

Himmel, wie weit der Weg nach Stratford war! Er schlummerte ein in der mittäglichen Stille. Sein Pferd trottete weiter. Als er aufwachte, sah er in der Ferne einen Kirchturm.

In ganz England gab es keinen zweiten Kirchturm wie diesen - standhaft, in sich ruhend, stolz und doch bescheiden, halb versteckt hinter dem dichten Laub der alten Bäume und mit den sanften Hügeln von Wilmcote im Hintergrund. Will spornte sein Pferd an. Er war glücklich. Er kam heim – fast wie ein Sieger! Ausgelassen galoppierte er auf dem von Bäumen gesäumten Weg dahin. Er kam heim, zu Anne, zu den Kindern, zu seiner Mutter, seinem Vater, seinen Geschwistern, zum Avon, zu seinem Häuschen und zu seinem Elternhaus in der Henley Street.

Er dachte an New Place, das stattliche Haus, von dem er manchmal träumte. Er wollte es sich, ohne Anne ein Wort davon zu sagen, in aller Ruhe ansehen. Hugh Clopton, der in London zum Bürgermeister aufgestiegen war, hatte es sich einst errichten lassen.

Die Dreifaltigkeitskirche rückte immer näher, und Will erreichte die ersten Häuser von Stratford. Er war daheim.

Er ritt über das Kopfsteinpflaster der Clopton-Brücke, dann weiter die Bridge Street entlang und bog am Marktplatz links in die High Street ein.

Alles war unverändert. Will war erstaunt, wie klein und freundlich die Stadt war. Aber nichts hatte sich verändert. Dort war noch immer Quineys Laden, inzwischen nur frisch angestrichen, und da das Geschäft seines Freundes Henry Walker, mit einem neuen Ladenschild. Und da war New Place. Aufgeregt betrachtete er das alte Herrenhaus. Es war so groß und stattlich, wie er es in Erinnerung hatte, aber leider ziemlich verfallen. Es würde viel Arbeit und Geld kosten, das Haus wiederherzurichten. Aber wahrscheinlich war es billig zu haben. In ein paar Jahren, wenn es so weit war, daß er es sich leisten konnte, würde er es für weit unter hundert Pfund bekommen.

Und da war der Chapel Lane, der Weg, der zum Fluß hinunterführte, und da sein Häuschen. Er betrachtete es verwundert. War diese winzige, bescheidene Kate wirklich sein Heim? Mit Schrecken wurde ihm bewußt, wie sehr sich seine Vorstellungen in London verändert hatten. Er dachte an das prächtige Southampton-Haus. Und selbst Richard Fields hohes, schmales Haus, das einzustürzen drohte und wie ein Betrunkener von den Nachbarhäusern gestützt wurde, sah im Vergleich zu dieser Hütte wie ein Palast aus. Er blickte zurück nach New Place. Dort wollte er eines Tages wohnen und den Sommer seines Lebens verbringen. Morgens würde er am Fluß spazierengehen, mittags ein Schläfchen halten oder ein Kegelspiel machen und abends mit der Familie musizieren oder mit Freunden ein Glas Wein in der Taverne trinken.

Aber bis dahin war noch viel Zeit. Noch war er der junge Will Shakespeare, der gleich seiner Frau gegenüberstehen würde, die er lange Jahre nicht gesehen und grausam vernachlässigt hatte. Seine

Gedanken kehrten in die Gegenwart zurück. Demütig hoffte er, Anne würde ihm ein besseres Willkommen zuteil werden lassen, als er es verdient hatte.

Sie öffnete die Tür.

Tausendmal hatte sie sich diesen so ersehnten Augenblick vorgestellt.

Tausendmal hatte sie auf ein Klopfen hin zitternd die Tür geöffnet und gedacht: Das könnte Will sein. Aber jedesmal war es nur ein Bettler gewesen oder ein Nachbar oder ein Händler, der Spitzen und Knöpfe feilbot. Tausendmal hatte sie nachts im Traum die Tür aufgerissen und Will erblickt. Aber jedesmal war beim Erwachen die unendliche Freude wie Schnee dahingeschmolzen und der schmerzenden Wahrheit gewichen. Oft hatte sie, wenn die Kinder schon im Bett lagen und die Einsamkeit und die Sehnsucht unerträglich wurden, die Tür geöffnet und auf die leere Straße hinausgestarrt und sich ausgemalt, wie es wohl wäre, wenn sie plötzlich seine Schritte hörte und ihn um die Ecke kommen sähe.

Und nun war er wirklich da, und ihr Haar hing ihr unordentlich in die Stirn, und das Wasser im Kessel kochte über, und Judith weinte, weil Hamnet sich den Arm an einem rostigen Nagel aufgerissen hatte, und sie, Anne, hatte kein Spinnennetz finden können, um es auf die blutende Wunde zu legen, so sorgfältig hatte sie zu Wills Empfang das Haus geputzt.

Sie öffnete die Tür, und das erste, was sie sah, war sein Lächeln. Sein altes, verschmitztes, liebevolles und verständnisinniges Lächeln. Ihre Lippen formten seinen Namen, aber ihr versagte die Stimme. Er zog sie in seine Arme, und zum erstenmal nach all den Jahren fühlte sie sich wieder sicher und geborgen. Sie blickten einander in die Augen, und was sie sahen, gefiel ihnen. Ein noch unsicherer junger Mann hatte von einer einfachen bäuerlichen Frau Abschied genommen. Ein reifer gewordener Mann, der in der aufregendsten Stadt der Welt Erfolg gehabt hatte, kehrte heim zu einer Frau, die durch den unbarmherzigen Alltagskampf stärker und selbstsicherer geworden war.

Sie klammerte sich an seinen Arm, als sie durch die Diele gingen. Sie hatte diesen Augenblick herbeigesehnt, aber ihr war auch bewußt, daß die Uhr weitertickte und daß nun unerbittlich die Minuten, die Stunden und die Tage verstrichen, die den Augenblick näher brachten, da Will sie wieder verlassen würde. Deshalb drückte sie seinen Arm noch fester an sich. «Ich habe den Kindern gesagt, sie sollen hier warten», sagte sie und öffnete die Tür zum Wohnzimmer. «Ich wollte dich ein paar Sekunden für mich allein haben.»

Er küßte sie wieder und lächelte. Und dann stand er seinen Kindern gegenüber, die ihn mit großen Augen ansahen. Susanna scheu, Judith furchtsam und Hamnet mißmutig. Susanna machte einen Knicks.

Als erster brach Hamnet das Schweigen. «Unten am Fluß liegt eine tote Katze», sagte er. «Sie hat lauter Würmer im Bauch.» Und da diese Stratforder Neuigkeit seinen Vater offensichtlich erheiterte, berichtete er ihm gleich die nächste: «Und Master Smith, dem Wirt von der Taverne, ist ein Faß auf den Fuß gefallen. Dabei hat er sich den großen Zeh gebrochen.»

«Genug, Hamnet», sagte Anne. «Nun laß auch deine Schwestern etwas sagen.»

Aber die beiden Mädchen blieben stumm. Und Will, der selten um Worte verlegen war, wußte auch nichts zu sagen. Er lächelte nur und nickte, als ob seine Kinder kleine Dänen oder Holländer wären und seine Sprache nicht verstünden.

Insgeheim wünschte er, die Kinder wären schon im Bett. In ihrer Gegenwart kam er sich vor, als spielte er eine Rolle auf der Bühne. Er wollte mit Anne sprechen, mit ihr allein sein.

Zu seiner Erleichterung sagte Anne jetzt: «Susanna, geh mit den Zwillingen auf die Wiese und spiel mit ihnen.»

«Aber Mutter», rief Hamnet, «hat Vater uns denn keine Geschenke mitgebracht?»

Will sagte: «Tu, was deine Mutter sagt, mein Kleiner. Geschenke gibt es später.»

Sie gingen hinaus. Gleich darauf hörte man, wie die Haustür mit einem lauten Knall ins Schloß fiel, und die Kinder jagten am Fenster vorbei wie vom Wind getriebene Blätter. Anne sagte: «Es sind brave Kinder, Will. Und Susanna ist schon eine richtige kleine Dame.» Sie lächelte ein wenig spöttisch. «Eine kleine Arden, vielleicht ...»

«Oh, Anne», stammelte er und zog sie an sich. Sie sahen einander ernst in die Augen, voller Liebe und Zärtlichkeit. Und dann wandten sie sich um und gingen schweigend hinauf in die niedrige Schlafkammer, wo die Sonnenstrahlen durch das überhängende Strohdach sickerten und die Spatzen schilpten und sie sich lange in den Armen hielten, während draußen die Kinder lärmend auf der Wiese spielten und ein langer, stiller Nachmittag sich dem Ende zuneigte.

In der Henley Street war, wie Will sah, alles unverändert. William Wedgwood, der Schneider, der mit zwei Frauen zusammenlebte und ständig mit den Nachbarn im Streit lag, hatte trotz seines liederlichen Treibens noch immer sein Geschäft. Auch Bradley, der Handschuhmacher und Konkurrent John Shakespeares, war noch da. Und ebenso Whateley, der Tuchhändler. Wehmütig erinnerte sich Will an die Bienenstöcke in Stadtrat Whateleys Garten und an den Duft von Honig und Wachs und Birnen und Äpfeln in Whateleys Vorratskammer hoch oben unter dem Dach. Und da war Hornbys Schmiede, wo er nach der Schule so oft herumgelungert und gebannt das Spiel der Flammen und Schatten betrachtet hatte. Alles war noch so wie einst, so wie es immer gewesen war. Er hatte in London gelebt, die Armada war gekommen und besiegt worden, die Pest hatte mehrmals die Städte und Dörfer Englands heimgesucht, die von Mönchen beherrschte Welt des Aberglaubens war versunken und eine Zeit des Wissens und der Vernunft war angebrochen, aber in der Henley Street ging alles unverändert seinen Gang. Und so würde es immer bleiben. Durch die neuen Entdeckungen verändert sich die Welt, ja sogar das Universum vor den Augen der staunenden Menschen, doch das Leben in Straßen wie der Henley Street änderte sich nicht.

Aber wenn die Zeit auch an der Henley Street vorbeiging, so doch nicht an ihren Bewohnern. Seine Eltern kamen ihm freudig entgegen, um ihn zu begrüßen, und bei beiden hatten die Jahre ihre Spuren hinterlassen. Sein Vater war beleibt und schwerfällig geworden, seine Mutter grauhaarig und langsam.

Er breitete die Arme aus. «Mutter! Vater!» rief er und küßte sie liebevoll.

«O Will», sagte seine Mutter lächelnd und umarmte ihn. «Aber wo ist Anne?»

«Sie meinte, ihr solltet mich zuerst allein sehen. Sie kommt ein wenig später mit den Kindern.»

«Du hast eine gute Frau, Will. Ich habe sie sehr liebgewonnen.»

«Sie dich auch, Mutter. Und auch dich, Vater. Nur sagt sie, daß ihr die Kinder zu sehr verwöhnt!»

«Jemand muß sie doch verwöhnen. Manchmal denke ich, Anne ist ein wenig zu streng mit ihnen, Will», sagte John Shakespeare.

«Das liegt daran, daß sie Mutter und Vater zugleich sein muß», sagte Mary in vorwurfsvollem Ton, schwieg aber sogleich, um ihren heimgekehrten Sohn nicht zu kränken. Außerdem ging es sie nichts an. Anne war zufrieden. Und Will mußte wissen, was er tat.

Will spürte den leichten Vorwurf, und er schmerzte ihn. Aber nun traten sie ins Haus. Und dort standen, ein wenig mißtrauisch und geniert, seine Brüder, um ihn zu begrüßen: der linkische Gilbert, der laut und mit kehliger Stimme sprach und lachte, der scheue Richard und der kleine Edmund, ein hübscher eitler Junge, nicht viel älter als Susanna. Will umarmte sie der Reihe nach. Und da war auch seine Schwester Joan. Sie kam in ihrem schönsten, mit Bändern und Spitzen besetzten Kleid herbeigetänzelt und sah ihn mit einem munteren Lachen in den Augen an. «So, Bruder Will, und nun erzähl uns von den Londoner Moden.» Sie fiel ihm fröhlich um den Hals, und er umarmte sie. Er liebte Joan sehr. Sie war so vergnügt. Und sie war so lebhaft wie das Sonnenlicht auf einem See. Sein Vater sagte: «Setz dich, Will. Wie wär's mit einem Becher Wein?» Dann fügte er traurig hinzu: «Ich trinke keinen Tropfen mehr. Man sagt, der Wein sei nicht gut für die Milz.»

«Ein kleiner Becher wird dir schon nicht schaden», sagte Mary. «Wir wollen alle einen Becher auf Wills Heimkehr trinken.»

John schenkte ihr einen dankbaren Blick. Dann goß er den Wein ein. Mary sagte: «Erzähl von deinem Leben in London.»

Nichts wollte er lieber tun. «Ich bin bei einer Schauspielertruppe, Mutter. Wir spielen im ‹Theater› in Shoreditch.»

«*Deine* Stücke?» fragte sie und strahlte voller Stolz auf ihren Sohn.

«Wir proben gerade –»

«Erzähl uns lieber von Hahnenkämpfen», rief Gilbert mit seiner rauhen Stimme dazwischen.

«Nein. Ich würde gern vom Hofe hören», sagte John.

Will erwiderte steif: «Ich war weder bei Hofe noch bei Hahnenkämpfen.» Doch dann tadelte er sich für seinen hochmütigen Ton und sagte einlenkend: «Aber ich habe gehört, Gilbert, daß die Königin begeistert ist von Hahnenkämpfen.»

Gilbert schlug sich auf die Schenkel und brach in ein heiseres Gelächter aus. «Ah, das glaub ich gern.» Anscheinend sah er in dieser Bemerkung mehr als die anderen. Er konnte sich gar nicht lassen vor Lachen.

Aber John Shakespeare war enttäuscht. «So, dann bist du also gar nicht bei Hofe, Will?» fragte er.

«Nein, Vater. Aber ich bin oft im Southampton-Haus gewesen. Henry – das ist der dritte Graf von Southampton – ist ein Freund von mir. Und Graf Essex auch.» Gott verzeih mir! dachte er. Er wollte wirklich nicht prahlen. Er wollte nur dem alten Mann eine Freude machen.

Und das gelang ihm auch. «Graf Essex!» rief John Shakespeare ehrfürchtig und goß sich ganz in Gedanken noch einen Becher Wein ein. «Man sagt –»

Aber nun mischte Joan sich ein. «Oh, ich habe ein Bild von ihm gesehen», sagte sie. «Das ist ein rechter Mann! Erzähl uns von ihm, Will.»

«Nein, erzähl uns von London», sagte Gilbert mürrisch. «Stimmt es, daß die ehrenwerten Bürger jede Nacht ihre Frauen austauschen, immer in der Runde?»

«Davon habe ich nichts bemerkt, Bruder», sagte Will lächelnd.

Gilbert machte ein enttäuschtes Gesicht.

«Und deine Stücke, Will?» sagte Mary Shakespeare. «Erzähl uns von deinen Stücken.»

«Gern, Mutter», sagte er eifrig. «Weißt du, meine Stücke sind nicht mehr als ein angenehmer Zeitvertreib für die Zuschauer. Aber ich arbeite an einem», fuhr er fort und sah plötzlich so aus, als sei er mit seinen Gedanken in weiter Ferne, «das handelt von einem Mann, dem der Geist seines Vaters erscheint. Und der Geist befiehlt ihm, er solle an seinem Oheim Rache nehmen . . .»

«Wie langweilig», sagte Gilbert. «Da würde ich lieber bei einer Hinrichtung zusehen. Warum schreibst du nicht eine unflätige, zotige Posse?»

«Gilbert!» sagte seine Mutter streng. Gilbert hatte nichts von einem Arden an sich, dachte sie. Er war durch und durch ein Shakespeare. Sie wandte sich Will zu und sagte lächelnd: «Beachte ihn nicht, Will. Er mag gern eine Posse oder Zotengeschichte, sonst schläft er.» Will nickte schweigend. Seine Mutter legte die Hand auf seinen Arm. «Ich bitte dich, sprich weiter.»

«Ist es der *junge* Graf Southampton, Will?» fragte John, nachdem er lange über diesen Punkt nachgegrübelt hatte.

«Ja, Vater.»

Der alte Mann grübelte weiter. «Stell dir vor, Frau», sagte er. «Unser Will kennt zwei Grafen! Ich hoffe nur, Will, du bist auch immer höflich und bescheiden.»

«Natürlich, Vater.» Er wandte sich seiner Mutter zu. «Ich habe drei Stücke über Heinrich den Sechsten geschrieben und –»

Die Tür öffnete sich, und der kleine Hamnet kam hereingestürmt. Susanna folgte ihm, und zuletzt trat Anne mit der kleinen Judith an der Hand ins Zimmer. «Ah, unser kleiner Schelm», rief John, als Hamnet vor ihm niederkniete, um den großväterlichen Segen zu empfangen. «Unser hübscher kleiner Schelm!» Mary stand auf und ergriff die Hände ihrer Schwiegertochter. «Ist es nicht schön, Liebes, ihn wieder daheim zu haben?» Die beiden Frauen lächelten einander liebevoll und traurig an. Anne hörte die Uhr ticken, und Mary dachte, nun werde ich ihn keinen Augenblick mehr für mich allein haben. Und es gab so vieles, was sie ihn gern gefragt hätte, so vieles, was er nur ihr gesagt hätte. Sie erinnerte sich an die lange zurückliegende Nacht, als er aus London zurückgekommen war, um Anne zu heiraten, und sie lange vor dem erlöschenden Feuer miteinander gesprochen hatten. Nie war sie ihrem lieben, aber irgendwie doch auch fremden Will näher gewesen als in jener Nacht.

Es war eine richtige kleine Familienfeier. Sie saßen zu elft in dem niedrigen warmen Zimmer, und es gab Kuchen und Schleckereien. Die Kinder tobten und lachten und weinten. Edmund und Richard gerieten sich in die Haare und droschen aufeinander los. Und immer wieder erfüllte Gilberts schallendes Gelächter den Raum.

Für die meisten Menschen wäre dieses Gedränge und Durcheinander der Himmel auf Erden gewesen. Aber nicht für Will. Er wurde immer wortkarger, und bald beachtete ihn niemand mehr außer Anne und seiner Mutter, die ihm beide zärtliche und bewundernde Blicke zuwarfen.

Dabei wollte er gern an den Gesprächen teilnehmen. Nichts lag ihm ferner, als hochmütig dazusitzen. Aber es ging nicht. Er hatte die Kunst des Plauderns verlernt.

Und er war es auch nicht mehr gewohnt, daß man ihn nicht beachtete. Wenn in London William Shakespeare sprach, hörte man ihm achtungsvoll zu. Und wenn er nicht sprach, fragte man ihn nach seiner Meinung. Seine Gedanken wanderten nach London. Im Theater war jetzt gerade die große Pause. Die Lohnarbeiter würden herumgehen, um Bier in Flaschen und Quitten zu verkaufen. Im Parterre gab es sicher irgendwo einen Streit, und unter den Adligen in den Logen griff ebenso sicher der eine oder andere nach seinem Dolch. Und dann kam der nächste Akt, und plötzlich wurde alles wieder still. Die Zuschauer blickten wie gebannt auf die Bühne, entzückt und verzaubert, neugierig, wie es weiterging, und brachen zuweilen in beifälliges Gelächter aus – ein himmlischer Laut für einen Schauspieler oder für den Dichter des Stückes, und doppelt himmlisch für jemanden, der beides war. Oder die Zuschauer verloren die Geduld mit einem Tölpel auf der Bühne und riefen ihm zu, daß er in eine Falle ging. Oder sie schwiegen entsetzt, wenn hinter dem Rücken des arglosen Opfers der Dolch durch den Vorhang drang. Und wenn dann die Spannung unerträglich wurde, riefen sie: «Paßt auf, Master Burbage! Dreht Euch doch um, Mann!» Allmächtiger, *das* war Leben! Der Dichter, die Schauspieler, die Helfer und die Zuschauer – alle verzaubert und in eine Traumwelt versetzt. *Das* war sein Leben, und ohne dieses Leben würde er dahinsiechen und sterben. Er mußte nach London zurück. Er wollte um Annes willen noch ein paar Tage bleiben, aber dann mußte er nach London zurück. Hier gehörte er nicht mehr her, und es würde ihn auch niemand vermissen. Niemand außer Anne. Und außer seiner Mutter natürlich. Er blickte zu ihr hinüber. Sie lächelte und winkte ihm zu. Welch ein kluges Gesicht, dachte er. Eines Tages ... Er stand auf, ging durchs Zimmer, legte den Arm um ihre Schulter und rieb seine Wange an der ihren. «Eines Tages, Mutter, werde ich ein Stück schreiben über eine Frau wie dich.»

Mary lachte. «Und wie wirst du mich in deinem Stück nennen?» fragte sie.

Will schwieg. Mary hatte ihn schon oft so gesehen – irgend etwas ging in ihm vor. Es war, als fiele ein Vorhang. Eben noch war er der fröhliche Will gewesen, und nun war er plötzlich weit fort in einer anderen Welt und auf eine fast hochmütige Art blind für alles, was um ihn herum geschah. Doch dann war er plötzlich wieder da, und ein Lächeln leuchtete in seinem Gesicht auf. «Einen *hübschen* Namen möchte ich dir geben, Mutter. Welchen willst du? Rosalinde oder Portia? Oder vielleicht Olivia?»

Mary war entzückt. «Sag sie noch einmal, diese Namen, Will.»

Er tat es, erstaunt und erfreut. Die weichen Silben hatten etwas Schwebendes wie sanfte Glockenklänge. Mary legte ihre Hand auf die seine. «Als du ein kleiner Junge warst, strich ich dir, wenn du weintest, ein wenig Honig auf die Lippen. Ich hätte mir nie träumen lassen, daß der Honig so lange bleiben würde.»

Er lächelte. Und war wieder weit fort. Olivia! Welch ein lieblicher Name. Ein Jüngling, der eine Olivia liebt und ihren Namen an die Hügel hallen läßt. Oh, das war gut, dachte er. ‹Ich ließe Euren Namen an die Hügel hallen, daß die vertraute Schwätzerin der Luft Olivia schrie.› Das war wirklich gut. Er sollte schreiben, statt dem Geschwätz der anderen zu lauschen!

Seine Mutter ermahnte ihn: «Sei vorsichtig, Will. Der Glanz von Männern wie Essex und Southampton kann eines armen Falters Flügel leicht versengen.»

«Ich weiß», sagte er. Er hatte selbst oft daran gedacht. Und auch Anne hatte ihn gewarnt. «Will, fliege nicht zu hoch», hatte sie ihm nachts ins Ohr geflüstert. «Männer wie Essex machen mir Angst. Wie damals der Graf von Leicester. Und ich hatte recht.»

Er war aufgewacht von ihren Worten, während draußen Morgennebel vom Fluß aufstieg, und hatte versucht, ihre Ängste zu beschwichtigen. Aber sie hatte recht, so wie seine Mutter recht hatte. Wenn Männer wie Essex stürzten, dann rissen sie im Sturz alle mit, die ihnen nahestanden. Aber was konnte er tun? Ein Poet, der einem Grafen die Freundschaft aufkündigte, begab sich in Gefahr. Außerdem brauchte er einen Gönner. Und Southampton zog ihn auf eine sonderbare Art an. Schon jetzt liebte er den reizenden, wetterwendischen Jüngling wie einen Sohn – vielleicht würde er auch Hamnet eines Tages so lieben, wenn der Junge ein wenig älter war. Und Southampton behandelte ihn, von seinem zuweilen aufblitzenden Hochmut abgesehen, wie einen verehrten Vater, mit dem man ungeachtet seines Alters plaudern und scherzen konnte. Seine Freundschaft war Will sehr wertvoll.

Andererseits bedeutete Freundschaft mit Southampton auch Freundschaft mit Essex. Und Essex war ein andersgearteter Mann. Will fühlte sich von ihm angezogen und abgestoßen. Southampton war trotz seines Hochmuts und seines launischen Wesens nicht gefährlich. Bei Essex war das anders. Essex besaß zwar eine große, persönliche Anziehungskraft, aber er war von einem wilden, aufrührerischen Wesen. Und die Frage war, wohin das noch führen würde.

In der Frühe eines Sommertags in Stratford hatte Will mit erschreckender Klarheit die gebrochenen Augen junger Männer vor sich gesehen, die auch einmal so fröhlich und unbeschwert gewesen waren wie Essex und Southampton, ehe das Wort *Verrat* ihre Lippen verbrannt hatte. Und da war ihm der Wunsch gekommen, für immer bei Anne zu bleiben, in der Geborgenheit ihrer Arme, im Schutz des behaglichen Strohdachs.

Aber er wußte, daß dies unmöglich war. Er konnte nicht in Stratford bleiben. Er liebte seine Familie. Aber seine Seele versuchte verzweifelt sich emporzuschwingen, während die anderen mit ihrem Dasein glücklich und zufrieden waren. Er mußte fort. Obwohl ein Teil von ihm sich nach sicherer Geborgenheit sehnte.

Doch um Annes willen blieb er noch.

Manchmal, wenn sie mit den Kindern am Fluß spazierengingen oder nach dem Abendessen allein beisammen saßen, vergaß sie das Ticken der Uhr, und ein nie gekanntes Glücksgefühl erfüllte sie. Dann schalt sie sich dafür, daß sie immerfort angstvoll an künftige Schicksalsschläge dachte und sich damit die Gegenwart vergällte. Aber kaum war es Zeit, zu Bett zu gehen, wurde sie wieder traurig, weil sie sich sagte, daß nun ein weiterer glücklicher Tag zu Ende ging und daß ihr kleiner Vorrat bald erschöpft war.

Eines Tages sagte Will: «Anne, ich bin ein schlechter Vater. Hamnet ist mein Sohn und Erbe, und ich kenne den kleinen Kerl kaum. Zieh ihn hübsch an, er soll mich auf meinem Spaziergang begleiten.»

Sie machten sich auf den Weg. Will sagte: «Oh, da ist ja eine Wasserratte. Siehst du ihre wachen Augen und ihre langen Schnurrhaare? Ist sie nicht hübsch?»

Hamnet sagte: «Aber es ist eine Ratte, und wenn ich einen Stein hätte, würde ich ihr den Kopf einschlagen!»

Will lachte. «Welch ein Glück, daß ich keine Ratte bin! Sonst würdest du mir auch den Schädel einschlagen.»

Der Junge fand diesen Gedanken sehr komisch. Will sagte: «Warum würdest du eine Ratte töten und einen Menschen nicht?»

«Du bist mein Vater, und wer seinen Vater tötet, der kommt ins Höllenfeuer.»

«Ich glaube, die Ratte würde diese Begründung nicht gutheißen.»

Sie gingen weiter. Soviel Gerede um eine Ratte! dachte Hamnet. Vielleicht machte das Leben in London die Menschen zimperlich. Trotzdem, sein Vater gefiel ihm. Es war schön, noch einen Mann im Haus zu haben. Als einziger Mann in einem Frauenhaushalt trug er schon eine ziemlich große Verantwortung, und wenn er es auch nie laut zugegeben hätte, so war er doch froh, sie mit einem anderen teilen zu können. Er schob seine Hand in die große,

schützende Hand seines Vaters. «Frauen sind langweilige Geschöpfe», sagte er seufzend.

«So, meinst du?» erwiderte Will, der Frauen alles andere als langweilig fand. «Du wirst deine Meinung noch ändern, Hamnet.»

«Ach, denen ist doch vor ihrem eigenen Schatten bange», sagte
Hamnet. «Ich glaube nicht», meinte er nachdenklich, «daß ich mich
vor irgend etwas in der ganzen weiten Welt fürchte.»

«Auch nicht vor Großmutter Hathaway?»

«Vor Großmutter Hathaway vielleicht ein *bißchen*. Aber sonst
vor niemandem.»

«Du bist ein mutiges Kerlchen», sagte Will. Er war glücklich. In
diesem Augenblick gab es weder Vergangenheit noch Zukunft für
ihn, sondern nur die Gegenwart, die so vollkommen war wie eine
Kristallkugel. Rings um ihn blühten die Wiesenblumen. Hahnen-
fuß und gelbe Schwertlilien leuchteten im feuchten Gras. Das grüne
Schilf glich auf und nieder gehenden Schwertern. Und auf dem
lieblichen Avon schwammen stolze Schwäne. In seiner Hand ruhte
die warme, lebendige kleine Hand seines Sohnes, in seinem Ohr
klangen die kühnen Reden des kleinen Prahlers nach. Mein Gott,
wie schön war es, mit beiden Beinen fest auf dem Boden zu stehen.
Wie schön war es, einen gesunden Sohn zu haben, eine liebende
Frau, die einen umsorgte, und ein Heim, wo man nahm, was man
bekam, und es gut fand. Wie schön war es, einmal nicht Gast in
einem Logis zu sein und nicht gefragt zu werden: «Trinkt Ihr einen
Becher Wein zu Eurem Abendessen, Master Shakespeare?» *Hier*
war er daheim, hier, wo er fest auf der roten Erde stand und seinen
Sohn an der Hand hielt. Er zog Hamnet an sich und strich ihm mit
der Hand über seinen blonden Schopf. «Freust du dich, wenn dein
Vater daheim ist?»

«Ja, Vater.»

«Warum?»

«Die Frauen sind so ängstlich. Es ist schön, wenn noch ein Mann
im Haus ist, der sie beruhigt, wenn sie sich fürchten.»

«Oh, Hamnet», sagte er lachend. «Solange sie dich haben, brauchen sie einen Feigling wie mich nicht.»

«Du bist kein Feigling. Du bist der tapferste Mann, der je gelebt
hat, Vater.»

Will seufzte. Wie gern wäre er's gewesen! «Warum, Hamnet?»

«Weil du mein Vater bist.»

Schweigend gingen sie weiter. Mittägliche Stille umgab sie.

Über dem Wasser des Avon schwirrten schimmernde Libellen. Die alten Weiden träumten vor sich hin. Überall duftete es nach frischem Grün. Und in London gab es nur Gestank, Schmutz, Lärm.

Ein angesehener Handschuhmacher, ein geachteter Vater und ein geliebter Ehemann. Ein Mann, der Freunde hatte: die Walkers, die Sadlers, die Quineys – gute, ehrbare Kaufleute und ihre treusorgenden Ehefrauen, die angesehensten Bürger von Stratford. All dies war noch möglich. ‹Mich dünkt, es wär ein glücklich Leben ...› Hier konnte er ein großer Fisch in einem kleinen Teich sein. Während er in London nur eine Sprotte unter Hechten war, unter Hechten mit scharfen Zähnen.

Doch nein, er konnte hier nicht leben. Und an diesem Abend sprach er die Worte aus, vor denen Anne sich die ganze Zeitlang gefürchtet hatte. «Ich muß zurück nach London, Anne. Ich habe dort viel zu tun.»

Sie erbleichte. «Wann, Will?»

«Morgen.»

So bald? Aber ihr blieb noch ein Abend, noch eine Nacht, die sie, eng aneinandergeschmiegt, gemeinsam in der Dunkelheit unter dem schützenden Strohdach verbringen würden. Eine Nacht war lang, wenn man nicht schlief, und heute nacht durfte sie nicht schlafen – das Erwachen wäre zu bitter. Sie wollte ihren Will die ganze Nacht hindurch in den Armen halten, ehe er ihr am Morgen abermals wie ein Irrlicht entglitt.

Mit strenger Stimme sagte sie zu ihm: «Als du das letzte Mal fortgingst, bat ich dich, daß du uns oft besuchst. Aber du hast uns vier lange Jahre warten lassen. Es darf nicht wieder so lange dauern, Will.»

«Ich werde bald wiederkommen.»

«Bald?» Annes Herz schlug höher.

«Im nächsten Sommer. Ich habe es mir vorgenommen. Wenn alles gutgeht, wie ich's mir erhoffe, kann ich's mir leisten, Ferien zu machen.»

Im nächsten Sommer. Das war früher, als sie erwartet hatte. Und war doch eine Ewigkeit. «Und wenn *nicht* alles so geht, wie du es dir erhoffst?»

«Dann komme ich trotzdem. Die Stadtväter von London werden schon einen Grund finden, die Theater zu schließen. Sei es, daß die Pest ausbricht oder daß es einen Aufruhr gibt.»

«Dann muß ich Gott also bitten, daß er die Pest oder einen Auf-ruhr schickt», sagte sie schroff.

Er sah sie hilflos an, kniete vor ihr nieder und vergrub sein Ge-sicht in ihrem Schoß. «O Anne, Anne, ich bin dir ein schlechter Ehemann gewesen. Und du hast mir nie einen Vorwurf gemacht.»

Sie hob seinen Kopf. «Ich habe dir nichts vorzuwerfen. Ich wuß-te, wie es sein würde. Ich wußte, daß ich keinen gewöhnlichen Mann heiratete.»

Er blickte erstaunt zu ihr auf. «Aber Anne, ich bin ein Mann wie alle anderen.»

«Bist du das wirklich?» Sie sahen einander ernst in die Augen. Schließlich sagte sie: «Ja, du bist wie alle anderen. Aber du hast etwas Besonderes. Du hast –» Sie ließ hilflos die Schultern sinken. «Du hast etwas, was eine einfache Frau wie ich nie begreifen wird. Du hast etwas Erhabenes.»

«Etwas Erhabenes? Ich?» rief er und umarmte sie lachend.

«Ich habe immer gewußt, daß du mir nie ganz gehören wirst ...»

Will schlief tief und fest. Anne betrachtete die blinkenden Sterne, hörte den Schrei der Eule und bei Morgengrauen den ersten Hah-nenschrei. Der Tag brach viel zu schnell an. ‹O Gott!› dachte sie. ‹Mich dünkt, es wär ein glücklich Leben, nichts Höher's als ein schlichter Hirt zu sein ...›

So viele Menschen hatten Will in ihr Herz geschlossen: seine Frau, seine Mutter, Richard Field, die Schauspieler und sogar der wetterwendische Graf von Southampton. Aber nun hatte er jeman-den, der ihn mehr bewunderte als sie alle, und das war sein Sohn Hamnet.

Nach ihrem gemeinsamen Spaziergang war ihm der Junge wie ein Hündchen auf Schritt und Tritt gefolgt und hatte begeistert an seinen Lippen gehangen. Für Hamnet, der in einem Frauenhaushalt aufwuchs, war ein erwachsener Mann, der mit einem um die Wette lief und Fangen spielte, wenn niemand zusah, und der mit einem über Frauen und Ratten sprach, als wäre man selbst schon ein Er-wachsener, etwas Neues und Wunderbares. Und als er erfuhr, daß dieser *Freund* – und wer hätte gedacht, daß ein Vater ein Freund sein konnte? –, daß dieser Freund und Gefährte ihn so schnell verließ, war er untröstlich. Er weinte nicht. Das taten nur Frauen. Er gräm-te sich still und sprach mit niemandem über sein Unglück.

Und Will ritt wieder nach London. Doch diesmal war er nicht so heiter und beschwingt wie das letzte Mal. Es war ihm schwergefallen, Stratford zu verlassen. Und aus einem unerklärlichen Grunde war er von bangen Ahnungen erfüllt. Ihm war zumute wie einem Mann, der einen Berg erklimmt und die Menschen im Tal beneidet, auch wenn er weiß, daß sie nie den Gipfel erreichen werden.

Er zuckte mit den Schultern. Sicherlich hatten ihn nur die Warnungen der Frauen, er solle sich nicht mit den Mächtigen einlassen, unsicher gemacht. Aber er konnte das Gefühl nicht abschütteln. Er blickte zurück auf das friedliche Stratford, wo aus den Schornsteinen der Rauch langsam und steil in die klare Morgenluft aufstieg. Anne wusch jetzt wohl die Wäsche, sein Vater baute den Marktstand auf, und seine Mutter überlegte sich wahrscheinlich, was sie kochen sollte. Und Hamnet?

Ja, da lag's. Er liebte seine Heimat, die Blumen, die Bäume, die Rehe und die Hasen, die furchtsamen Mäuse und die singenden Vögel. Diese Liebe war in sein Wesen eingewebt. Doch nun hatte sie sich um einen kräftigen, aber verletzlichen kleinen Jungen kristallisiert. Mit seiner rührenden Ergebenheit hatte Hamnet seines Vaters Herz erobert. Väter waren dazu da, um zu lenken, zu tadeln und zu strafen. Und die Söhne mußten ihren Vätern gehorchen und ihnen Respekt erweisen. So hatte Will bisher immer gedacht. Die plötzliche Liebe zwischen Vater und Sohn war für ihn etwas gänzlich Unerwartetes und Bezauberndes, und sie machte ihm die Rückkehr nach London noch schwerer.

Und Anne? In der Nacht hatte sie, die sonst so beherrscht war, sich an Will geklammert und gerufen: «Geh nicht fort, Will! Verlaß mich nicht!»

Und er hatte sie fest an sich gedrückt, wortlos und mit wundem Herzen. Er mußte fort. Er wußte es. Und sie wußte es.

9

Oh, welch ein Schurk'
und niedrer Sklav' bin ich ...

Im September jenes Jahres starb Robert Greene. Er hatte sein Leben lang zuviel Rheinwein getrunken und zu viele Pickelheringe gegessen. Und diese Vorliebe bezahlte er nun mit einem frühen Tod.

Er starb, wie er zuletzt gelebt hatte – in Armut, Elend und Einsamkeit.

Nur die Frau, bei der er wohnte, beweinte ihn. Sie holte draußen an einem Feldweg Lorbeerblätter, band sie zu einem Kranz und schmückte damit das Haupt des toten Poeten, der nun, obwohl er auf einem schmutzigen Sterbebett in einer übelriechenden Dachkammer lag, wie ein auf dem Marktplatz bekränzter alter römischer Dichter aussah.

Er war mit Haß im Herzen gestorben. Und unglücklicherweise hatte dieser Haß sich ganz besonders gerade gegen einen der liebenswertesten Menschen gerichtet, nämlich gegen William Shakespeare.

Ja, alle liebten und bewunderten den reizenden Will, den freundlichen Master Shakespeare. Und er genoß es. Sein Königsdrama ‹Richard III.› war ein großer Erfolg. Und ebenso seine Tragödie ‹Titus Andronicus›. Dabei hatte er beide Stücke nebenher geschrieben, zwischen Proben und Auftritten im Theater oder wenn er abends in seinem Logis auf sein Mahl wartete. Weit mehr lag ihm sein Poem ‹Venus und Adonis› am Herzen. Von diesem Werk, das sein Freund Richard Field drucken wollte, erhoffte er sich den ersehnten Ruhm. Außerdem wollte er durch eine kühne Widmung gleich drei Fliegen mit einer Klappe schlagen: eine Dankesschuld abtragen, den Verkauf seines Buches fördern und sein eigenes Ansehen erhöhen.

Aber für einen war er nicht ‹der liebe Will›. Als er eines Tages zu einer Vorprobe in die Taverne kam, waren die Schauspieler schon alle versammelt und Kempe, der auf der Bühne stets die Rolle des Narren spielte, las ihnen mit höhnischer Freude etwas vor.

Als sie Will erblickten, wurden sie verlegen. Burbage sprang auf

172

und rief: «Ah, da bist du ja, Will.» Condell bedachte ihn mit einem mitleidigen Blick. Heminge schob ihm eifrig einen Schemel hin. Aber Kempe beugte sich über den Tisch und starrte ihm mit einem gehässigen Blick ins Gesicht. «Weißt du eigentlich, Will, daß Robert Greene dich in seinem Testament erwähnt?»

Will schwieg. Ihn peinigte sein schlechtes Gewissen. Er hatte gleich nach seiner Rückkehr aus Stratford Robert Greene besuchen und einen Abend mit ihm in der Taverne verbringen wollen. Aber immer wieder war etwas dazwischengekommen, und immer wieder hatte er den Besuch bei Greene auf den nächsten Tag hinausgeschoben, bis er plötzlich zu seinem Leidwesen hörte, daß es für Greene keinen nächsten Tag mehr gab. Greene war tot, und Will konnte sein grobes Betragen nie wiedergutmachen.

Aber ein Testament? Greene war, wie jeder wußte, in Armut und Elend gestorben, und das hämische Grinsen in Kempes käsebleichem Gesicht verriet deutlich, daß es kein angenehmes Vermächtnis war.

Kempe überreichte ihm das Testament mit einer tiefen Verbeugung.

Es war ein gedrucktes Pamphlet, in dem der Dichter mit all der Bitterkeit eines todkranken und verarmten Mannes seine Freunde vor den Schauspielern warnte, die mehr durch die Stücke verdienten als die Dichter. Vor allem aber warnte er seine Leidensgenossen vor einem «Emporkömmling, einem Raben, der sich mit unseren Federn schmückt, der sich mit seinem in der Haut eines Mimen verborgenen Tigerherzen für ebenso fähig hält, einen Blankvers auszuschmücken wie die Besten von Euch. Er ist ein rechter Hansdampf in allen Gassen, der sich einbildet, er sei der einzige Bühnenerschütterer im ganzen Land.»

Das war grausam. Und ungeheuer ungerecht. Will sagte kein Wort. Ein Schlag ins Gesicht hätte ihn nicht mehr verletzen, ihn nicht mehr verwirren können. Kempe wandte sich auf seinem Stuhl um, legte den Arm über die Rückenlehne und stützte das Kinn auf den Arm. «Nun, Master Bühnenerschütterer?» spottete er.

«Sei still, Kempe», herrschte Burbage ihn an. Er verabscheute Ungerechtigkeit und Grausamkeit. Und er schätzte William Shakespeare und achtete ihn. Außerdem mußte er seine Schauspielertruppe zusammenhalten. Es durfte nicht geschehen, daß ein beliebter Komödiant wie Kempe und ein so nützlicher Hansdampf in allen Gassen wie Shakespeare sich im Streit gegenseitig umbrachten.

Und jetzt, nach Greenes frühem Tod, fehlte es in London an Männern, die flink ein leidlich gutes Stück zusammenschreiben konnten. Es sah fast so aus, als könnte nur Will Shakespeare diese Lücke füllen.

Will blickte in die Runde. Alle sahen ihn freundschaftlich, mitfühlend und aufmunternd an. Nur Kempes Augen funkelten vor Haß, als er sich wieder an Will wandte: «Ist denn unser Bühnenschütterer zur Hochzeit von Master Alleyn und Mistress Joan Woodward im nächsten Monat eingeladen? Schließlich müßte der Bräutigam ihm dankbar sein. Gewiß hat doch unseres Bühnenschütterers ‹Heinrich der Sechste› den Hochzeitsschmaus bezahlt – oh, und die Mitgift der Braut.»

Das war eine für die anderen bestimmte hinterlistige Erinnerung daran, daß sie Will nicht immer als ihren ‹lieben Will› betrachtet hatten. Doch Kempe war damit noch nicht am Ende. Nachdenklich fuhr er fort: «Aber vielleicht ist der gute Ned ihm gar nicht so dankbar. Vielleicht entdeckt er, daß schon ein anderer in seinem Teich gefischt hat.»

Zorn stieg in Will auf, ohnmächtige Wut. Als er Joan Woodward das letzte Mal gesehen hatte, war sie noch ein Kind gewesen, ein Mädchen von zwölf Jahren, und er schon ein reifer Mann. Kempes niederträchtige Anspielung verursachte ihm Übelkeit.

Er hätte ihn gern zur Rede gestellt. Aber da ein Kavalier auf solche Bemerkungen einem ungeschriebenen Gesetz nach nicht mit Worten, sondern nur mit dem gezückten Dolch antworten konnte, zog Will, der um jeden Preis als Kavalier gelten wollte, bebend seinen Dolch aus dem Gürtel und erhob ihn gegen das höhnisch grinsende Gesicht. Freilich war er unendlich erleichtert, als Condell ihm blitzschnell den Arm umdrehte und Burbage ihm die Waffe entwand.

Schweigen, als Condell seinen Arm losließ. Schweigen, als Burbage ihm mit finsterer Miene den Dolch zurückgab. Schweigen, als er, Will, zögernd die Taverne verließ und an der Tür die steinernen Blicke der anderen auf sich gerichtet sah. Gewogen und zu leicht befunden. Ein Schwadroneur und Hasenfuß. Sie alle hätten dem prahlerischen William Kempe eine Dolchwunde in der Wange gegönnt. Und Will hatte diese vom Himmel gesandte Gelegenheit ungenützt verstreichen lassen. Sie fühlten sich betrogen. Jeder von ihnen schätzte das Spektakel eines handfesten Streits. Will hatte sie bitter enttäuscht.

Will ging nach Hause, um sich vor der Welt zu verstecken. Die Schauspieler, dachte er, hatten ihn durchschaut, hatten hinter dem Charme und der Freundlichkeit den wahren William Shakespeare erblickt: einen Feigling, der schon bei dem Gedanken an Blutvergießen erstarrte, der zu furchtsam war, um seine Ehre zu verteidigen. Kein Wunder, daß alle ihn verachteten! Kein Wunder, daß Greene mit Haß und Verachtung im Herzen gestorben war. Oh, wie erbärmlich! Ein plumper Bursche, der sich einbildete, er könnte seine Schulweisheit mit der Gelehrsamkeit eines Greene oder Marlowe vergleichen und sich bei Grafen und edlen Herren einschmeicheln! Seinem Stolz war eine herbe Lektion erteilt worden. Ganz London würde sich über den «Emporkömmling», den «Bühnenerschütterer» lustig machen. Er mußte sich verkriechen. Nein, niemand liebte ihn. Niemand außer Anne, der süßen Anne, und dem kleinen Hamnet. Ja, Hamnets kindliche Verehrung hätte ihm jetzt wohlgetan. Der Junge liebte ihn von Herzen ...

Stratford! Heimweh überkam ihn, und er empfand es wie einen stechenden Schmerz. In Stratford legten jetzt Büsche und Bäume ihr Herbstkleid an. Und Anne trug die Holzscheite für den Winter ins Haus. Wie sehnte er sich nach seinem sicheren, stillen, behaglichen Heim! Wie gern wäre er jetzt am ruhigen Avon dahingeschlendert! Wie gern hätte er jetzt Hamnets kleine, vertrauensvolle Hand in der seinen gefühlt! Warum hatte er jenen friedlichen Hort verlassen? Dort, in Stratford, wäre er jetzt ein geachteter Bürger. Und vielleicht hätte er eines Tages sogar wie sein Vater ein öffentliches Amt übernehmen können. Das wäre ein solider Aufstieg gewesen. Was bedeuteten schon ein paar Stücke? Zeitvertreib für den Pöbel! Und was bedeutete es schon, bei einer Aufführung Verse eines anderen Dichters aufzusagen? Ein Schauspieler war in den Augen der Leute ein Vagabund und wurde von den Stadtvätern verachtet, vertrieben und verfolgt! Wie konnte man auf solch einem Beruf sein Leben aufbauen!

Seine Niedergeschlagenheit hielt den ganzen Winter über an. Es war kalt in London. Wochenlang lag Schnee, aber kein sauberer, glitzernder Schnee wie in der Grafschaft Warwick, kein Schnee, der die Bäume in schimmernde Seide kleidete, sondern ein nasser, vom Straßenkot schmutziger Schnee. In den Häusern war es feucht und kalt wie in Grabgewölben, sobald man sich ein paar Schritte vom wärmenden Kaminfeuer entfernte, und die kurzen Tage waren düster und trostlos, weil Wolken und Nebel die Sonne verdunkelten. Es war ein garstiger Winter. Jeder sagte das. Aber William Shakéspeare erschien er so garstig wie kein Winter zuvor in seinem Leben.

Der Drucker des Pamphlets von Robert Greene hatte die Vorwürfe bedauert, und seine sehr edelmütige Entschuldigung war Balsam auf Wills tiefe Wunde gewesen. Dennoch wollte diese Wunde nicht heilen. Es gab nur einen echten Trost. Im April sollte sein erstes Buch erscheinen: sein Poem ‹Venus und Adonis›. Und falls ihm das keinen Erfolg brachte – und in seiner augenblicklichen Gemütsverfassung fürchtete er, daß es die Leute nur an Greenes Schmähschrift erinnern würde –, dann blieb ihm nur noch ein Weg, um sein geschwundenes Selbstvertrauen wiederzuerlangen: die Rückkehr nach Stratford zur Schere des Handschuhmachers.

Auch in Stratford war es ein schlimmer Winter. Der Avon überschwemmte die Wiesen, und seine Wasser drangen in einige der niedrig gelegenen Häuschen ein. Die Kinder schnieften und schnupften und gaben ihre Erkältungen weiter wie den schwarzen Peter. Die Preise stiegen und der Mut sank. Anne spürte die Kälte und die Feuchtigkeit bis in die Knochen. Und zum erstenmal verlor sie ihren unerschütterlichen Gleichmut. Sie beneidete jetzt manchmal die anderen Frauen in den Nachbarhäusern, wo die Männer die Holzscheite hineintrugen, den Schnee kehrten und die Sorgen um die kranken Kinder teilten. Diese Männer hatten nicht das Verlangen, in London in der Nähe der Mächtigen zu leben oder gar Schauspiele und Gedichte zu schreiben – fürwahr, eine sehr ausgefallene Art, sich seinen Lebensunterhalt zu verdienen! Sie wußte, daß viele Leute in Stratford glaubten, Will führe ein loses Leben in London und vielleicht habe seine Arbeit sogar mit Hexerei zu tun. Sie selbst glaubte das nicht, aber warum hatte sie nicht einen angesehenen Ehemann wie die anderen Frauen? Dieser Groll war ein neues Gefühl für sie, und sie schalt sich dafür. Er war wie eine Krankheit und paßte zu diesen dunklen Wintertagen, zu der Feuchtigkeit in der Küche und zu der bitteren Kälte.

Auch John Shakespeare war den Seinen keine starke Stütze. Wills Besuch hatte ihn verwirrt. Er war enttäuscht, daß Will nicht bei Hofe verkehrte und daß er immer noch in schlichtes Tuch gekleidet ging – gutes Tuch, das mußte er zugeben, aber doch nicht Seide. Und er hatte auch nicht viel erzählt. John hatte einen Sohn erwartet, der eine ganze Tafelrunde mit seinen Erzählungen über das Leben am Hofe in Atem halten konnte. «Er hätte in Stratford bleiben sollen», murmelte er immer wieder vor sich hin, wenn er in seinem alten Schlafrock zusammengekauert vorm Feuer saß und seine breiten Hände der Wärme entgegenstreckte. «Er hätte Handschuhmacher bleiben sollen. Er war ein guter Handschuhmacher.»

Mary ließ ihn murmeln und murren. Will mußte seinen Weg gehen, ob er nun zum Erfolg oder ins Unglück führte. Aber auch sie spürte, wie Kälte und Trübsal an ihr nagten.

Aber dann wurde es schließlich doch April, und der Frühling hielt Einzug. Anne dachte daran, daß es gar nicht mehr lange war bis zu Wills Sommerbesuch. Und Will hielt die von Richard Field schön gedruckte Ausgabe seiner Verserzählung ‹Venus und Adonis› in der Hand, die ihm endlich Ruhm und Reichtum einbringen sollte. So hoffte er wenigstens.

«Darf ich Euch etwas fragen, gnäd'ger Herr? Würdet Ihr geruhen, ein kleines Geschenk von Eurem gehorsamen Diener anzunehmen?» fragte William Shakespeare mit einer tiefen Verbeugung.

Der Graf von Southampton sah ihn erstaunt und dann ein wenig verdrossen an. Es war immer das gleiche. Wenn Händler, Schmarotzer oder Schreiberlinge ihn als Gönner für sich zu gewinnen suchten, überreichten sie ihm kleine Geschenke. Und das war ihm lästig. Wer außer vielleicht der Königin konnte es sich leisten, ihm etwas zu schenken, was er nicht schon besaß? Doch brachte er es nicht übers Herz, nicht wenigstens so zu tun, als freute er sich.

Natürlich störte es ihn nicht, daß es billige Geschenke waren. Wenn sie nur nicht immer so geschmacklos gewesen wären. Und er war doch etwas verwundert, daß nun auch der alte Will ihm ein Geschenk machte. Er hatte ihn für klüger gehalten.

Er öffnete das Päckchen. Ein Buch. ‹Venus und Adonis, von Wm Shakespeare›. So, so, der alte Will schwang sich in unerwartete Höhen empor. Er schlug das Buch auf. «Dem sehr ehrenwerten Henry Wriothesley, Grafen von Southampton ... Ich weiß nicht, ob ich Ew. Lordschaft nicht beleidige, indem ich Euch meine ungeglätteten Verse darbringe ...»

Will, der den Grafen mit ängstlicher Sorge beobachtete, sah, wie Southampton die Augenbrauen zusammenzog, sah, wie er ungeduldig die goldenen Locken aus dem Gesicht zurückwarf, ein sicheres Zeichen seines nahenden Unmuts. Der Graf las die Widmung zu Ende. Dann blickte er auf und sah Will zornig an. «Das hättet Ihr nicht tun dürfen, Herr!»

«Aber gnäd'ger Herr, das Gedicht gefiel Euch gut.»

«Ihr hättet es mir nicht widmen dürfen, ohne mich vorher um Erlaubnis zu fragen. Das war eine Unziemlichkeit.»

Will zitterte. Wer einen Grafen erzürnte, bereitete sich fürwahr ein dorniges Bett. Seine Lippen fühlten sich trocken und rissig an. «Ich versichere Euch, gnäd'ger Herr, ich hatte keinen anderen Gedanken, als Eurer Gnaden Freude zu bereiten und meine Dankbarkeit zu beweisen.»

«Die Widmung muß entfernt werden.»

Will war entsetzt. «Es sind schon Exemplare verkauft worden, gnäd'ger Herr. Ich hätte Euch das Buch eher zeigen sollen, aber Euer Gnaden waren in Titchfield.»

«Verwünscht!» stöhnte der Graf und biß sich ärgerlich auf die Lippen.

Will sah im Geiste einen Mann vor sich, der mit seinem kleinen Sohn am gemächlich dahinfließenden Avon spazierenging. Das, dachte er bitter, könnte mein Leben sein, wäre nicht mein unmäßiger Ehrgeiz – die Sünde, die schon Luzifer zu Fall brachte.

Oh, was war er für ein eitler Narr! Und da er nichts zu sagen wußte – was hätte er auch sagen können –, blickte er niedergeschlagen zu Boden. Als er es endlich wagte, den Kopf wieder zu heben, vermeinte er in Southamptons Augen nicht nur Ärger, sondern auch Verachtung zu lesen.

Nun, ein Graf war ein Graf. Gott hatte ihn über den gemeinen Bürger gestellt, so wie Er die Sonne dazu bestimmt hatte, bei Tage zu herrschen, und bei Nacht den Mond regieren ließ. Ein Graf war Teil der göttlichen Ordnung des Weltalls, die Will so sehr verehrte.

Aber auch ein Poet hatte für Will seinen Platz in dieser Hierarchie. Und selbst wenn er ein Narr gewesen war und sich von seiner Vermessenheit an der Nase hatte herumführen lassen, so fand er doch, daß der Graf seine Verachtung etwas mäßigen sollte. Er sagte: «Herr, Ihr tut mir Unrecht. Ich wollte Euer Gnaden nur eine Freude bereiten.»

«Und mehr Exemplare von Eurem Buch verkaufen», sagte der Graf bissig. «*Und* Euren – wenn ich so sagen darf – etwas plebejischen Namen mit dem Namen Southampton verknüpfen.»

«Plebejisch!» rief Will tief gekränkt. «Mein Vater hat Antrag auf ein Familienwappen gestellt, gnäd'ger Herr.»

«Und ist zweifellos abschlägig beschieden worden!» erwiderte der Graf. Aber die Verachtung schwand aus seinem Blick, wenn auch der Ärger blieb. «Master Shakespeare, Ihr habt wie eine Dirne meinen Namen an ein Kind geheftet, das nicht das meine ist. Ihr und ich, Herr, wir haben einander von nun an nichts mehr zu sagen.» Er nahm das Buch wieder zur Hand und begann zu lesen.

William Shakespeare verbeugte sich tief und zog sich schweigend zurück. An der Tür des Zimmers kam ihm ein Diener zu Hilfe, der ihn aus dem Haus geleitete. So, dachte er traurig, als er draußen auf der Straße stand, das war das Ende des Poeten William Shakespeare. Ein Poet, der einen Adligen beleidigt hatte, konnte getrost seine Gänsekiele verbrennen. Kein Drucker würde es wagen, je wieder etwas von ihm zu drucken. Es war das vernünftigste, nach Stratford zurückzugehen, und zwar bald, solange das Geschäft seines Vaters noch existierte.

In jenem Jahr wütete die Pest heftiger als je zuvor.

Elftausend Menschen entdeckten zu ihrer Verzweiflung die Beule unter der Achselhöhle und wußten, daß nun nichts mehr auf der Welt sie vor einem grauenvollen Tod erretten konnte – ein doppelt schweres Los für jene, die darüber hinaus befürchteten, für ein Vergehen oder für eine Sünde wider den Glauben zum ewigen Höllenfeuer verdammt zu werden.

Die Theater wurden geschlossen. Will hockte einsam und verlassen in seinem Logis. Ihm fehlte die Gesellschaft der Schauspieler. Und er war so niedergeschlagen, daß er zum erstenmal in all den Jahren auch keine Lust zum Schreiben verspürte. Schließlich brach er eines Tages nach Stratford auf.

Seine Wunden brannten noch immer. Aber Annes Liebe linderte die Schmerzen, und die Stille und Schönheit der Natur besänftigte sein zerrissenes Gemüt. Es war ein regenreicher Sommer, und so saß er oft lange Stunden mit Hamnet im Schutz der Dachtraufe vor der Tür und las ihm aus dem ‹Buch der Wunder› vor: von einem Delphin, der die Musik liebte und sich freute, wenn er mit ‹Simon› angeredet wurde, von dem galanten Benehmen der Löwen, die eine Frauensperson nur dann angriffen, wenn sie wirklich sehr hungrig waren, vom Zartgefühl der Panther und von der angeborenen Höflichkeit der Drachen. Und alle diese Wunder wurden von gelehrten und hochangesehenen Reisenden berichtet und bezeugt. Aber man erfuhr auch von unseligen Geschöpfen, die Gott als Zeichen seines Zorns gesandt hatte. Da war das Monstrum von Hampstead, ein Schwein mit zwei Menschenhänden, der schreckliche schwarze Hund von Bungay und der ohne Kopf geborene Bär von Ditchet, von dem man allerdings vermutete, daß er der Teufel in Tiergestalt war, denn etliche Zeugen hatten den starken Schwefelgeruch des Ungeheuers wahrgenommen.

Hamnet war begeistert. Er wollte, wenn er groß war, auch ein Reisender werden und noch seltsamere Drachen, noch schrecklichere Schweine entdecken. Und Will? Wieder einmal sah er die wunderbare Ordnung des Weltalls bestätigt, die Ordnung der Natur, die vom Menschen unendlich bereichert, aber auch verdorben wurde. Von dem edlen, großartigen, abscheulichen und niederträchtigen Menschen, dem armseligen und unglücklichen Menschen, der sich wie das Schwein im Schmutz wälzte oder sich zu den Sternen emporschwang. Welch seltsame Kreatur, der lachende und weinende, frohlockende und leidende, kämpfende, sterbende Mensch! Und welch ein seltsames Leben!

Ja, er wollte über des Menschen Leben schreiben, über den Jammer und das Elend dieses Lebens und die Größe und das Streben des Menschen. Er wollte über den Menschen schreiben, den nicht ein blindes Geschick, sondern ein innerer Zwiespalt zugrunde richtete. Über den Kampf des Menschen gegen den Menschen, diesen langen, bis zum Grabe währenden Kampf. Oh, die Zuschauer wollten Leichen sehen. Aber das, was zählte, war das Leben! Und über alldem durfte er das andere nicht vergessen: den funkelnden Witz, das Gelächter in den Tavernen. Doch durfte der Mensch auch dann noch lachen, wenn die Leichenkarren knarrend durch die Nacht ratterten, wenn der Mann verzweifelt auf seine vom Fieber geschüttelte Frau starrte oder die Mutter ihr vom Leiden gequältes Kind an sich preßte? Ja, denn trotz Pest und Finsternis, trotz Teufel und ewiger Verdammnis, trotz Hunger und Kälte, Schrecken und Schmerz und trotz der Grausamkeit der Mitmenschen, die vielleicht die schlimmste aller Plagen war, *konnten* die Menschen noch immer lachen. Und das war das größte aller Wunder, größer noch als das Wunder des Frühlings.

Gestärkt und voller Eifer kehrte er nach London zurück. Seine Finger sehnten sich nach dem Gänsekiel. In Stratford hatte er zu sich zurückgefunden. Er hatte lange über sich und sein Leben nachgedacht und erkannt, daß für einen Dichter nur das, was er in sich trug, von Bedeutung war, daß weder die Mißgeschicke des Alltags noch der Zorn der Mächtigen ihm wirklich etwas anhaben konnten. Jede Erfahrung, ob schön oder schmerzlich, war Nahrung für den Geist.

Voller Stolz dachte er an seine Kinder. Freilich, die arme Judith starrte ihn trotz aller seiner zärtlichen Bemühungen so furchtsam an, als wäre er der böse Wolf. Aber die hochaufgeschossene, langbeinige Susanna, die inzwischen zehn Jahre alt war, wußte mit ihrem geschmeichelten Vater so kokett zu schäkern, daß Anne zuweilen beschämt kleine Nadelstiche der Eifersucht verspürte.

Doch am meisten Freude hatte Will an Hamnet, seinem treu ergebenen Bewunderer. Vater und Sohn waren unzertrennliche Gefährten. Und Will war beglückt über seine tiefe, herzliche Liebe zu dem lustigen, kecken Kerlchen. «Leb wohl, Hamnet», hatte er beim Abschied gesagt und segnend beide Hände auf den blonden Schopf des Jungen gelegt. «Und achte mir gut auf das Weibervolk!»

Hamnet hatte mit seinen braunen Augen zu ihm aufgeblickt und erwidert: «Ja, Vater. Das werde ich tun.»

«Ist es auch nicht zu schwer für dich, was ich dir da aufbürde?» hatte Will gefragt.

«Nein, Vater.» Hamnet hatte sich auf die Zehenspitzen gestellt, die Schultern gehoben und die Muskeln angespannt, so als wollte er die Last der ganzen Welt auf sich nehmen.

Wie herrlich, dachte Will, so jung und furchtlos zu sein und nichts zu ahnen von der eigenen Schwäche und schrecklichen Verletzlichkeit.

Bis zur Clopton-Brücke lief der Knabe neben dem Pferd her. Dann blieb er keuchend stehen und blickte seinem Vater lachend und winkend nach. Will winkte traurig zurück. Aber bald darauf eilten seine Gedanken nach London voraus. Burbage hatte ihn um ein historisches Stück gebeten. Das Publikum wollte Blut. Kempe wollte eine Posse, aber die mochte er sich selbst schreiben – er hielt sich sowieso nie an den Text. Und Will selbst juckte es, endlich das Stück neu zu schreiben, für das ihm nie Zeit blieb, die Tragödie, die niemand haben wollte, seinen ‹Hamlet›. Das war ein Stück, in das er – wie in seinen Sattelsack – alles, was er wollte, hineinpacken konnte: Mord, Blutschande, Liebe, einen denkwürdigen Geist, Piraten, Kämpfe und Kriege, seine Anschauungen über das Theater, einen geschwätzigen alten Narren und einen jungen Mann von edlem Gemüt mit nur einem einzigen winzigen und doch tragischen Makel. Eines Tages, wenn Burbage und die anderen ihn nicht mehr so bedrängten, eines Tages würde er einen Bogen Papier nehmen und schreiben: Hamlet, Prinz von Dänemark, Akt I. Szene I. Helsingör. Eine Terrasse vor dem Schlosse ...

Es dröhnte wie Trommelwirbel in seinem Schädel. Ein Schauder lief ihm über den Rücken. Er brannte darauf, zur Feder zu greifen. Er mußte den ‹Hamlet› schreiben, ob jemand das Stück haben wollte oder nicht.

Und Schmach verdarb
der süßen Welt Geschmack . . .

Noch immer wütete die Pest. Die Theater in London blieben geschlossen. Die Schauspieler zogen durchs Land. Aber da es unaufhörlich regnete, kamen zu den Aufführungen in den Höfen der Wirtshäuser oft weniger Zuschauer, als Schauspieler auf der Bühne waren. Das Geld wurde knapp, und der Regen verdarb die teuren Kostüme.

Will blieb in London. Er saß in seinem behaglichen Zimmer und schrieb. Seine Mutter hatte ihm zum Schutz vor der Pest ein Halsband mit einem Seidensäckchen geschenkt, das einen verfallenen Gegenstand enthielt: es sollte einer der Backenzähne des Evangelisten Lukas sein.

Er schrieb von morgens bis abends, Tag für Tag.

Dann erhielt er eines Tages zu seiner Überraschung einen Brief von Henry Wriothesley. Der Graf befahl ihm, nach Titchfield zu kommen, wo er ein Haus besaß.

Erfreut, wenn auch ein wenig beunruhigt machte sich Will auf den Weg.

Der Graf empfing ihn höflich, aber kühl und sagte in steifem Ton: «Da Eurem Poem ein so großer Erfolg beschieden ist, Master Shakespeare, habe ich beschlossen, Euch Eure Vermessenheit zu verzeihen.»

Will verneigte sich tief. «Ich dank Euch, gnäd'ger Herr.»

Southampton saß zurückgelehnt in seinem Sessel und starrte Will hochmütig an. Dann lächelte er unvermittelt und sagte freundlich: «Ich war zu streng mit Euch, alter Will. Alle Welt hat Euer Poem unter dem Kopfkissen. Ich bin ein beneideter Mann.»

«Euer Gnaden sind zu gütig.»

«O Will, warum so steif? Kommt, bleibt bei uns in Titchfield. Wir werden gemeinsam auf die Jagd gehen, und Ihr müßt mir noch mehr hübsche Gedichte schreiben, damit meine Freunde noch neidischer werden.»

Will ging beglückt auf den Jüngling zu und küßte ihm die Hand, so wie er einem Fürsten oder einem Heiligen die Hand geküßt hätte. «Ich werde Euch ein Poem schreiben, über das man in ganz England sprechen wird», sagte er überschwenglich.

Und das war keine eitle Prahlerei. Ein großer Teil des Poems war schon geschrieben.

Für Will waren jene Spätsommertage, die er in dem großen Haus verbrachte, wie ein Traum. Der Graf war ein kapriziöser, aber meist reizender Gastgeber. Andere Besucher kamen und gingen, geistreiche, wohlhabende, mächtige Männer, die den stillen, freundlichen Master Shakespeare mit höflichem Respekt behandelten. Offenkundig war er keiner der Ihren, aber ebenso offenkundig war er kein Sekretär, geschweige denn ein Diener, denn er saß immer oben an der Tafel und war immer in Gesellschaft des jungen Grafen zu sehen.

Natürlich blühte der Klatsch. Die einen sagten, er sei ein Schauspieler, der den Edelmann spiele. Henry suche sich ja oft etwas sonderbare Freunde aus. Die anderen behaupteten, er sei der Sohn eines Krämers, und er habe eine Frau und zehn Kinder, die er irgendwo auf dem Lande in einer elenden Hütte versteckt halte. Und wieder andere sagten, der Possenreißer Robert Greene habe ihn in London zum Gespött der Leute gemacht. Aber für viele Gäste aus London war er der reizende Master Shakespeare, der geistreiche Autor von ‹Venus und Adonis›, und sie bezeigten ihm offen ihre Bewunderung und ihre Zuneigung. Die Grundbesitzer freilich hatten weder von Venus noch von Adonis, noch von William Shakespeare je gehört.

Will fügte sich erstaunlich schnell in die neue Umgebung ein. Fast hätte man meinen können, er sei auf einem Herrensitz aufgewachsen. Seine natürliche Liebenswürdigkeit und seine gute Beobachtungsgabe halfen ihm, keinen Anstoß zu erregen. Die guten Manieren hatte er von seiner Mutter gelernt. Außerdem achtete er stets sorgfältig darauf, wie die anderen sich verhielten, so daß etwas, das ihm neu war, wie etwa der Gebrauch von Gabeln bei Tisch oder ein modischer Schnörkel bei der Verbeugung, ihn nie in Verlegenheit bringen konnte. Niemand sollte William Shakespeare, den Enkel Robert Ardens, für einen Bauer halten.

Er genoß die Schönheit und den Glanz dieser Umgebung, die geistreichen Gespräche, die modischen Gewänder, die Achtung, die ihm die Herren aus London zollten, die Höflichkeit, mit der ihm die Adligen begegneten, und er bewunderte die nie erlahmende Lebenslust der Gäste. Der schreckliche Sommer war einem goldenen Herbst gewichen, ein heiterer Tag folgte auf den anderen. Will und seine neuen Freunde spielten Kegel unter dem blaßblauen Himmel, ritten durch die Wälder, schossen mit Pfeilen auf bunte Zielscheiben, galoppierten durch die verträumte Landschaft und würfelten und tanzten die Nächte hindurch. Nur wenn Hasen oder Hirsche und Rehe gejagt wurden, ritt er nicht mit, sondern tat so, als müsse er arbeiten. Er war zu dem Schluß gekommen, daß es auch ohne sein Zutun genug Leid in der Welt gab.

Er hatte sich weit entfernt von seinen Schauspielerfreunden und noch weiter von Stratford, von Anne und den Kindern. Aber er wußte sehr wohl, daß dies nur ein heiteres Zwischenspiel war. Sein Platz war im Theater, wo er Stücke zurechtflickte, eine Pike über die Bühne schleppte, in den Pausen auf Flaschen gezogenes Bier verkaufte oder ein lockeres Brett festnagelte.

Ja, dachte er, es war an der Zeit, nach London zurückzukehren. Doch jeder Herbsttag war wie ein Füllhorn voller leuchtender Farben, voller Sonnenglanz und zartem Himmelsblau. Außerdem war der Graf ein so bezaubernder Gefährte. Und dann, gerade als Will beschlossen hatte, ihm zu sagen, daß er aufbrechen müsse, geschah noch etwas anderes.

Es war nichts Besonderes. Das Wippen eines Reifrocks an der Biegung eines langen Flurs, eine weiße Hand, die auf einer Balustrade ruhte, schimmerndes Kerzenlicht auf dunkelglänzendem Haar oder ein Frauenlachen, hell wie klingendes Glas, hinter einer offenen Tür. Und einmal, als er beim Tanzen aufsah, zwei schwarze Augen, die ihn nachdenklich beobachteten und kühn seinem Blick standhielten.

Es war beunruhigend. Es war Zeit, nach London zurückzukehren. Hohe Zeit.

Aber er blieb.

«Seid Ihr nicht Master Shakespeare? Der Verfasser von ‹Venus und Adonis›?»

Er machte eine tiefe Verbeugung. Aber er meinte, sein Herz müsse ihm zerspringen. Wie eine Erscheinung stand sie plötzlich im Dämmerlicht des Abends am Fuß der Eichentreppe vor ihm. Sie sah ihm, ohne zu lächeln, in die Augen. Ihr Blick ließ ihn nicht los. Es war, als ergriffe sie Besitz von ihm.

Sie war nicht eigentlich schön. Ihre schwarzen Augen und ihr dunkles Haar hoben sich zu kraß gegen die bleichen Wangen ab; ihr Mund war zu breit, die Lippen zu voll und zu fordernd. Und sie war auch kein junges Mädchen mehr. Sie mochte so alt sein wie er oder sogar älter.

Er bebte.

Sie sagte: «Eure Venus ist ein Gänschen, Master Shakespeare. Sie redet zu viel. *Ich* hätte den jungen Mann sicher bekommen.»

Wieder verbeugte er sich. «Ich bin gewiß, meine Dame, er hätte Euch nicht widerstehen können.»

Irgendwie hatte sie sich ihm unmerklich genähert. Ihre in Brokat gehüllte und mit Juwelen geschmückte Brust berührte ihn fast. Er sah gebannt, wie ihre Hand zärtlich über das Treppengeländer strich. Sie musterte ihn mit einem langen, prüfenden Blick. «Ich habe nicht die Reize Eurer Venus, Herr.»

«Das fällt mir schwer zu glauben, meine Dame», erwiderte er. Seine Lippen fühlten sich trocken an. «So ohne einen Beweis . . .»

«Beweis?» Die schwarzen Augenbrauen hoben sich. Doch nicht im Zorn. «Ihr könntet . . .» Sie lächelte spöttisch.

«Nun?» brachte er schließlich hervor. Aber es klang eher wie ein heiseres Krächzen.

Sie schwieg und sah ihn nachdenklich an, so als faßte sie einen Entschluß. «Fragt den Grafen», sagte sie schließlich kühl.

Er blickte ihr in die Augen. Und dann ergriff er sie bei den Schultern, zog sie an sich und preßte seine Lippen auf die ihren. Es war gefährlich, bei Gott, mit einem Spielzeug des Grafen zu spielen, aber dieses eine Mal vergaß er alle Vorsicht. Und als er sie schließlich losließ, lagen Liebe, Ehre und Treue wie beim letzten Akt einer Tragödie im Staub der Bühne. Was blieb, waren Selbstverachtung und Furcht. Und Erinnerungen: eine schreckliche, unsägliche Freude, zerspringende Sterne, eine bleichwangige Buhlerin unter einem buhlerischen Mond.

Sie hatte ihn behext. Das war sein erster Gedanke.

Er fühlte sich oft von jungen Frauen angezogen, von lieblichen Geschöpfen mit lachenden Mündern und rosiger, samtiger Pfirsichhaut. Doch bisher hatte ihn stets irgend etwas zurückgehalten: Treue, das Gefühl, daß die Ordnung des Weltalls nicht nur den Lauf der Sterne, sondern auch sein eigenes Leben bestimmen mußte, und vor allem, wie er vermutete, Vorsicht: die Angst, daß die heimliche Hingabe an eine andere Frau sich zu spät als das schleichende Gift erweisen würde, das alles zerstörte, seine Ehe, die Liebe zu seinen

Kindern und seine hohe Achtung vor dem braven, mustergültigen Kavalier, der William Shakespeare hieß.

Und nun? Er, der hundertmal widerstanden hatte, war den Verführungskünsten einer lasterhaften Frau erlegen, die einem Mann gehörte, den er seinen Freund nannte. Er, William Shakespeare, der die Treue so hoch pries, hatte seine Frau, seine Kinder und seinen Freund und Gönner verraten. Und schlimmer noch: er hatte sich selbst verraten! Wie hatte Richard Field doch vor vielen Jahren einmal zu ihm gesagt? Wer sich selbst treu bleibt – so etwa hatte er sich ausgedrückt –, verrät auch seinen Nächsten nicht. Selbstverachtung und Gewissensbisse peinigten ihn. Er mußte fort. Er mußte Titchfield sogleich verlassen. Aber er blieb.

Sie kam und entschwand auf geheimnisvolle Art – wie der Nebel in den herbstlichen Wiesen, wie die Wolke, die über den Hügel zieht.

Es war immer das gleiche. Er haßte, er verabscheute, er fürchtete sie. Doch immer wieder wurde die Sehnsucht in ihm so übermächtig, daß er alle anderen Gefühle darüber vergaß. Dann suchten seine Augen sie verzweifelt in den Gärten und in den Gemächern, auf den Treppen und auf den Galerien. Die Sehnsucht nach ihr trieb ihn beinahe in den Wahnsinn, und seine Leidenschaft drohte ihn zu verzehren wie die Flamme einen Bogen Papier.

Gleich einem hungrigen Tier strich er durch das große Haus, beseelt von dem Wunsch, sie zu finden, wie von dem Wunsch, sie *nicht* zu finden und wiederum betrogen zu werden. Und dann, wenn er nicht mehr ein noch aus wußte, stand sie plötzlich vor ihm, dicht vor ihm, und blickte ihn schweigend an.

Sie raubte ihm seine Ehre. Sie erniedrigte ihn. Er, William Shakespeare, betrug sich wie ein streunender Kater. Der Gedanke an sie verdrängte alles andere. Liebe und Besonnenheit, Vergangenheit und Zukunft, alles tauchte unter in dieser unsäglichen, wilden und verzweifelten Freude.

Nie erfuhr er, wer sie war, und nie bemühte er sich, auch nur ihren Namen zu erfahren. Sie war eine Frau, war Eva, Venus, dunkelhaarig und schwarzäugig. Und als das Fieber schließlich nachließ, erkannte er, daß er durch sie über den Kavalier und Ehrenmann William Shakespeare mancherlei erfahren hatte, das er lieber nicht gewußt hätte. Zum Beispiel, daß er sich *nicht* allein von Vornehmheit, Poesie und Nächstenliebe leiten ließ. Daß in seinem Leben *nicht* die Ordnung herrschte, die das Weltall regiere. Daß er sehr wohl imstande war, einen Freund zu hintergehen und seiner Frau untreu zu sein. Und nicht nur einmal, sondern jedesmal, wenn ein Paar dunkler Augen ihn riefen. Insgeheim hatte er geahnt, daß er sich eines Tages verführen lassen würde. Man konnte von einem Poeten nicht erwarten, daß er dem Liebreiz der Geschöpfe immer widerstand. Doch hatte er sich in seinen Träumen eine Frau von unwiderstehlicher Schönheit vorgestellt und gemeint, daß Liebe und Bewunderung die Flamme entzünden würden – nicht Haß und Furcht.

War das Feuer wirklich erloschen? Zumindest war es jäh erstickt worden. Sie hatten in einem stillen Flur gestanden und einander, wie so oft, schweigend und ohne sich zu berühren in die Augen geblickt. Da war Southampton durch den Flur gekommen. Und ohne Will auch nur eines Blickes zu würdigen, hatte er die Hand ausgestreckt, seinen kleinen Finger in den ihren gehakt und sie fortgeführt.

Und sie war ihm gehorsam gefolgt. Kein Wort war gesprochen, kein Blick gewechselt worden. Auch wandten sie sich nicht nach ihm um. Sie hatten ihn einfach stehenlassen. Und plötzlich war er wieder der arme Schauspieler, der Günstling eines Grafen, der Sohn eines kleinen Händlers, der Dichter mit dem sich lichtenden Haar und dem leicht vorstehenden Bauch. Die herrische Besitzergeste des Grafen war für einen scharfsichtigen Beobachter wie Will eine unmißverständliche Warnung gewesen. Das glimmende Feuer war erstickt worden.

Am folgenden Tag verließ er Titchfield.

Als er das nächste Mal die Seinen besuchte, kam er mit Geschenken beladen in Stratford an. Anne betrachtete ihn verschmitzt. Sie fragte ihn nie, ob es andere Frauen in seinem Leben gebe. Da sie ihren Will besser kannte als er sich selbst, nahm sie es als wahrscheinlich an. Doch in ihrer bäuerlichen Weisheit zog sie es vor, nichts Genaues darüber zu wissen. Und so fragte sie ihn nur lachend: «Hast du ein schlechtes Gewissen, Will?»

Wie unglücklich er dreinblickte, dachte sie. Armer Will! Er war ein schlechter Schwindler. Aber dann nahm er sich zusammen und lächelte. «Nein, Anne. Aber es geht alles gut voran. Richard Field hat mein neues Poem gedruckt, und der Graf von Southampton ist über die Widmung hocherfreut.»

«Wie heißt es?»

«‹Die Entehrung der Lukrezia›.»

«Will!» Anne war entsetzt. Da sie vom Lande stammte, hatte sie eine sehr nüchterne Einstellung zu solchen Dingen. Aber die Entehrung eines Mädchens war kein Thema für ein hübsches, gefälliges Gedicht, sondern etwas Häßliches und Derbes. In Shottery war einst aus einem hübschen, fröhlichen jungen Mädchen über Nacht eine verzweifelte und verzagte junge Frau geworden ... Sie wünschte, Will schriebe mehr Sachen wie seinen ‹Heinrich VI.›. Auch ‹Venus und Adonis› hatte ihr nicht gefallen. Es kamen ein paar schöne Stellen darin vor, wie zum Beispiel die Geschichte von dem armen Hasen, und das sagte sie Will auch. Aber diese Venus, meinte sie, hätte sich in Grund und Boden schämen sollen, so mit einem jungen Mann zu reden! Und obendrein war sie langweilig.

«Langweilig?» rief Will, der tadelnde Kritik nicht vertragen konnte. «Langweilig? Da ist der Graf von Southampton anderer Meinung. Und ebenso der Graf von Essex. Und auch Richard Field.»

«Das sind Männer. Die fühlen sich durch das Schmachten deiner Venus geschmeichelt. Aber frag irgendeine andere Frau.»

Er fragte seine Mutter. «Mein lieber Will», erwiderte Mary Shakespeare. «Eine üppige Göttin, die einen jungen Mann bittet, sie im Heu zu verführen? Natürlich ist sie langweilig. Frauen aus Fleisch und Blut haben da andere Wege. Hast du das denn noch nicht entdeckt, mein hübscher Sohn?»

Er schmollte. Die spöttisch gekräuselte Unterlippe seiner Mutter verriet nur zu deutlich, wie belustigt sie war. Trost suchend wandte er sich an seinen Vater. «Vater, hast du ‹Venus und Adonis› gelesen?»

«Was gelesen, mein Sohn?»

«‹Venus und Adonis›, meine Verserzählung.»

Er wartete. Die Rädchen in John Shakespeares Verstand drehten sich neuerdings etwas langsam. «Das Poem, das du Graf Southampton gewidmet hast? Ja. Eine gelungene Widmung, Will. Ehrerbietig, ohne unterwürfig zu klingen. Eine große Kunst, das genau abzuwägen. Wenn ich mit Adligen zu tun habe, finde ich immer –»

«Aber das *Poem*, Vater. Hast du es gelesen?»

John Shakespeares Verstand trieb davon wie ein unvertäutes Boot.

«Nein, mein Junge. Nein. Ich habe kein Poem gelesen.»

«Ein feines, lüsternes Weibstück, deine Venus», sagte sein Bruder

Gilbert und lachte dröhnend. «*Mich* hätte sie nicht so lange bitten müssen, das schwöre ich dir!»

Nur der kleine Hamnet stand auf Wills Seite. «Vater hat das schönste Gedicht geschrieben, das es gibt!» sagte er mit fester Stimme. Will liebte den Jungen zärtlich. Und auch der Umstand, daß Hamnet noch nie ein Gedicht gelesen hatte, tat seiner Freude keinen Abbruch.

Endlich ging die Pest langsam zurück. Es sah so aus, als habe Gottes Zorn sich gelegt.

Aber er hatte seine Spuren hinterlassen. Unzählige Menschen, Mütter, Väter und Kinder, waren dem Leben und ihren Familien entrissen worden und lagen nackt in den Totengruben. Und diejenigen, die davongekommen waren, bemühten sich, Gottes Zorn nicht abermals zu erregen.

Doch die Schauspieler machten sich keine Gedanken um Gottes Zorn. Die Stadtväter hatten widerwillig zugelassen, daß die Theater wieder geöffnet wurden, und nun mußten Kostüme ersetzt und die leeren Geldtruhen wieder gefüllt werden. Es war eine magere Zeit gewesen. Die Einnahmen bei den Aufführungen in den Städten und Dörfern des Landes konnten nicht die Einnahmen eines Londoner Theaters ersetzen. Einige Truppen waren auseinandergelaufen, andere hatten sich zusammengetan.

Und schon zog eine neue Gewitterwolke am Horizont auf. Burbage sagte: «Ist euch auch klar, Freunde, daß der Pachtvertrag für das ‹Theater› bald abläuft?»

«Giles Allen wird ihn erneuern», sagte Kempe zuversichtlich.

«Ja, aber zu einem höheren Preis. Wir werden Geld brauchen. Nicht nur um die Verluste auszugleichen, sondern auch um unsere Zukunft zu sichern.»

Und nun begann eine Zeit fieberhafter Arbeit. Burbage und seine Männer hatten eingefallene Wangen, aber sie waren frohen Mutes. «Wir brauchen ein Stück, Will. Eines, das die einfachen Leute in Scharen herbeilockt.»

«Ich habe an meiner Rachetragödie weitergearbeitet. Das ist die Geschichte von dem Mann, dem der Geist seines Vaters –»

«Um Gottes willen!» rief Kempe. «Die meisten haben ihre Frau, ein Kind oder ihre ganze Familie verloren. Die haben genug mit ihrem eigenen Kummer und brauchen nicht auch noch den deines dänischen Prinzen. Man muß ihnen etwas bieten, was sie wieder zum Lachen bringt.»

Die anderen nickten zustimmend. Eines Tages, dachte Will verdrossen, wird man mir vielleicht gestatten, etwas zu schreiben, was mir gefällt. Er hatte die ‹Lukrezia› für den Grafen geschrieben, eine Komödie für Kempe und eine schwerterrasselnde Historie für den Pöbel im Parterre. Wann würde man ihn endlich die Stücke schreiben lassen, die *er* schreiben wollte? Jene Tragödien, die sich in den stillen Winkeln seines Geistes formten und die er wie fernes Donnern, wie durch geheimnisvolle Grotten tosende Wasser, wie das Rauschen der Brandung an unentdeckten Gestaden zu hören vermeinte. Der Wunsch, sie zu schreiben, war stärker denn je, jetzt, da Ekel und Selbstverachtung, aber auch – Gott mochte ihm verzeihen – erneute Sehnsucht seine Seele in Aufruhr versetzten. Ein abwesender und treuloser Ehemann, ein pflichtvergessener Vater, ein falscher Freund, ein unbußfertiger Sünder – die Lossprechung, der er bedurfte, konnte nicht von der Kirche kommen, sondern nur von dem reinigenden Feuer der Schöpferkraft.

Doch statt an den Tragödien zu arbeiten, schrieb er, freundlich und hilfsbereit wie immer, ‹Der Widerspenstigen Zähmung›, ‹Die beiden Veroneser›, ‹Verlorene Liebesmüh› und den ‹Sommernachtstraum›. Und war Master Kempe wenigstens dankbar für alle diese Komödien? Nicht im geringsten. Sie waren ihm viel zu gestelzt. Wer wollte schon so viele *Worte* in einem Schauspiel? Kempe sehnte sich nach den guten alten Zeiten zurück, da man mit einer Schweinsblase, ein paar unzüchtigen Gesten, einem lüsternen Seitenblick und einem Augenzwinkern das Publikum einen ganzen Nachmittag lang amüsieren konnte. Zum Teufel mit all den Spitzfindigkeiten und Haarspaltereien, den sprachlichen Witzen und gequälten Wortspielen, dachte er. Es war ein finsterer Tag gewesen, als der ‹süße› Will – Kempe verzog das Gesicht, als bisse er in einen sauren Apfel – sie alle (außer ihn!) durch seine liebenswürdige Art bezaubert hatte.

Aber die anderen schätzten William Shakespeare. Besonders John Heminge, der Geschäftsführer, der mehr als die anderen sah, wie eine Aufführung von ‹Richard III.› oder ‹Titus Andronicus› die Einnahmen anschwellen ließ, und Dick Burbage, der sich seiner wachsenden Fähigkeiten als Schauspieler bewußt war und spürte, daß Wills Stücke sein Feuer stets von neuem zu entfachen vermochten. Zum Beispiel gab es in ‹Richard II.›, dem Stück, an dem Will gerade schrieb, eine Rolle für ihn, die seine kühnsten Träume übertraf: die unendlich fein schattierte Rolle eines Mannes, der durch seine Unzulänglichkeiten seinen eigenen Untergang herbeiführte.

Es war ein Mann, der gleichsam viele Gestalten in sich vereinte. Er war hochmütig, verantwortungslos, lasterhaft, wehleidig, voller kläglicher Schwächen, die am Ende jedoch zu einer verzweiflungsvollen Würde führten. Hier war etwas, was die Welt noch nie gesehen hatte.

Eine Zeit des beständigen Wechsels, eine Zeit fieberhafter Arbeit. Das bis dahin locker geknüpfte Band zwischen den Schauspielern festigte sich, als sie die Truppe des Lord-Kämmerers wurden. Damit genossen sie den Schutz und die Gunst des Mannes, der dem königlichen Hofstaat vorstand. Diese weitverbreitete Art der Gönnerschaft rettete die Schauspielertruppe vor der Schande des Vagabundenlebens. Ja, ohne die Unterstützung eines Adligen vermochte sich keine Truppe lange zu halten. Die Komödianten des Grafen von Leicester oder die Schauspieler des Lord-Admirals waren ebenfalls angesehene Truppen. Aber die Schauspielertruppe des Lord-Kämmerers war, wie sie alle fühlten, etwas Besonderes. Mit einem Schauspieler wie Burbage, einem Geschäftsführer wie Heminge, einem so mächtigen Gönner wie dem Lord-Kämmerer, mit Kempe, der mit einem Zucken seiner Augenbraue stürmisches Gelächter entfesseln konnte, mit einem fröhlichen William Shakespeare, diesem nützlichen Mann, der bereit war, ein Stück zurechtzustutzen oder mit einem Trompetenstoß den Beginn der Aufführung anzuzeigen, unvorbereitet für einen erkrankten Schauspieler einzuspringen oder seine eigenen Stücke einzuüben oder gar in der Pause Äpfel zu verkaufen, und schließlich mit ihrem wachsenden und anhänglichen Publikum und ihrem eigenen Theater in Shoreditch waren sie von den anderen Truppen kaum zu übertreffen. So strahlten sie die Begeisterung und die Zuversicht aus, die ganz England erfüllte. Alles machte ihnen Freude: die tägliche Arbeit, ihr gutes Verhältnis zum Publikum, ihre Freundschaften, ihre Streitigkeiten, die neuen und die alten Stücke. Die Tage waren zu kurz, um das Leben so zu genießen, wie es genossen zu werden verdiente. Aber sie taten ihr Bestes.

Doch nachts, wenn Will in seiner stillen Kammer lag, kamen die Gewissensbisse, die Sehnsucht, das Verlangen, die nächtlichen Ängste und Schrecken. Bei Tag war er der fröhliche Will, der reizende William Shakespeare. Bei Nacht kam er sich vor wie ein elender Wurm.

Obwohl er nicht sehr fromm war, erwartete er eine Strafe Gottes für seine Sünden. Und als er statt dessen nun immer mehr Lorbeeren erntete, nährte das nur seine Zweifel an der göttlichen Gerechtigkeit. Wenn jemand es verdient hatte, dachte er, von der Pest dahingerafft zu werden, dann er. Gleichwohl lebte er noch, und es ging ihm sogar sehr gut: fast täglich wurden seine Stücke in London aufgeführt, seine Poeme verkauften sich wie warme Semmeln, und Southampton und Essex und ihresgleichen drängten ihm förmlich ihre Freundschaft auf. Obendrein trug ihm sein Dichterruhm hübsche Summen Geldes ein. Trotz Kempes Einspruch hatte man ihm angeboten, Teilhaber der Truppe zu werden. Das bedeutete, daß er bei jeder Aufführung einen Teil der Eintrittsgelder erhielt, dafür allerdings verpflichtet war, die Lohnarbeiter, die Kerzen, die Musikanten und die Knabenschauspieler aus seiner Tasche mitzubezahlen. Will war damit sehr zufrieden. Gewiß, er war ein Poet. Aber doch ein Poet, der sehr genau den Wert des Geldes kannte. Er liebte Geld, aber nicht um des Geldes willen, sondern wegen der Annehmlichkeiten, die er sich damit erkaufen konnte. Bei einer berühmten Schauspielertruppe Teilhaber zu sein, zu wissen, daß sein eigenes Einkommen mit dem der Truppe wachsen würde, und überdies einen beträchtlichen Einfluß auf den Spielplan zu haben, das war schon ein berauschendes Gefühl. Er dachte wieder an New Place, das prächtige Herrenhaus in Stratford. Ja, er begann sogar über den Erwerb des Hauses zu verhandeln. Und er überredete seinen alten Vater, einen zweiten Versuch zu machen und noch einmal einen Antrag auf ein Familienwappen und die Aufnahme in den niederen Adel zu stellen. Er würde doch noch ein Edelmann werden.

William Shakespeare war auf dem Gipfel angelangt. So glaubte er wenigstens. Doch schon kündigte ein neuer Erfolg sich an. Den Schauspielern des Lord-Kämmerers wurde die höchste aller Ehren zuteil. Sie sollten zur Weihnachtszeit am Hofe spielen.

Es war ein trauriges Christfest in Stratford. Der kleine Hamnet lag an einem unerklärlichen Fieber danieder.

Anne versuchte sich einzureden, daß es nur eine Kinderkrankheit sei. Wäre es die arme kleine Judith gewesen, hätte sie nicht lange darüber nachgedacht. Aber der robuste Hamnet, der nie krank war! Und da er es nicht gewohnt war, krank im Bett zu liegen, machte er viel Getue. Er schimpfte, er weinte, er betete und glaubte, er würde nie wieder gesund.

Am Dreikönigsabend war er wieder munter. Er las in seinem

geliebten ‹Buch der Wunder› und wollte unbedingt draußen im Schnee toben. Aber seine Krankheit hatte Anne einen Schrecken eingejagt und ihr vor Augen geführt, wie einsam sie war. Sie fühlte sich von Will im Stich gelassen. Ein Mann, fand sie, sollte an Weihnachten daheim sein. Er sollte daheim sein, wenn sein Sohn krank war. Das Leben war so kurz, die Jahre verrannen so schnell, und was immer nach dem Tode kam, sie hätte sich ein wenig mehr Freude in ihrem Erdendasein gewünscht. Sie verlangte nicht viel. Und das einzige, was sie sich wirklich wünschte, was ihr das Glück auf Erden bedeutet hätte, blieb ihr versagt: ihr Mann.

Aber Will hatte wenig Zeit, an Anne oder an Hamnet oder an das weihnachtliche Stratford zu denken. Will war bei Hofe.

Nicht daß er im königlichen Audienzsaal umherstolziert wäre. Er und die anderen Schauspieler standen unter der gestrengen Aufsicht des Lord-Kämmerers. Und Lord Hunsdon, ein pedantischer, ängstlicher Mann, war fest davon überzeugt, daß Schauspieler das höfische Benehmen weder achteten noch eine Ahnung davon hatten. Er kannte William Shakespeare nicht, der sich ebenso kunstvoll verbeugen und ebenso gewandt ausdrücken konnte wie die besten Männer am Hofe. Nein, für Lord Hunsdon waren die Schauspieler allesamt Bedienstete, bei denen man die Zügel kurz halten mußte.

Doch dann erschien der Graf von Southampton, und zur größten Verwirrung des Lord-Kämmerers schloß er einen der Schauspieler in die Arme und sagte: «Mein lieber Will, warum habt Ihr Euch so lange nicht blicken lassen? Wir fühlen uns vernachlässigt, Will.»

‹Weil ich ein falscher Freund bin›, dachte Will, ‹weil ich Euch nicht in die Augen blicken konnte, weil ich fürchtete und hoffte, *sie* bei Euch wiederzusehen.›

Aber er sagte nichts dergleichen, und er dachte auch nicht lange darüber nach, denn er war viel zu sehr damit beschäftigt, diesen köstlichen Augenblick zu genießen. Vor den Freunden und insbesondere vor diesem wichtigtuerischen Esel von Lord-Kämmerer von einem Grafen umarmt zu werden, das war ein Triumph, den er voll auskosten mußte.

Andererseits widerstrebte es ihm, über seine Kameraden gestellt zu werden. Er sagte zu dem Grafen: «Darf ich Euch meine Freunde vorstellen, gnäd'ger Herr? Master Burbage, Master Kempe, Master Condell.»

Der Graf lüftete höflich sein Barett. «Zu Euren Diensten, Ihr Herren.» Dann wandte er sich dem Lord-Kämmerer zu: «Sind die Schauspieler auch gut untergebracht?» Er sah, wie Kempe eine Grimasse schnitt. «Und werden sie auch gut bewirtet und behandelt?»

«Nach ihrem Verdienst.» Auch Lord Hunsdon hatte Kempes Grimasse gesehen. Nun, es machte ihm nichts aus. Er würde schon dafür sorgen, daß dem Narren das Grimassenschneiden verging. Noch konnte er, wenn er es für nötig befand, einen Schauspieler auspeitschen lassen, wie hoch und erhaben sie sich auch dünkten. Aber empört war er über diesen jungen Fant, der *ihm*, dem Haushofmeister der Königin, erzählen wollte, wie man eine Rotte Schauspieler behandelte!

Der Graf sagte kühl: «Nach ihrem Verdienst? Nein, Lord Hunsdon, behandelt sie nach Eurer eigenen Ehre und Würdigkeit.» Dann kehrte er dem Lord-Kämmerer den Rücken und legte den Arm um Wills Schulter. «Will, aber heute abend müßt Ihr mit mir soupieren.»

Die drei anderen Schauspieler hielten sich höflich im Hintergrund. Will erwiderte ruhig: «Ich dank Euch, gnäd'ger Herr. Aber mein Platz ist bei meinen Kameraden.»

In den Augen des Grafen blitzte es zornig auf. Wie die meisten Adligen ärgerte er sich über den geringsten Widerspruch. Doch das drohende Gewitter verzog sich sogleich. Und mit einem freundlichen Lächeln sagte er: «Ihr Herren, Ihr müßt alle heute abend mit mir soupieren.» Dann verbeugte er sich anmutig und ging davon.

«Kommt, Ihr Herren», sagte Lord Hunsdon. Er war verstimmt. Gott im Himmel, demnächst würde der Graf noch die Küchenjungen zum Dinner einladen!

Auch Will hätte sich solche Pracht nicht träumen lassen.

Ein riesiger Saal, ganz in Gold und Silber, funkelnde Kleinodien und der strahlende Glanz unzähliger Kerzen.

Ein riesiger Saal, den nicht nur kunstvoll gearbeitete englische Möbel, sondern auch Tapisserien und Kostbarkeiten aus allen Teilen der Erde zierten.

Ein riesiger Saal, in dem, herausgeputzt und stolz wie die Pfauen, die höchsten, klügsten und trefflichsten Männer und Frauen des Landes versammelt waren, die Männer und Frauen, deren Erfolg der Erfolg Englands war. Seide und Samt, Brokat und Juwelen schmückten den glanzvollsten Hof Europas.

Plötzlich erstarb das Geplauder. Die beiden Türflügel wurden weit aufgerissen, und vom Lord-Kämmerer angeführt, zogen die hohen Herren des Hofes ein. Sie drehten sich um und blieben, dem Eingang zugewandt, stehen.

Dann erschienen die Hofdamen, Geschöpfe, lieblich wie Engel. Auch sie drehten sich um und blieben, dem Eingang zugewandt, stehen.

Atemlose Stille. Aller Augen starrten gebannt auf die weit geöffnete Flügeltür.

Allein – so wie sie ihr Leben lang allein gewesen war, besonders aber seit Graf Leicester gestorben war –, allein, ohne einen Begleiter, betrat Elisabeth von England den Saal. Der Hofstaat verneigte sich. Es war, wie wenn die Halme eines Kornfelds sich im Sommerwind neigen.

Die Königin trug ein prächtiges, mit Goldstickereien verziertes Gewand aus weißem Satin und als Kopfschmuck ein Diadem mit einem Paradiesvogel. Juwelen glitzerten und funkelten durch die fließenden, hauchdünnen Draperien. Aufrecht und gebieterisch glitt sie in den Saal wie ein herrlicher Schwan. Es war ein atemberaubender Anblick, ein wunderbares Bild, ein Schauspiel, das selbst Höflingen, die es schon Hunderte von Malen erlebt hatten, noch immer die Kehle zuschnürte. Will Shakespeare, der es zum erstenmal sah, war überwältigt. Gäbe es doch einen Knabenschauspieler, dachte er, dem in der Rolle einer Frau ein solcher Auftritt gelänge. Welch großartige Rollen würde er ihm schreiben: Kleopatra, Helena von Troja, Antigone!

Der Bann war gebrochen. Die Hofdamen stellten sich hinter der Königin auf. Lord Hunsdon stand, auf seinen Stab gestützt, an ihrer Seite. Graf Essex und Graf Southampton kamen herbeigeeilt, knieten, die Hand aufs Herz gepreßt, wie Liebhaber vor ihr nieder und küßten ihre zarten Hände. Die Königin blickte kokett und zugleich entzückt auf ihre gebeugten Köpfe und klopfte ihnen mit ihrem Fächer auf die Schultern. «Erhebt Euch, Graf Ergebenheit. Erhebt Euch, Graf Liebesleid.» Die tägliche Komödie hatte begonnen – die Komödie, bei der jeder Höfling, wie alt er auch war, den verzweifelten Liebhaber der müden, alternden, mit Juwelen behängten Königin spielte. Doch trotz ihrer sechzig Jahre stach sie noch jeden beim Tanzen aus und war geistreicher, schlagfertiger und beherzter als alle miteinander. Sie war eine kluge, hochbegabte Frau, die ihr Leben lang nur für eines gearbeitet und nur eines vor Augen gehabt hatte: den Ruhm und die Größe Englands.

Eine freundliche Hand ergriff Will am Ellbogen. «Ihre Majestät wünscht den Dichter der ‹Komödie der Irrungen› kennenzulernen. Folgt mir. Und antwortet ihr unerschrocken. Nur langweilige Tölpel erregen ihren Unmut.»

Will folgte dem Grafen von Essex. Er war wie betäubt. Die Königin! Das war etwas, was er seinem Vater erzählen konnte. Es würde den alten Mann von Herzen freuen.

Das Herz schlug ihm bis zum Hals. Aber er hatte keine Furcht. Er brauchte sich seiner Familie nicht zu schämen. Und er war ein Poet. Er fand es durchaus angemessen, daß er vor seiner Königin erscheinen sollte.

Er kniete vor ihr nieder. Sie berührte ihn mit ihrem Fächer und bedeutete ihm, sich zu erheben.

Er stand auf und nahm sich die Freiheit, sie anzusehen, bevor er geziemend die Augen senkte. Schmale Lippen, die Augen klein vor Müdigkeit und eine Nase, die an den Schnabel eines Raubvogels erinnerte. Einen Augenblick lang fürchtete er sich nun doch. Er mußte daran denken, wie der Adler mitleidlos sein Opfer zerreißt.

Dann lächelte sie.

In dem Lächeln, das die Königin in der Öffentlichkeit zeigte, lag keine Güte. Es war spröde und spöttisch. Aber alles lauerte darauf. Die Höflinge, die ihr Gesicht so aufmerksam beobachteten wie der Seemann sein Wetterglas, atmeten erleichtert auf und lächelten ebenfalls.

Die Königin sagte: «Eure Komödie gefiel mir gut, Master Shakespeare.»

Er machte eine tiefe Verbeugung, und ihm wurde dabei bewußt, daß sie nun deutlich sein sich lichtendes Haar sehen konnte. Aber das ließ sich nicht ändern. «Eure Majestät sind sehr gütig.»

«Es war eine lustige Bagatelle. Sehr geeignet für die gegenwärtige Saison.»

Eine lustige Bagatelle! Das war stark! Will war gekränkt. Aber wenn man von einer Königin gekränkt wurde, ließ man es sich nicht anmerken. Wieder verneigte er sich.

«Und was schreibt Ihr nun, Master Shakespeare? Noch mehr lustige Bagatellen?»

Oh, er würde ihr schon zeigen, daß er auch etwas anderes als Bagatellen schreiben konnte. «Ein historisches Stück, Eure Majestät. Über die Entthronung König Richards des Zweiten durch Henry Bolingbroke.»

Die Königin zog die Augenbrauen hoch. «Über die Entthronung eines Herrschers von Gottes Gnaden? Ein gefährliches Thema. Seid vorsichtig, Master Shakespeare.»

Die Höflinge wurden zappelig. Hoffentlich verdarb dieser Narr von einem Schauspieler ihr nicht die Laune.

Will schluckte. «Falls Eure Majestät es lieber sähen, wenn ich ein anderes Thema wählte –»

«Aber nicht doch, Master Shakespeare. Ich werde mir Euer Stück ansehen. Schon um zu erfahren, was für einen Schurken Ihr aus unserem Vetter Bolingbroke gemacht habt.»

«Keinen Schurken, Eure Majestät. Dessen könnt Ihr versichert sein.»

«Bolingbroke kein Schurke? Ein Mann, der einen König von Gottes Gnaden entthront, kein Schurke? Wie soll ich das verstehen, Herr?»

Will schwitzte. Stammelnd erwiderte er: «Ein Vetter Eurer Majestät, wenn auch ein sehr entfernter, kann kein Schurke sein.»

«Schnickschnack! Wir *alle*, die wir auf Englands Thron saßen, sind Schurken gewesen. Aber – und merkt Euch das gut, Master Shakespeare – Schurken von Gottes Gnaden.»

Was hätte er antworten sollen? Er verneigte sich schweigend. Armer kleiner Mann, dachte die Königin. Immerhin hatte er ein gutes Stück geschrieben. Sie durfte nicht so streng mit ihm sein. Er sah nicht aus wie einer, der das Königreich in Flammen setzen würde.

Aber wer hatte ihn eingeführt? Essex. Seltsam. Sie wußte sehr wohl, daß Southampton der Gönner des Poeten war – sie wußte alles. Aber Southampton war, wie sie bemerkte, eifrig damit beschäftigt, Mistress Vernon schöne Augen zu machen, was ihre Laune nicht gerade verbesserte. Darum also hatte er es seinem Freund Essex überlassen, ihr seinen Dichter vorzustellen. Essex war seit Robin Dudleys Tod ihr neuer Liebling: ein Mann, der noch nicht dreißig war und seiner doppelt so alten Königin zu Füßen lag. Der Mann, den sie liebte, dem sie aber nicht vertraute. Der Mann, der so verwöhnt, so eitel und so ehrgeizig war – und so beliebt beim Volk und so tollkühn –, daß ihn eines Tages Enttäuschung oder sein übermächtiger Ehrgeiz zum Verrat verleiten mochten.

Verrat! Noch gab es keinen Grund zur Besorgnis. Doch in ihrem Geist, der *alles* speicherte, was Englands Vergangenheit, Gegenwart und Zukunft betraf, zeichnete sich schon ein Dreieck ab – Essex, der Anführer, Southampton, der Verführte, und William

Shakespeare, der mit der Feder den Pöbel aufwiegelte. Und man durfte nicht unterschätzen, was dieser Master Shakespeare zu erreichen vermochte.

Aber noch war es nicht soweit. «Kommt, Master Shakespeare. Seid nicht langweilig.» Heute abend wollte sie die gütige Königin spielen. «Eurer Sprache nach würde ich sagen, daß Ihr nicht aus London stammt.»

«Nein, Eure Majestät. Meine Mutter ist eine Arden aus der Grafschaft Warwick. Und mein Vater war Bürgermeister von Stratford, einem Städtchen ebenfalls in der Grafschaft Warwick, wie Eure Majestät zweifellos wissen.»

«Ja, Majestät wissen es», sagte sie. Aber sie lächelte.

Er ließ den Kopf hängen. ‹Nur langweilige Tölpel erregen ihren Unmut›, hatte Essex gesagt. Er nahm sich zusammen. «Ich sah Eure Majestät einst in Kenilworth.»

Kenilworth! Der süße Robin! O Gott, warum erlaubte man ihr nicht endlich, das vergangene Glück zu vergessen? Die Erinnerung daran trieb ihr noch immer die Tränen in die Augen.

Die Höflinge merkten, daß die königliche Stirn sich wieder umwölkte. Dieser verdammte Schauspieler! Was redete er bloß?

«So, wirklich? Und was ereignete sich damals zwischen uns in Kenilworth, Master Shakespeare?»

«Ich rief: ‹Gott erhalte Eure Majestät!›»

«Ein höchst bemerkenswerter Ausruf! Und was sagte ich?»

«Ihr sagtet: ‹Ha!›»

«Wirklich?»

«Gewiß, Eure Majestät.»

Kenilworth! Das große Schloß aus rotem Ziegelstein, das sich mit seinen mächtigen Mauern zwischen lieblichen Wiesen erhob. Kenilworth, still und einsam unter einem sanften Himmel, wo sie vor langen Jahren mit ihrem Robin spazierengegangen und durch die einsamen Wälder geritten war. Kenilworth, verloren im Nebel der Zeit. Und nun sicherlich vernachlässigt. Im großen Schloßsaal nisteten vielleicht schon die schwarzen Krähen. Sie seufzte. Als der Lord-Kämmerer sah, daß die Königin in Erinnerungen versunken war, zog er den Poeten schnell fort. Augenscheinlich hatte der anmaßende junge Mann keinen günstigen Eindruck gemacht, dachte er. Nun, das geschah ihm recht! Es wäre seine, des Lord-Kämmerers Aufgabe gewesen, ihn der Königin vorzustellen. Aber diese grünen Galane wie Essex scherten sich nicht einen Deut um höfische Regeln. Wohin sollte das noch führen! Wenn die Königin einen vagabundierenden Schauspieler empfing, den ihr ein Grünschnabel von einem Grafen vorstellte. Du liebe Güte!

Will sagte besorgt: «Ich bin gar nicht glücklich mit meinem Stück über Richard II. Für die Königin ist die Entthronung eines Königs ein abscheuliches Verbrechen. Ich glaube, sie fürchtet, ein solches Stück könnte die Leute auf dumme Gedanken bringen.»

«Du meinst, es könnte Aufruhr stiften? Dann mach doch aus dem Usurpator einen gemeinen Bösewicht», sagte Burbage ungeduldig. «Zeige deutlich, mit wem du es hältst.»

«Aber der Thronräuber – Bolingbroke – ist ein Verwandter der Königin!» sagte Will verzweifelt. Er hatte das Gefühl, hoffnungslos in der Klemme zu sitzen.

Burbage brauste auf. Will hatte ihm die großartigste Rolle geschrieben, die es je für einen Schauspieler gegeben hatte. Und nun zögerte und zauderte er, weil die Königin irgendeine Bemerkung gemacht hatte. Manchmal war Will wirklich geradezu lächerlich furchtsam. Und sie brauchten so dringend Geld! Giles Allen, der Besitzer des Pachtlands, auf dem ihr Theater stand, würde bei der Erneuerung des Vertrags bestimmt einen höheren Zins verlangen. Burbage kannte Giles. Und er war entschlossen, sich seinen Forderungen zu beugen. Er sagte: «Will, wir führen das Stück auf, sobald es fertig ist. Und falls du versuchst, es zu verhindern, werde ich dafür sorgen, daß die anderen Teilhaber gegen dich stimmen.»

Will stöhnte. Das Dasein eines Handschuhmachers im friedlichen Stratford erschien ihm auf einmal in einem rosigen Licht. Was hatte er in London verloren? Southampton war so damit beschäftigt, Elisabeth Vernon den Hof zu machen, daß er nicht mehr viel Zeit für seine Freunde hatte. Und Essex behandelte ihn zwar sehr freundlich, aber er war zu unberechenbar und eitel, zu selbstsicher und affektiert, zu sehr der Liebling der Königin, als daß ein schlichter Mann wie Will sich in seiner Gegenwart wohl und ungezwungen gefühlt hätte. Und die Königin? Will mußte sich eingestehen, daß die Königin ihn zu Tode erschreckt hatte.

Doch bald vergaß er seine Niedergeschlagenheit. Das neue Jahr glich einem reißenden Fluß, der ihn Tag für Tag in neue Wirbel und Strudel stürzte. Als Teilhaber eines erfolgreichen Theaters mußte er Stücke lesen, an Sitzungen teilnehmen und mit den anderen Entscheidungen treffen, Proben leiten, selber auftreten, sich um geschäftliche Dinge kümmern, die neuen Knabenschauspieler anlernen und auf sie aufpassen, sich um die Kostüme kümmern – den wertvollsten Besitz der Truppe –, Streitigkeiten schlichten und sich unaufhörlich gegen die Puritaner zur Wehr setzen, die das Theater schließen wollten. Zum Grübeln blieb da wenig Zeit. Er schrieb an ‹Romeo und Julia› und am ‹Sommernachtstraum› und beendete, wie er versprochen hatte, seinen ‹Richard II.›

Aber des Nachts suchte ihn immer wieder die verderbliche Sehnsucht nach der dunklen Dame heim. Dann lag er oft schlaflos in seinem Bett und sann über die Unerforschlichkeit Gottes nach, der es zuließ, daß es einem Sünder so wohl erging – oder lauerte Gott wie ein Tiger im Versteck, bereit, über ihn herzufallen? Um sein Gewissen zu läutern, schrieb er Sonette über seinen Schmerz und seine Qualen.

Im Sommer ritt er wieder nach Stratford. New Place, das Herrenhaus, verfiel immer mehr. Das bedeutete ein paar Pfund Nachlaß auf den Kaufpreis, aber dafür ein paar Pfund mehr für Reparaturen. Er fand Anne und seine Eltern und Geschwister unverändert vor, außer daß sie alle ein wenig älter geworden waren. Nur die Kinder hatten sich verändert: Susanna war jetzt plötzlich ein schüchternes junges Mädchen, und die verschlossene Judith wagte manchmal ein Lächeln.

Hamnet war mächtig aufgeschossen. Aber er sah schmal und blaß aus. «Vater», verkündete er stolz, «an Weihnachten war ich sterbenskrank. Nicht wahr, Mutter?»

Will erschrak und sah betroffen und besorgt zu Anne hinüber. Aber sie lachte gottlob. «O Hamnet!» rief sie. «Du hattest ein wenig Fieber. Es war nichts Schlimmes.»

Hamnet blickte beleidigt drein. «Jedenfalls hab ich mich sterbenskrank gefühlt», brummte er.

Doch als sie am Abend allein waren, sagte Anne traurig: «Ich wünschte, du wärst zum Christfest heimgekommen, Will. Ich habe mir große Sorgen um Hamnet gemacht. Außerdem gibt es gar nicht so viele Weihnachtsfeste in einer Ehe, daß man es sich leisten kann, auch nur eines nicht zusammen zu feiern.»

Er hatte sich so darauf gefreut, ihr von seinen Weihnachtstagen am Hofe und von seiner Begegnung mit der Königin zu erzählen. Aber es war wohl besser, wenn er seine Erlebnisse für sich behielt. Er wollte Anne nicht reizen. Und so sagte er nur: «Wenn es in diesem Jahr zu Weihnachten nicht zuviel Schnee gibt und wenn wir nicht an den Hof gerufen werden –»

«Ja, ich weiß», sagte Anne, «und wenn die Straßen nicht zu schlammig sind und wenn die Welt nicht untergeht ...» Sie wandte sich verzweifelt von ihm ab. Er betrachtete sie von der Seite. Sie sah traurig aus, verhärmt? Er spürte, daß Anne die langen Zeiten seiner Abwesenheit allmählich nicht mehr ertragen konnte. Von Mitleid überwältigt schwor er sich, zum nächsten Christfest, was immer geschehen mochte, nach Stratford zu kommen.

Aber er kam *nicht* zum Christfest nach Stratford. Die Schauspieltruppe des Lord-Kämmerers war wieder an den Hof befohlen worden.

Zum Glück schneite es am Heiligen Abend. Feiner Pulverschnee breitete sich wie ein riesiges Laken über den Süden Englands. Er füllte jede Furche, häufte sich an jedem Hindernis und verwandelte Hügel und Täler in eine einzige weiße Fläche. Stratford war von London aus so unerreichbar wie der Mond.

Will war erleichtert. Irgendwie beschwichtigte es sein Gewissen, daß er, selbst wenn er gewollt hätte, nicht nach Stratford hätte reiten können. Und es war auch leichter, daß er, wenn er Anne im Sommer wiedersah, einfach nur zu sagen brauchte: «Daß es an Weihnachten auch so schneien mußte! Alle Straßen, die aus London hinausführten, waren vom Schnee versperrt.» So würde es ihm erspart bleiben, von seinen Erlebnissen am Hofe sprechen zu müssen.

Diesmal ließ ihn die Königin nicht zu sich rufen. Der Dichter aus der Grafschaft Warwick weckte zu viele schmerzliche Erinnerungen an vergangene glückliche Tage, als daß sie ihn hätte wiedersehen mögen.

Aber William sah die dunkle Dame, der er in Titchfield begegnet war, wieder. Sie huschte wie ein Geist durch das winterliche Dämmerlicht einer langen Galerie. Dunkel und bleich, hätte sie fast ein Schatten sein können, und ihr Lachen glich dem abendlichen Ruf eines Vogels.

In ihren Armen wußte er, daß er fern von ihr ein Nichts gewesen war, ein heimatloser Wanderer, ein Ausgestoßener, schutzlos dem Regen und dem Wind preisgegeben. Und doch haßte er sie, weil sie seiner Seele einen Spiegel vorhielt. Weil sie die Flammen der Schuld und der Scham, die er längst erloschen glaubte, aufs neue entfachte. Weil sie ihm einen schmählichen Himmel bereitete, den er mit der Hölle bezahlen mußte.

Und dann war sie plötzlich wieder wie damals nur noch Erinnerung. Eine brennende, quälende Erinnerung – Haß und unerträgliche Sehnsucht, ein böser, zerstörerischer Geist. Sie hatte den Frieden seiner Seele zerstört, seine Ehre, seine Selbstachtung, die unschuldige Liebe eines Mannes zu seiner Frau und seinen Kindern. «Und Schmach verdarb der süßen Welt Geschmack», sprach er bitter vor sich hin.

Gott ließ sich nicht spotten. Nein, dachte Will und bebte vor Furcht. Gott würde sich nicht zweimal verhöhnen lassen.

Das Leben war wie eine Spinnspule, um die sich immer mehr Fäden wickeln. Die Schauspieler des Lord-Kämmerers wurden eingeladen, im Palast von Whitehall, in Zunfthäusern und Rechtsschulen und in den großen Adelshäusern zu spielen. Ihre Beliebtheit kam nicht von ungefähr. Sie verdankten sie ihrer glücklichen Hand bei der Wahl der Stücke, ihren glänzenden Aufführungen und einem zu ihrer Truppe gehörenden Dichter, der in unermüdlicher Arbeit übermäßig lange Stücke schrieb, die man dann auf die Länge eines Nachmittags zusammenstreichen konnte.

Er stand bei Tagesanbruch auf und ging selten vor Mitternacht zu Bett. Arbeit! Aber sie machte ihm Spaß, und das war gut so, da sie den ganzen Mann verlangte. In diesem Jahr, dachte er betrübt, würde er nicht nach Stratford reiten können. Und er wollte so gern, er *mußte* nach Stratford. Oft dachte er sehnsüchtig an den ländlichen Frieden, an den stillen Ablauf der Tage – und an Anne, die arme Anne, die so wenig vom Leben hatte. Anne, die ergeben und ohne zu klagen ihre Einsamkeit hinnahm, obwohl die Sonne für sie doch nur schien, wenn Will bei ihr war.

Arme Anne! Aber ebenso wie sie verlangten der Hof und der Adel nach ihm, die kleinen Händler und Handwerker, die Straßenfeger und die Arbeiter Londons, von denen viele fanden, daß ein Stück von Master Shakespeare noch aufregender war als selbst die Bärenhatz.

Und so mußte Anne warten, bis sie wieder an die Reihe kam. Ein Glück, daß weder sie noch die Kinder ihm Vorwürfe machten. Wenn er erst einmal das Herrenhaus New Place erworben und sie dort untergebracht hatte, dann würde er bestimmt öfter in Stratford sein. Er würde am Fenster seines stattlichen Hauses sitzen und voller Stolz beobachten, wie sein Sohn von der Lateinschule auf der anderen Straßenseite heimkam. Er würde Hamnet das Bogenschießen und das Fechten lehren, auch wenn er dafür vielleicht schon etwas kurzatmig war, und mit ihm die eigensinnige Kegelkugel rollen lassen. Ein gutes Leben – wenn er ein wenig älter war. Die Gegenwart, das war das Lachen und die Freundschaft der Schauspieler, der blendende Glanz am Hofe und das Schreiben in seinem Zimmer, wo er seinen Geschöpfen wie Gott im Himmel Leben einhauchen, Freud und Leid zumessen und den Tod schicken konnte. Das Heute war die geschäftige, stürmische und verantwortungsreiche Zeit der Mitte des Lebens, das Morgen der ruhige Nachmittag, die länger werdenden Schatten der Pappeln in Stratford.

Es war Anfang August, als Richard Field ihm die Nachricht überbrachte.

Sie waren gerade bei einer Probe. Will war der Spielleiter. Sie probten ein Stück von ihm, eine Komödie, die er ‹Ein Sommernachtstraum› genannt hatte. Darin kam eine Szene vor – ein Spiel im Spiel, von ein paar Rüpeln vorgestellt –, mit der er sich über Kyds ‹Spanische Tragödie› lustig machte, aber auch über den hochtrabenden Stil Edward Alleyns und über die Feierlichkeiten bei der Taufe des Prinzen Heinrich von Schottland.

Die Schauspieler liebten das Stück. Vor allem Burbage. Er hatte eine leichtere, natürlichere Art zu spielen als Edward Alleyn, und er fand die scherzhafte Nachahmung seines alten Rivalen sehr schmeichelhaft. Auch Will genoß den Spaß. Sie alle brachen immer wieder in Gelächter aus. Dann blickte er auf und sah Richard Fields Gesicht.

Will hatte Richard gegenüber immer ein etwas schlechtes Gewissen. Er schätzte und achtete ihn. Er kannte keinen besseren Menschen. Aber er suchte nie von sich aus seine Gesellschaft. Und das lag nicht nur daran, daß Richard ein Langweiler war. Er war auch so etwas wie Wills verkörpertes Gewissen. Zwar machte Richard ihm nie einen Vorwurf wegen seines langen Fernbleibens von den Seinen, aber Will fühlte sich bei seinem Anblick stets daran erinnert.

Er lief mit ausgebreiteten Armen auf ihn zu: «Mein lieber, guter Freund! Was führt dich her?» Und dann fügte er lachend hinzu: «Doch nicht schon wieder eine neue Auflage meiner ‹Venus›?»

«Nein, Will. Ich komme gerade aus Stratford.»

Will blickte ihm in die Augen. Und er verstand. Eine Trauerbot-
schaft. Sein Vater? Oh, warum mußte der alte Mann sterben, ehe
ihm das Familienwappen verliehen wurde! Es hätte ihm soviel
Freude gemacht. Aber er fand sich schon so lange nicht mehr zurecht in dieser Welt. Sein armer alter Vater! Und seine Mutter? Der
Kummer würde sie beugen, aber nicht zerbrechen. Er dachte an den
alten Mann, der ihn in dieses rauhe, stürmische Leben gerufen hatte. Gott mochte seiner Seele Frieden geben.

Richard Field sagte: «Hamnet ist tot.»

Er sah den Freund wie betäubt an. «Was sagst du da?»

«Hamnet – dein Sohn – ist tot. Oh, es tut mir so leid, Will.»

Ein Mißverständnis. Es konnte nur ein Mißverständnis sein.
Freilich, sein Vater war schon lange schwach und gebrechlich,
wußte nie genau, was um ihn herum geschah. Aber Hamnet? Dieser kräftige Junge, der mit beiden Beinen fest auf der Erde stand, der
genau wußte, was er wollte? Sein Sohn, mit dem er kegeln wollte,
wenn sie im Herrenhaus New Place lebten? Ein Mißverständnis.
Ein Irrtum. Hatte Richard sich geirrt? Oder – er fühlte, wie er er-
bebte – oder Gott?

«Hamnet?» fragte er.

Richard blickte zu Boden und nickte.

Auf der Bühne war es still geworden. Will weinte.

‹Gram füllt die Stelle des entfernten Kindes, legt in sein Bett sich,
geht mit mir umher ...› In seinem Schmerz und Kummer sah er
neue, tragische Gestalten aus dem Schatten auf die Bühne treten.
‹... Nimmt seine allerliebsten Blicke an, spricht seine Worte, erinnert mich an alle seine holden Gaben ...›

Die Tür öffnete sich. Anne stand vor ihm.

Wenn es irgendwo in der Welt Trost für ihn gab, dann in ihren
Armen. Aber sie wich vor ihm zurück. Ihre Züge waren starr wie
das Gesicht eines Leichnams.

«Du hättest bei uns sein sollen», sagte sie mit harter Stimme.

«Ich wußte von nichts», erwiderte er hilflos.

«Du hättest trotzdem bei uns sein sollen! Es ist gegen die Natur,
fern von den Seinen zu leben, Jahr um Jahr. Gott läßt sich nicht
spotten.»

Ein Schauder fuhr ihm über den Rücken. Auch sie nahm es als ein
Zeichen Seines Zorns. Er fragte: «Wie ist es geschehen?»

«Das Fieber ... Es hat ihn verbrannt – wie einen Bogen Papier.»

Sie mied seinen Blick. «Die arme kleine Judith. Sie ißt nicht, sie spricht nicht, sie schläft nicht. Es ist, als lebte sie nur noch halb.»

Sie war dem Leben nie ganz gewachsen gewesen, dachte er. Der Tod ihres Zwillingsbruders konnte sie leicht in den Wahnsinn treiben. Allmächtiger Gott, wieviel Unheil hatte seine Lust über sie alle gebracht! Sie hatte nicht ihm ‹der süßen Welt Geschmack› verdorben, sondern Gottes Zorn wie einen Blitz auf seine Hütte niederfahren lassen. Hilflos und flehend streckte er die Arme aus. «Anne, wenn wir je einander brauchten, dann jetzt.»

Sie zuckte zurück.

Oh, wäre er mit Pestbeulen bedeckt zu ihr gekommen, sie hätte ihn zärtlich an ihre Brust gedrückt! Aber nicht jetzt. Sie war wie ein verwundetes Tier, das in einer einsamen Höhle Schutz suchte, um seine Wunden zu lecken. Sie zog sich von Gott und den Menschen zurück. Sie spann sich in ihr Unglück ein.

«Dein Vater hat sein Wappen verliehen bekommen. Was bedeutet schon der Verlust eines Sohnes verglichen mit dieser Ehre?» sagte sie bitter.

Sanft erwiderte er: «Anne, es ist nicht meine Schuld, daß Hamnet starb.»

Sie sagte: «Du suchtest immer nur Ehre statt Liebe. Nun, Ehre hast du erlangt.»

«Und die Liebe verloren?» fragte er demütig.

Anne schwieg. Dann sagte sie, ohne ihn anzublicken: «Geh zurück nach London, Will.» Ihre Stimme klang heiser und leblos. «Geh . . .»

«Aber ich kann euch doch nicht gleich wieder verlassen», sagte er bedrückt.

Nun brach es aus ihr hervor. «Barmherziger Gott!» rief sie zornig. «Ich bin all die Jahre allein zurechtgekommen. Ich komme auch jetzt zurecht.»

«Und Judith? Sie braucht –»

«Was Judith braucht, kannst *du* ihr nicht geben. Du bist ein Fremder. Sie hat sich immer vor dir gefürchtet. Es ist besser, du gehst fort.»

In tiefer Demut sagte er: «Ich hatte so viele Pläne für Hamnet. Ich habe einen Sohn verloren. Ich brauche dich, Anne.»

«Ich habe dich oft genug gebraucht. Als die Pest in Stratford herrschte. Als ich krank war. Als nachts ein Verrückter ums Haus herumschlich. Oh, wie hast du mir gefehlt! Immer mußte ich allein zurechtkommen. Nun mußt *du* sehen, wie du allein zurecht-kommst.»

«Aber warum soll ich fortgehen?»

Zum erstenmal sah sie ihn an. Er war entsetzt, als er ihr gealtertes Gesicht erblickte. «Würdest du für immer bleiben, Will?» fragte sie.

«Nein, das ginge nicht. Du mußt verstehen ... Da sind die Stük-ke, die Proben – tausend Gründe. Aber ein paar Tage, eine Wo-che –»

Sie richtete sich auf. «Alles oder nichts, Will. Geh fort. Ich habe eine Tochter, die ich vom Rande des Grabes zurückholen muß.»

Susanna war in Shottery bei der Großmutter. Er sah sie nicht.

Judith bot ihm zögernd eine bleiche, kalte Wange zum Kuß dar.

Er beschloß, nicht in die Henley Street zu gehen. Sein Vater wür-de von nichts anderem als dem Familienwappen sprechen. Und sei-ne Mutter würde ihn zwar vielleicht trösten, aber er fürchtete ihre scharfe Zunge. Noch mehr Vernunft konnte er nicht ertragen.

Er ging auf den Kirchhof. Seltsam, zu denken, daß in dem klei-nen Grab dort der prahlerische, muntere Hamnet lag. Gott, ich ha-be gesündigt, rief er.

Ein kleiner Junge, der in einem sommerlichen Garten spielt. Eine zufriedene Mutter, die ihm zuschaut. Und alles zerstört, weil er der ewigen Ordnung Trotz geboten hatte.

Er schwang sich müde auf sein Pferd und ritt davon, nach Lon-don.

11

In dieses O von Holz ...

Anne pflegte das Grab ihres toten Kindes. Und mit unermüdlicher Geduld hegte und pflegte sie die sterbenskranke Judith.

Endlich wurde ihre liebevolle Fürsorge belohnt. Judith nahm wieder ein wenig Speise zu sich, sprach ein paar Worte, und eines Tages schließlich lächelte sie wieder. Und dieses Lächeln war wie ein goldener Sonnenstrahl nach einer Woche Regen und Wind.

Aber der eisige Hauch, der in jenem August, lange vor dem ersten winterlichen Nachtfrost, durch das kleine Haus geweht war, hatte nicht nur Hamnet dahingerafft und Judith gestreift. Er hatte Annes Herz erstarren lassen.

Anne verstand nicht, was ihr geschah. Es war, als wäre ihr warmes, pochendes Herz plötzlich kalt und leblos geworden.

Die Liebe erstarb. Sie empfand nur noch Kummer, ein Gefühl der Schuld – es war nicht recht, wenn Mann und Frau getrennt lebten, und Gott hatte deutlich sein Mißfallen gezeigt – und Mitleid. Mitleid mit der kleinen Judith, mit Susanna und vor allem mit sich selbst. Aber die Liebe erstarb. Will? Er war wie ein schwankendes Rohr im Winde – sie hatte keine Zeit mehr für ihn. Sie merkte, wie der Groll gegen ihn wie ein Geschwür in ihr wuchs, aber sie vermochte nichts dagegen auszurichten. Und sie wollte es auch nicht. Im Gegenteil, sie nährte ihren Groll mit bitteren Erinnerungen, so wie sie Judith mit kleinen Leckerbissen fütterte. Und der Groll wuchs und gedieh und verhärtete ihr einst so weiches Gemüt.

Sie führte mit ihren beiden Töchtern ein zurückgezogenes Leben und sonderte sich immer mehr von allen anderen ab. Gram und Bitterkeit nagten an ihr. Sie sah jetzt oft unordentlich aus und vernachlässigte den Haushalt. Wofür sollte sie sich noch Mühe geben? Hamnet war nicht mehr da. Und Will? Wenn er das nächste Mal ein verkommenes Haus und eine schlampige Frau vorfand – *ihr* machte es nichts aus. Um so schneller würde er nach London zurückkehren.

Es wurde Herbst, es wurde Winter. Ein trüber dunkler Tag folgte auf den andern. Als es schließlich Frühling wurde, kam Will nach Stratford.

William Shakespeare, der von Ruhm und Erfolg verwöhnte Edelmann, schmunzelnd bei dem Gedanken an Sir John Falstaff, den herrlichen Helden seines neuen Stückes, stolz auf das Familienwappen, mit den Lobliedern Londons in den Ohren und dem Kaufvertrag für das Herrenhaus New Place in der Tasche!

Er bemerkte in seiner Begeisterung gar nicht, wie verkommen das Häuschen aussah, und auch die düstere Miene seiner Frau beachtete er nicht. Er war nicht nur ein ruhmreicher Dichter, sondern auch ein geschickter Geschäftsmann: für sechzig Pfund hatte er das zweitschönste Haus in Stratford gekauft! Das würde Anne sicherlich bald wieder zum Lächeln bringen. Er war heiter und zufrieden. Hamnet fehlte ihm zwar, aber er hatte sich seinen Kummer von der Seele geschrieben – mit den Worten, mit denen in seinem neuen Stück über König Johann eine Mutter ihren toten Sohn beklagte. Für Anne waren seit Hamnets Tod nur Herbst und Winter gekommen und vergangen, mehr nicht. Für Will dagegen waren es Wochen und Monate rastloser Arbeit gewesen. Sein wirbeliges Leben in London ließ ihm keine Zeit zum Trauern. Er hatte die Freude «an der süßen Welt Geschmack» wiedergefunden.

Er küßte sie auf die kalte Wange. «Du kommst sehr zeitig in diesem Jahr», sagte sie mit verletzender Bitterkeit. «Hast du etwa gedacht, ich fühlte mich einsam?»

Er sah sie prüfend an. Sie hatte ihn nicht mit der gewohnten Herzlichkeit empfangen. War sie verstimmt? Nun, das würde er schon wieder in Ordnung bringen. «Anne», sagte er, «wir müssen das Haus verkaufen.»

Sie blickte ihn erschrocken an. Und da sah sie, daß er lächelte. Aber sein Lächeln erlöste sie nicht von ihrer Angst. «Unser Haus verkaufen?» Ihr geliebtes Heim? «Unser Haus verkaufen? Was willst du damit sagen, Will?»

Er lächelte noch immer. Er war aufgeregt wie ein Schuljunge. Aber auch ein wenig unsicher. Anne konnte so ernüchternd sein, ihm jede Freude rauben. Und schon oft hatte sie ihn mit ihrem Spott über seinen Ehrgeiz tief verletzt. «Ich habe New Place gekauft, Anne.»

Er wird seinem Vater immer ähnlicher, dachte sie, während sie die Neuigkeit zu begreifen versuchte. Bisher war es ihr nie aufgefallen, aber es ließ sich nicht leugnen. Dieses törichte Lächeln, diese selbstgefällige Miene, dieser eitle Stolz – und außerdem wurde er dick. In diesem Augenblick verachtete sie ihn. «Was hast du getan?» fragte sie.

«New Place gekauft. Und rate mal, für wieviel. Oh, natürlich muß einiges hergerichtet werden, aber –»

Sie sagte: «Du hast New Place gekauft? Warum? Wozu?»

«Wir werden dort leben – was denn sonst?» erwiderte er leicht gereizt.

Sie sah ihn ungläubig an. «Du erwartest doch nicht, daß ich mit den zwei Mädchen in dieser protzigen, verfallenen Scheune lebe? Ich will mich nicht zum Gespött der Leute machen.»

«Das Haus wird hergerichtet und in Ordnung gebracht. Und wenn wir erst eingezogen sind, werde ich auch mehr Zeit in Stratford verbringen.»

«Oh, welche Ehre für uns! Findest du deine Frau und deine Kinder anziehender, wenn sie wie die Adligen wohnen?»

«Unsinn. Natürlich nicht. Aber ich bin auf dem Wege, ein reicher Mann zu werden, Anne. Bald kann ich es mir leisten, einen Teil meiner Arbeit anderen zu überlassen.»

Sie sah ihn verächtlich an und sagte dann mit bitterem Spott: «Der süße Will! Der liebe Will! Reizend zu jedermann, höflich und rücksichtsvoll. Jedermanns Liebling. Aber mit einem Herz aus Eisen. Dein Leben lang bist du wie ein Pfeil gewesen, der auf sein Ziel zuschießt.»

«Und ins Schwarze trifft.» Er hob das Kinn und glich jetzt seiner Mutter.

«Ja, gewiß. Du hast erreicht, was du wolltest: ein Wappen, Besuche bei Hof, adlige Freunde, sicherlich auch Frauen und nun noch ein großes Haus. Was zählen da schon meine Jahre der Einsamkeit, was zählt da schon mein Kummer!»

Er sagte müde: «Es ist nicht meine Schuld, daß der Junge starb.»

«Nichts ist deine Schuld. Aber du hättest dich um uns kümmern können.»

New Place. Das war der Preis gewesen, und er hatte ihn errungen. Für ihn war es ein Augenblick demütigen Stolzes gewesen. Wie sehr hatte er sich auf den Umbau und das Einrichten des Hauses gefreut, auf den Einzug mit seiner Familie und den Triumph, wie ein Edelmann in Stratford zu leben. Und nun hatte diese *Bäuerin* ihm alles verdorben. Ihr dumpfer Groll wirkte ansteckend auf ihn. Sie saßen einander in dem kleinen Wohnzimmer gegenüber. Ohne sich anzusehen. Schweigend. Schließlich sagte er: «Wenn du so zu mir stehst, ist es wohl besser, ich kehre nach London zurück, sobald ich die Handwerker angewiesen und einen Käufer für diese Hütte hier gefunden habe. In der Zwischenzeit werde ich im Gasthof wohnen.»

Sie schwieg. Er blickte sie an. Ihr Kleid war alt und abgetragen, ihr Haar glanzlos, ungekämmt. Ihre Wangen wirkten grau und eingefallen und ihre Züge verhärmt. Aber das Mitleid, das ihn sonst so leicht überwältigte, regte sich nicht. In kühlem Ton sagte er: «Als Herrin von New Place wirst du ein wenig auf dein Äußeres achten müssen.»

Dann schwiegen sie wieder beide. Er stand auf und ging aus dem Haus, ohne sich noch einmal nach ihr umzudrehen.

Anne blieb stehen. Sie hatte einen Sohn verloren. Und nun hatte sie anscheinend auch ihren Ehemann verloren.

Burbage sagte: «Füll deinen Becher, Will.» Er beugte sich über den Tavernentisch und lehnte sich auf seine gekreuzten Arme. Er hatte jenen Grad des leichten Rausches erreicht, wo man seine Mitmenschen so innig liebt, daß man ihnen frisch und frei alles sagt, was man auf dem Herzen hat. «Will, bei dieser Schauspielerei entdecke ich Höhen und Tiefen und lauter Dinge, von denen ich nie etwas geahnt habe. Feine Abstufungen, Vorstellungen, Ideen, sonderbare Charakterzüge. Ich habe viel von dir gelernt. Dein ‹Richard der Zweite› hat mir gezeigt, wie viele Seiten ein Mann, ja sogar der Held eines Stückes haben kann.»

Will nippte vorsichtig an seinem Bier. Das verdammte Zeug bekam ihm nicht. Aber er empfand eine seltsame Erregung. «Weißt du, Richard, ich glaube, das Drama bietet immer noch neue Möglichkeiten – lauter geheimnisvolle Gebiete, die es im Menschen zu entdecken gilt. Und ich glaube, du und ich, wir beide könnten da ebenso großartige Entdeckungsreisen machen wie Francis Drake oder Sir Walter Raleigh.» Er war zweifellos etwas beschwipst, aber er dachte seit langem über diese Fragen nach. Und nun hatte das Bier ihm die Zunge gelöst.

«Bei Gott, Will», sagte Richard Burbage und drückte freundschaftlich Wills Arm. «Schreib mir ein Stück mit einem so vielseitigen Helden. Schreib mir eine Rolle, an der ich mir so richtig die Zähne ausbeißen kann.»

«Wie wär's», sagte Will, «wenn du einmal einen Blick in meinen

‹Hamlet› werfen würdest. Ich habe in der letzten Zeit allerlei an dem Stück verbessert.»

Burbage sah ihn zweifelnd an. «Das Stück mit dem verdammten Gespenst?»

«Das Gespenst, der Geist des Vaters, ist ja nicht alles», sagte Will. Er war nun richtig betrunken. «Hamlet ist mein Denken und mein Fühlen. Hamlet ist jedes kleinste Äderchen in meinem Leib. Hamlet ist meine Freude und mein Kummer, meine Liebe, meine Lust und meine Angst. Hamlet – das bin ich, das bist du, das ist jedermann.»

«Ich kann mir das Manuskript ja gelegentlich einmal ansehen», sagte Burbage. «Erinnere mich daran, falls ich's vergesse.»

Will sagte: «Ich hab's zufällig gerade bei mir.» Und er zog das Manuskript aus seinem Wams.

«Warum in Gottes Namen», schrie Burbage eine Stunde später, «hast du mir dieses Stück nicht schon früher gezeigt?»

«Ich hab's versucht», sagte Will sanft, «aber du wolltest es ja nicht lesen.»

«Aber es ist genau das, wonach ich gesucht hab. Welch eine Rolle, dieser Hamlet!»

Er las weiter. Plötzlich blickte er enttäuscht auf. «Ach du lieber Gott!» rief er. «Hast du denn keine Rolle für Kempe darin?»

«Im fünften Akt kommt ein komischer Totengräber vor.»

«Erst im fünften Akt? Damit gibt er sich bestimmt nicht zufrieden! Wie wär's mit einem Hofnarren?»

«Ich will aber nicht, daß Kempe auf Schloß Helsingör seine Possen und Zoten reißt. Entweder spielt er den ersten Totengräber oder gar nichts.»

Aber Richard Burbage hatte sich schon wieder in das Manuskript vertieft. ‹Sein oder Nichtsein, das ist hier die Frage …› So etwas würde die Zuschauer mitreißen. Im Augenblick war es ihm einerlei, wer welche Rolle übernahm, solange er – und das stand ein für allemal fest –, solange *er* den Hamlet spielte.

Aber dann häuften sich die Sorgen und Schwierigkeiten. Eines Tages erschien Burbage in der Taverne und sah fast so bleich aus, wie er als Richard II. im letzten Akt auf der Bühne gestanden hatte. Die Schauspieler starrten ihn beunruhigt an. «Richard, was ist geschehen?»

Er ließ sich auf einen Stuhl fallen. «Ich habe Giles Allens Bedingungen für die Erneuerung des Pachtvertrags gesehen. Wir sind ruiniert!»

Nun kam der kühle Geschäftsmann Will zum Vorschein. «Wir müssen ihn herunterhandeln, Richard», sagte er. «Allen wird sich, wenn wir fest bleiben, auch mit weniger zufrieden geben.»

«Bestimmt nicht. Er sagt, er will das Theater abreißen lassen. Wegen gröblicher Verstöße gegen den Vertrag, wie er sagt. Aber meiner Meinung nach will er es für sich selbst haben.»

Das klang ernst. Ein schwerer Schlag. Jetzt, wo gerade alles so gutging! Ein regelrechtes Unglück. Ohne ein Theater würden sie wieder in den Höfen von Wirtshäusern spielen müssen. Während die anderen Truppen ihren Zuschauern angenehme, trockene Plätze in ihren eigenen Theatern bieten konnten. Das würde nicht lange gutgehen. Drohte ihnen jetzt der Untergang? Unvorstellbar!

«Kann ich einmal den alten Pachtvertrag sehen?» fragte Will.

«Natürlich.» Richard Burbage zog ihn aus dem Wams.

Will schob Burbage seinen Becher hin. Richard sah so aus, als brauchte er einen Schluck, und Will war nur froh, das Bier loszuwerden. Er las den Vertrag.

Schweigend gab er ihn zurück. Richard, der auf ein tröstliches oder zuversichtliches Wort gehofft hatte, sah Will enttäuscht an. Aber war da nicht ein Funkeln in den besorgt blickenden Augen? Nein, er hatte sich wohl getäuscht.

Er hatte sich nicht getäuscht. Zwei Tage später kam Will wieder in die Taverne und wußte sich vor Aufregung kaum zu halten. «Freunde!» rief er. «Ich werde Geld brauchen. Ich habe in eurem Namen ein Gartengrundstück am südlichen Themseufer gekauft. Es liegt ganz in der Nähe von Henslowes ‹Rose›-Theater. Und ich denke doch, wir werden ihm bald einen Teil seines Publikums abspenstig gemacht haben.»

«*Was* hast du gekauft?» fragte Kempe. «Ein Gartengrundstück? Sollen wir zwischen Rosen tanzen?»

Condell sagte: «Will, du Narr! Was sollen wir mit einem Grundstück ohne Theater anfangen?»

Heminge sagte: «Hoffentlich hast du noch nichts *unterschrieben* für deinen Unkrautgarten!»

Und Augustine Phillips sagte mürrisch: «Wir werden es uns nie leisten können, ein anderes Theater zu errichten.»

Will ließ sie reden. Er genoß das Schauspiel. Und dann sagte er:

«Ihr vergeßt, Freunde, daß ich Giles Allens alten Pachtvertrag gelesen habe. Es gibt da eine nützliche Klausel. Danach gehört das Theater uns, sofern wir es fortschaffen, ehe der Vertrag erlischt.»

Die anderen schwiegen. Dann brüllte Kempe los: «Das Theater fortschaffen? Wie stellst du dir das vor?»

«Ans andere Themseufer? Jetzt, im Winter?» fragte Phillips.

«Ob im Winter oder im Sommer – das ist kein Unterschied», murmelte Condell.

Sie alle hielten Will für verrückt. «Ein Theater über die große Brücke schleppen», höhnte Kempe. «Hilfe!» Er tat, als fröre ihn, und hauchte in seine Finger. «O weh, 's ist bitter kalt. Und einen Narren zum Gefährten! Oh, mir ist schlimm zumut.»

Will sagte: «Ich hab's mir alles genau überlegt. Hört zu.»

Als er zu Ende gesprochen hatte, sahen sie ihn alle staunend an. Dann schlugen sie sich auf die Schenkel und brüllten vor Lachen, Will, der sie so oft zum Lachen brachte, hatte sich den herrlichsten aller Späße ausgedacht – ganz London würde darüber lachen. Der süße Will! Der liebe Will! Er war in der letzten Zeit oft so niedergeschlagen gewesen. Sie freuten sich, daß er wieder ihr alter lustiger Will war.

Am Weihnachtsmorgen begannen sie in aller Frühe mit der Arbeit. Die angesehenen und geachteten Schauspieler des Lord-Kämmerers kamen auf leisen Sohlen wie Diebe durch die stillen Straßen geschlichen und versammelten sich vor ihrem Theater. Dann, auf ein Zeichen hin – oh, welch ein Höllenspektakel zerriß die weihnachtliche Stille! Brave Bürger sprangen erschreckt aus ihren Betten, rannten ans Fenster und spähten hinaus.

Giles Allen zog sich hastig einen Schlafrock über und eilte durch den eisigen Morgen zum Theater. «Was ist los? Was macht ihr da?»

«Wir holen uns nur unser Eigentum», sagte Will mit freundlicher Stimme, während er geschickt mit einer Zange einem Nagel zu Leibe rückte.

«Aber es ist jetzt *mein* Eigentum.»

Geduldig zeigte Will ihm die Klausel im Vertrag. Giles Allen fluchte und schimpfte. Niemand beachtete ihn. Ein großes hölzernes Theater abzubrechen war eine mühselige und geräuschvolle Arbeit, besonders wenn man zu größter Eile gezwungen war.

Karren standen bereit. Bald schon fuhren sie, hoch mit Balken und Brettern beladen, von dannen. Und es war nicht einmal nötig, den langen Weg über die Brücke zu nehmen. Die Themse war nämlich zugefroren. Die Schauspieler des Lord-Kämmerers gelangten so sicher über den Fluß wie die Kinder Israels durchs Rote Meer.

Und Giles Allen, der Besitzer des Pachtlands, stand wie Pharao hilflos da und mußte sie ziehen lassen.

Als es Abend wurde, lag das Gartengrundstück am anderen Themseufer voller Bretter und Balken, aus denen, noch bevor der Winter dem Frühling wich, das neue Theater errichtet werden sollte.

An jenem Abend saßen sie bis spät in die Nacht hinein in der Taverne. Sie waren erschöpft, aber zufrieden und glücklich. Sie waren gute Freunde, und sie waren an heitere und geduldige gemeinsame Arbeit gewöhnt. Doch heute waren sie mit einem Willen und einer Begeisterung bei der Sache gewesen wie nie zuvor. Sie hatten gleichsam einen Berg versetzt. Und nun saßen sie schweigend da, die Hände auf die Schenkel gestützt, ein Lächeln auf ihren müden Gesichtern, und starrten auf ihre Bierbecher oder auf den Tisch. Hin und wieder lachte einer glucksend vor sich hin, und das Lächeln der anderen wurde noch breiter. Und dann stimmte Will mit seiner schönen Stimme leise ein fröhliches Lied an, und die anderen fielen ein, und sie sangen und tranken und lachten, bis sie nicht mehr konnten und einige von ihnen unter dem Tisch lagen. Mehr denn je fühlten sie sich in Freundschaft verbunden, und der Eckpfeiler dieser Freundschaft war William Shakespeare.

Als es Frühling wurde, brauchte das neue Schauspielhaus nur noch einen Namen. «‹Das Theater›», sagte Richard Burbage etwas wehmütig.

«Nennen wir es doch nach der Königin», schlug Heminge vor. Aber die Königin war fünfundsechzig Jahre alt. Und sie wollten ihr Theater nicht schon nach wenigen Jahren umtaufen müssen.

«‹Die Distel›», meinte Will. «Wir wollen doch Henslowes ‹Rose› ausstechen!»

«Es ist rund wie ein O oder wie der Erdball», sagte Condell. «Und wie unsere große Erdkugel soll es von Leben erfüllt sein. Nennen wir es doch einfach ‹Globe›.»

Und da es schon spät war und keinem von ihnen etwas Besseres einfiel, blieb es bei diesem Namen.

12

Wie Menschen-Undank ist ...

In jenem Jahr und im darauffolgenden Sommer kam Will mehrere Male nach Stratford, um die Arbeiten der Handwerker an seinem neuerworbenen Haus zu überwachen.

Er stieg im Gasthof ab und besuchte weder seine Frau noch seine Eltern.

Er war oft finster gestimmt und geriet leicht in Zorn. Er haßte jedermann, und wie viele Menschen, die ihre Mitmenschen hassen, haßte er am meisten sich selbst.

Dank seiner Begabung, aber vor allem dank unermüdlicher harter Arbeit und ohne jede Hilfe von anderen hatte er Höhen erklommen, die eigentlich für einen Lateinschüler aus einer kleinen Stadt unerreichbar waren.

Er hatte die Früchte seines Erfolgs mit den Seinen teilen wollen und war verlacht worden. Nun, dann würde er sie eben allein genießen und seine stille Freude an ihnen haben. Oh, wenn er, der Edelmann William Shakespeare, aus London zu Besuch nach Stratford kam, konnte er sich gewiß auch ohne die Seinen an seinem neuen Besitz weiden.

Und nun war das Haus fertig und brauchte nur noch eingerichtet zu werden.

Es war wirklich das Haus eines Edelmanns: ein Fachwerkhaus aus roten Ziegeln und eichenen Balken, mit fünf Giebeln, zwei Gärten und zwei Obstgärten. Ein vornehmes, würdiges Haus. Wie lange hatte er davon geträumt.

Und doch haßte er es. Schon jetzt merkte er, daß ungeteilte Früchte einen bitteren Geschmack haben konnten.

Jahrelang hatte er ein Bild vor Augen gehabt: drei Kinder, die fröhlich in den Obstgärten spielten, während er und Anne die neuen Möbel aufstellten, die Wäsche, die Teppiche und die Gläser aussuchten und Dienstboten einstellten. Und nun wußte er, daß es nie so sein würde, wie er es sich vorgestellt hatte. Es begann damit, daß er nur noch zwei Kinder hatte.

In all den Monaten, da das Haus hergerichtet wurde, hatte er Anne nicht gesehen. Nun ging er zum Häuschen und klopfte bei ihr an.

Sie kam an die Tür. Er sagte: «New Place ist fertig. Ich wollte dich fragen, ob du mir helfen willst, das Haus einzurichten und die Dienstboten auszusuchen?»

«Gern, Will», sagte sie. Und sie kam sogleich heraus und nahm seinen Arm.

Sie war beim Backen gewesen und schwitzte. Ihr Gesicht war fleckig, grau und gerötet. Ihr Haar war ungekämmt, ihr Kleid schmutzig. Bedrückt und ohne Zorn fragte er sie: «Willst du mich zum Gespött der Leute machen, Anne?»

Sie sah ihn mit großen Augen unschuldig an. «Wie meinst du das, Will? Weil ich nicht so vornehm bin wie die Damen bei Hofe?»

Er blieb freundlich, versuchte sie zu überreden. «Zieh dein bestes Kleid an. Bitte, Anne. Bedenke, wir gehen in unser neues Haus!»

Sie ließ seinen Arm wieder los. «Entweder begleite ich dich so, wie ich bin, oder gar nicht. Wenn du dich meiner schämst –»

Er sagte: «Aber früher wärst du doch auch nicht so auf die Straße gegangen.»

«Damals war ich noch stolz», sagte sie. «Mein Mann liebte mich, und mein Sohn war noch am Leben.»

Er führte sie sanft ins Haus zurück. «Ist es denn wirklich so, daß du lieber hier wohnen willst?» fragte er.

«Ja. Oh, ja! Wirklich, Will.»

«Ich muß darüber nachdenken», sagte er. «Wir werden sehen.» Ein Traum war zu Ende. Anne sagte nichts. Und er ging fort. An diesem Abend machte er nach dem Essen einen Spaziergang durch die kleine Stadt. Alles weckte Erinnerungen an seine Kindheit: der Fluß, die Weiden, die Henley Street, der Marktplatz. Wollte er wirklich hierher zurückkommen? Zu einer Frau, die ihn nicht mehr wollte, zu Freunden, die nur von ihren Geschäften und von Preisen sprachen, zu einem kleinen Grab auf dem Kirchhof? Es gab auch anderswo schöne Häuser, die man kaufen konnte, und die Welt war groß.

Und dann stand er wieder an der Straßenecke vor seinem Herrenhaus, das sich wuchtig gegen den nächtlichen Himmel abhob. Die Fenster waren dunkel, die Läden geschlossen.

Enttäuscht, verärgert und ratlos ritt er nach London zurück. Ein seltsames Gefühl der Hilflosigkeit drückte ihn nieder. Es war, als trüge er einen zu schweren Mantel. Etwas, wonach er sein Leben lang gestrebt hatte, war ihm in dem Augenblick, da er es erlangt hatte, genommen worden, und er wußte nicht, was er an seine Stelle setzen sollte. Es gab keinen anderen Pfad, den er einschlagen wollte.

Wie hatte er gearbeitet! Gewiß, er hatte sein Talent mit auf den Weg bekommen, aber ohne all sein Mühen und Streben hätte er es nie soweit gebracht. Und was Anne auch denken mochte, es war gar nicht immer so leicht und angenehm gewesen, in London zu leben, als Fremder in einer fremden Stadt: trübe Zimmer, der Gestank im Sommer, die Kälte im Winter und nie die Möglichkeit, sich am eigenen häuslichen Herd niederzulassen. Ein mönchisches Leben hatte er geführt – nun, jedenfalls die meiste Zeit. Ja, er hatte viele Opfer gebracht. Und was war der Lohn? Schierer Undank. Schlimmer noch! Man hatte ihm das Geschenk, für das er sich abgemüht, das er sich vom Munde abgespart hatte, vor die Füße geworfen.

Und Anne war eine Schlampe geworden. Es war nicht seine Schuld. Er hatte ihr regelmäßig Geld geschickt. Mühsam verdientes Geld. Und oft genug hatte er darben müssen, um es ihr schicken zu können. Oh, wie er Undank haßte!

Enttäuschung und Bitterkeit nagten an seinem fröhlichen Gemüt. Anne zog ihre Einsamkeit seiner Gesellschaft vor! Sein Sohn war tot. Er war für niemanden mehr der liebe, reizende Will. Es war eine bittere, einsame Zeit für ihn, dem soviel an Liebe und Bewunderung lag.

Und nun sah es ganz so aus, als sei auch Stratford für ihn verloren. Er würde wie ein Narr dastehen, wenn er zu Anne in die kleine Kate zurückging und sein stattliches neues Haus verfallen ließ. Und er würde nicht nur wie ein Narr, sondern auch wie ein niederträchtiger Schurke dastehen, wenn er allein in das große Haus einzog und seine Familie weiterhin in der Kate lebte. Ja, dachte er bitter, Anne hatte erreicht, daß er sich in seiner Heimatstadt bald nicht mehr blicken lassen konnte.

Mary Shakespeare sagte: «John, Will ist in Stratford gewesen. Nicht bei seiner Frau. Stell dir vor! Und nicht bei seinen Eltern. Sondern im Gasthof! Er muß von Sinnen sein.»

«Will?»

«Ja, Will, dein Sohn!» Oh, es war nicht leicht mit John! «Aber das ist noch nicht alles. Er hat New Place gekauft.»

«Wer hat New Place gekauft?» fragte John Shakespeare. Seine Neugier war erwacht.

«Will. Unser Sohn.»

Endlich begriff er. «Will? Will hat New Place gekauft?»

«Ja. Und er hat das Haus, wie ich hörte, herrichten lassen. Aber – ich gehe nur noch so selten aus dem Haus, daß ich kaum noch etwas erfahre.»

«Will hat New Place gekauft? Ein vornehmes Haus, ein Haus für einen Edelmann. Vielleicht das ansehnlichste Haus in ganz Stratford.»

«Ich hätte mich mehr gefreut, wenn er es uns erzählt hätte.»

«Dann wird unser Sohn also in dem Haus leben, das Sir Hugh Clopton, der in London zum Bürgermeister aufstieg, einst für sich errichten ließ.» Seine Augen füllten sich wie so oft jetzt mit Tränen. «Du wirst sehen, Frau, der Name Shakespeare wird in Stratford noch mit Ehrfurcht genannt werden.»

«Ja», sagte sie zerstreut. Sie hatte andere Sorgen. Sie machte sich auf den Weg, um Anne zu besuchen.

Sie war seit langem nicht mehr bei ihr gewesen. Sie scheute den weiten Weg. Und Anne war auch seit langem nicht mehr bei ihr gewesen. Beim Anblick ihrer Schwiegertochter erschrak sie. Die Hathaways, dachte sie, hatten allesamt keine Lebensart. Eine Arden hätte ihr Äußeres nie so vernachlässigt.

Sie kam sofort zur Sache. «Stimmt das, was man sich über Will erzählt?»

«Über den Edelmann William Shakespeare? Ja, er hat New Place gekauft. Mir soll es recht sein, wenn er dort mit den Ratten und Mäusen hausen will.»

Mary sah sie prüfend an. Und dann streckte sie die Hände aus und zog Anne in ihre Arme. «Oh, mein liebes Kind. Was hat er dir angetan?»

Es war lange her, daß jemand Anne umarmt hatte. Sie schmiegte sich an ihre Schwiegermutter und weinte, wie sie seit ihrer Kindheit nicht mehr geweint hatte. «Nichts», sagte sie schluchzend. «Er hat nichts getan. Ich hab immer gewußt, daß ich ihn nicht halten kann. Ich dachte nur, ich könnte vielleicht ein Stückchen von ihm behalten.»

Mary hielt sie schweigend in den Armen. Dann fragte sie: «Wann ziehst du ins Herrenhaus ein?»

«Nie!» rief Anne.

Mit sanfter Stimme sagte Mary: «Die Leute werden reden. Sie werden sagen, er habe dich vernachlässigt.»

Anne schüttelte schluchzend den Kopf.

Mary sagte: «Die Leute werden sagen, er habe dir deine Keuschheit geraubt. Und doch – du warst eine erwachsene Frau, und er noch ein Knabe.»

«Ich hatte Mitleid, Gott verzeih mir. Ich war eine Närrin, das weiß ich jetzt.»

«Aber die Leute werden ihm die Schuld geben. Und bald werden sie sagen, daß er in New Place ein Herrenleben führt und dich in einer elenden Hütte verkommen läßt. Du hast ihn bei den Leuten in Verruf gebracht, Anne.»

Die beiden Frauen sahen einander an. ‹Kleide dich ordentlich›, hätte Mary gern gesagt. ‹Und dann geh und zeige dich stolz in dem Haus, das dein kluger Mann für dich gekauft hat.› Aber sie sagte es nicht, sondern redete ihr gütig zu: «Anne, alle Männer sind Narren. Sie sind wie kleine trotzige Buben. Sie tun lauter törichte Dinge. Und wir Frauen müssen auf sie eingehen und auf sie aufpassen, damit sie nicht zuviel Schaden anrichten.»

Anne schwieg noch immer. «Ich», sagte Mary, «wäre mit meinem John bis ans Ende der Welt gegangen. Aber wir Menschen sind natürlich alle verschieden.»

«Sprechen die Leute wirklich so unfreundlich über Will?» fragte Anne.

«Natürlich.»

«Armer Will», sagte Anne. «Das wollte ich nicht. Aber ich kann doch nicht mit den beiden Mädchen bei Will in London leben.»

«Nein, aber in New Place. Oh, Anne, ich würde dir gern helfen, Kleider und Wäsche zu kaufen und Dienstboten einzustellen. Wir beide könnten dem törichten Will ein so behagliches Heim bereiten, wenn du nur wolltest.»

Sie machte sich auf den Heimweg. Sie wußte, daß Annes Tränen ein wenig von dem Eis geschmolzen hatten, das ihr Herz umschloß. Vielleicht, dachte sie, habe ich ein gutes Werk für Will getan. Aber der junge Mann würde, wenn er das nächste Mal bei ihr zu erscheinen geruhte, einiges von ihr zu hören bekommen!

13

Bei Regen und Wind ...

«Die Welt steht schon eine hübsche Weil', hop heisa, bei Regen und Wind! Doch das Stück ist nun aus, und ich wünsch' Euch viel Heil; und daß es Euch künftig so gefallen mag.»

Die wohltönende Stimme erstarb. Das Schlußlied des Narren verklang in der hohen, mit Tapisserien geschmückten Halle. Robert Armin, der neue Clown der Schauspielertruppe des Lord-Kämmerers, verbeugte sich und trat ab. Tiefe Stille. Es war einer jener seltenen Augenblicke, da die Zuschauer am Ende eines Stückes sich nicht rühren, um den Zauber nicht zu brechen, um die Rückkehr aus der Traumwelt in den Regen und Wind des Alltags hinauszuzögern.

Der Augenblick verging. Die Zuschauer hoben die Hände, um Beifall zu klatschen, sobald die Königin den Anfang machte.

Aber die Königin erhob sich und rauschte hinaus. Die Hofdamen eilten ihr nach. Und nun standen alle auf und drängten zur Tür. Wenn die Königin nicht Beifall klatschte, klatschte niemand. Ein königlicher Sturm war im Anzug, und niemand scherte sich um die Gefühle eines unglücklichen Stückeschreibers.

Es war der Dreikönigsabend. Im Palast von Whitehall war als fröhlicher Ausklang der Weihnachtsfeierlichkeiten Master Shakespeares neue Komödie ‹Dreikönigsabend oder Was ihr wollt› aufgeführt worden.

Aber Master Shakespeares neue Komödie hatte der Königin mißfallen – trotz der Scherze und Späße, trotz des sprühenden Witzes der Dialoge, trotz des bewährten und beliebten Motivs der einander zum Verwechseln ähnlich sehenden Zwillinge. Das Stück hatte trotz allem etwas Schwermütiges. Und einer alternden, müden Königin, die in die dunkle Ungewißheit eines neuen Jahres blickte, genügte ihre eigene Melancholie.

Robert Armins trauriges Liedchen vom Regen und Wind klang ihr noch in den Ohren nach, als sie später am Abend sagte: «Master Shakespeare, wir baten Euch um eine Komödie. Und Ihr brachtet uns zum Weinen.»

Ein Vorwurf! Er zitterte. Aber er hatte inzwischen gelernt, seine Sache zu vertreten. «Majestät, es *ist* eine Komödie», sagte er seufzend. «War nicht die Traurigkeit vielleicht in unseren eigenen Herzen?»

Sie sah ihn forschend an. «Nein. Sie wurde durch Euer Stück hervorgerufen. Wie lautete noch die letzte Zeile in jenem anderen Liedchen? Es war irgend etwas über die Jugend.»

«‹Jugend hält so kurze Zeit›, Eure Majestät.»

«O ja», sagte sie und schwieg. «Ihr habt ganz recht, uns daran zu erinnern, Master Shakespeare», fügte sie nach einer Pause bitter hinzu.

Wieder schwieg sie. Dann sagte sie: «Ihr seid zu listig und geschickt mit Worten, Master Shakespeare. Andere schlagen uns ihren Knüttel um die Ohren. Doch Ihr versetzt uns einen Dolchstich ins Herz.»

Sie schritt davon. Will verneigte sich tief. Die Königin, dachte er, hatte ihm wider Willen ein Kompliment gemacht. Aber sie schätzte ihn nicht. Sie bewunderte seine Stücke, aber sie gefielen ihr nicht. Und was der Königin nicht gefiel, das gefiel auch der Hofgesellschaft nicht. Er hatte verspielt. Die Zeiten seines Ruhmes waren vorbei. Und was blieb ihm? Reichtum. Ein vornehmes Haus in Stratford. Aber niemandes Liebe. Das Ende des Weges.

Und was blieb der alternden Königin?

Niemand wußte es am Dreikönigsabend des Jahres 1601. Aber die weise alte Frau hatte dunkle Vorahnungen. Vielleicht würde dieses Jahr ihr letztes sein. Nicht nur die Jugend, das ganze Leben hielt so kurze Zeit! Das wußte sie auch ohne den Dichter aus Stratford. Aber es war nicht nur das Alter. Sie hatte zu lange regiert. Sie hatte ein gespaltenes, von Zwietracht zerrissenes Land aus den Händen ihrer sterbenden Schwester übernommen und ihm den Frieden gebracht. Sie hatte jeden Bürger angespornt, seiner Königin und seinem Land zu dienen. Sie hatte die Schatzkammer gefüllt und den Frieden bewahrt, während Europa sich in Kriegen verblutete. Englands Ruhm und Größe war ihr Werk.

Und nun vergaß man allmählich, was sie geleistet hatte. Sie hätte früher sterben sollen. Ein Herrscher tat gut daran, zu sterben, bevor sein wankelmütiges Volk vergaß, was es ihm verdankte. Doch da war noch etwas anderes. Ihre Adlernase witterte etwas, was ihr wohlbekannt und verhaßt war. Sie witterte Verrat.

Essex führte etwas im Schilde. Essex und sein Freund Southampton. Und ihr gemeinsamer Freund Shakespeare? Hatten sie ihn hineingezogen? Sie konnte es sich nicht vorstellen. Master Shakespeare sah ihr wie ein rechter Hasenfuß aus. Aber bei einem Poeten konnte man nie wissen, woran man war.

Seit dem Tode des alten Burghley, der ihr vierzig Jahre lang treu zur Seite gestanden hatte, war alles schwieriger geworden. Seine kluge Besonnenheit und ihr Geschick, die Vorteile jeder Lage zu nutzen, hatten sich großartig ergänzt. Mit seiner Hilfe wäre sie mit aufsässigen Kreaturen wie Southampton und Essex schnell fertig geworden.

Beide waren unzufrieden. Die Zeiten, da sie den einen Graf Liebesleid und den anderen Graf Ergebenheit genannt hatte, waren vorüber. Nun, ihr sollte es recht sein. Southampton hatte ein abscheuliches Verbrechen begangen, das in ihren Augen fast dem Hochverrat gleichkam. Während er behauptete, unsterblich in seine Königin verliebt zu sein, hatte er sich mit einer ihrer Kammerjungfern getröstet. Er hatte sie geschwängert und sie, als sie im siebten Monat war, geheiratet. Königin Elisabeth hatte sie beide in den Tower sperren lassen, um ihre Liebesglut zu kühlen. Der stolze, verwöhnte, unbeherrschte Southampton hatte sich bitterlich empört und war nun bereit, jedem außer seiner Königin zu folgen.

Bei Essex war es anders. Sie hatte ihn nach Irland gesandt, damit er die Aufständischen unterwarf. Doch in Irland hatte er sich als unglaublich untüchtig und verantwortungslos erwiesen. Und damit hatte er in ihren Augen ein fast ebenso abscheuliches Verbrechen begangen wie Southampton. Er hatte hohe Schulden gemacht, und sie hatte ihm immer mehr Geld schicken müssen. Als er schließlich aus Irland zurückkam, ohne etwas erreicht zu haben, verhängte sie die schwerste Strafe über ihn, die ihr einfiel: sie entzog ihm das Monopol für den Import von Süßwein und brachte ihn damit um seine Haupteinnahmen. Nun geriet *er* außer sich vor Zorn. Und sie schürte noch seinen Haß: sie ließ ihn elf Stunden lang von einem Disziplinar-Gericht verhören, das ihm mit dem Tower drohte und ihn unter Hausarrest stellte.

Obwohl der Graf inzwischen Mitte Dreißig war, hatte er noch immer die launische Natur eines reizenden, aber verwöhnten und verzogenen kleinen Jungen. Er erwartete, daß alle ihn liebten und bewunderten. Und wenn jemand dies versäumte oder ihn gar rügte und bestrafte, dann benahm er sich wie jedes verzogene Kind: er stampfte mit dem Fuß auf und brüllte und hatte nur noch den Wunsch, den anderen zu verletzen.

Elisabeth ließ ihn toben. Aber sie sorgte dafür, daß er und ebenso seine Freunde und seine Diener beobachtet wurden. Niemand betrat das Haus des Grafen, ohne daß die Königin es erfuhr.

Es war unschwer zu erkennen, daß Essex etwas im Schilde führte. In seinem Haus wimmelte es von Besuchern. In weite Mäntel gehüllt, den Hut tief ins Gesicht gezogen, kamen und gingen sie verstohlen im winterlichen Dämmerlicht. Schotten, Franzosen, Spanier, Jesuiten, Söldner in verbeulten Rüstungen, aalglatte Höflinge. Und natürlich waren unter den Dienstboten, die ihm das Brot buken, die Wäsche fortbrachten oder den Wein kredenzten, Spione und Gegenspione.

Gerüchte gingen um. Essex erfuhr sie alle. Unter seinen Anhängern brodelte und gärte es. Sie brüteten einen Plan nach dem andern aus. Sie wollten den Palast stürmen und sich der Königin bemächtigen, sie wollten London und das ganze Land in Aufruhr bringen, sie wollten Jakob von Schottland zum König ausrufen, und sie wollten Robert Cecil, den Sekretär der Königin, ermorden. Essex hörte sich jeden neuen Plan begeistert an, erwog ihn, sagte ja, erwog ihn wieder, sagte nein, erwog ihn abermals, sagte vielleicht. Es war zum Verzweifeln. Wenn nicht bald jemand etwas Vernünftiges tat, dann würde irgend jemand etwas höchst Unbesonnenes tun.

Und genau das geschah.

Doch zunächst zogen sie – in dem richtigen Glauben, daß die Feder mächtiger sei als das Schwert – Master Shakespeare in die Sache hinein. Hatte er nicht ein Stück geschrieben, in dem die Entthronung König Richards II. durch Bolingbroke als gute Tat hingestellt wurde? Wenn man dieses Stück wieder aufführte, würden die Leute vielleicht eher geneigt sein, auch die Entthronung Königin Elisabeths durch den Grafen von Essex als gute Tat anzusehen.

Will erschrak beim Anblick des in einen weiten Mantel gehüllten Boten. Er kannte die Gerüchte. Und sie hatten ihn mit Furcht erfüllt. Seine Verbindung mit Southampton ließ sich nicht leugnen. Sie war, für jedermann sichtbar, in gedruckten Buchstaben festgehalten: ‹Dem sehr ehrenwerten Henry Wriothesley ...› So begann die überschwengliche Widmung in ‹Venus und Adonis›. Sie konnte ihn jetzt den Kopf kosten.

Und nun dieser Brief, in dem Southampton ihn bat, in das Haus des Grafen von Essex zu kommen. Und ein Bote, der auf seine Antwort wartete.

Beherzt, wenn auch mit bebender Stimme, sagte Will: «Richte dem gnädigen Herrn aus, daß ich ihm meine Aufwartung machen werde.»

Warum? War es Treue? Alte Freundschaft? Oder nur wie so oft das Verlangen, daß man ihn schätzte und nicht schlecht über ihn dachte?

Tief vermummt huschte er wie ein Gespenst durch den grauen Februarmorgen. Er ging so zeitig, da er am Nachmittag bei der lange erwarteten Aufführung seines ‹Hamlet› gebraucht wurde.

Das Haus des Grafen von Essex wirkte wie eine Festung: alle Fensterläden waren geschlossen. Kein Lichtstrahl drang nach draußen. Vor den Türen standen bewaffnete Wächter.

Will nannte seinen Namen und wurde eingelassen. Ein Söldner geleitete ihn durch viele Flure zu einem kleinen Vorraum, führte ihn hinein und entfernte sich mit dröhnenden Schritten.

Die kriegerische Atmosphäre erschreckte Will. Es stimmte also, sie planten eine Rebellion! Allmächtiger Gott, warum war er gekommen? Er mußte verrückt gewesen sein. Es war der helle Wahnsinn! Doch vielleicht war es noch nicht zu spät. Er schlich zur Tür, öffnete sie. Ein Soldat mit gezogenem Schwert starrte ihn mürrisch an. Will zuckte zurück und drückte schnell die Tür wieder zu. Was wollten sie von ihm? Sollte er mit der Pike in der Hand «Tod der Königin!» rufen?

Er wußte, sie würden ihn ohne viel Federlesens umbringen, wenn er sich weigerte, das zu tun, was sie von ihm verlangten. Was er auch tat, er war verloren. Er hatte nur noch die Wahl zwischen einem schnellen Tod jetzt oder dem langsamen, qualvollen Tod, der die Anhänger von Verrätern erwartete. Es sei denn, der Aufstand glückte. Aber darüber gab sich Will keinen Illusionen hin. Essex war ein Narr. Und das gleiche galt, so fürchtete Will, für seinen Freund Southampton.

«Mein lieber Will!»

«Ah, der alte Will. Wie geht es Euch, mein Lieber?»

Plötzlich standen sie vor ihm, breiteten lächelnd die Arme aus und zogen ihn an sich.

Beide hatten sich verändert. Essex wirkte zerbrechlich. Sein schmal gewordenes, bleiches Gesicht verriet die Anspannung. Und Southampton war durch seine Heirat oder den erzwungenen Aufenthalt im Tower sichtlich ruhiger geworden. Doch jetzt, beim Anblick ihres lieben alten Freundes, gaben sich beide heiter und ausgelassen.

Southampton kam sogleich zur Sache. «Will, wir möchten Euch um einen Gefallen bitten.»

Einst hätte Will erwidert: ‹Von Herzen gern, gnäd'ger Herr.› Jetzt sagte er bedrückt: «Und worum handelt es sich, Euer Gnaden?»

Beide bemerkten den Unterschied. Aber Southampton fuhr mit unverminderter Freundlichkeit fort: «Robert und ich würden so gern Euer exzellentes Stück über König Richard II. noch einmal sehen.»

Eine Privataufführung im Hause des Grafen von Essex? Nein. Bestimmt waren seine Schauspielerfreunde ebenso wenig wie er bereit, freiwillig ihre Köpfe in diese Schlinge zu stecken. Er sagte: «Unter den gegenwärtigen Umständen, Ihr Herren ...» Er zuckte mit den Schultern. Aber warum sollte er es nicht offen aussprechen? «Ich kann die Schauspieler nicht bitten, in das Haus des Grafen von Essex zu kommen.»

«Wir sprechen nicht von einer Privataufführung», erwiderte Southampton kühl. «Wir wünschen eine öffentliche Aufführung im ‹Globe›.»

Eine *öffentliche* Aufführung! Aber warum? Die Adligen befahlen die Schauspieler gewöhnlich in ihre Häuser. Eine Privataufführung war für sie ein Beweis der Macht und des Reichtums. Und warum sollte es gerade ‹*Richard II.*› sein? Ihm war nie ganz wohl zumute, wenn das Stück aufgeführt wurde. Die Königin hatte ihn damals gewarnt. Er hatte immer dafür gesorgt, daß sein Name nicht auf den Theaterzetteln erschien. Und wenn es sich nicht vermeiden ließ, hatte er eine andere Schreibweise gewählt – zum Beispiel Shaxberd. Aber das Stück jetzt aufzuführen, wo es in ganz London gärte! «Es ist ein altes Stück, Ihr Herren», sagte er und lächelte gezwungen. «Das Werk eines Anfängers.»

«Unsinn. Es ist eines der besten Stücke, die Ihr geschrieben habt.»

Sie sahen ihn enttäuscht an. Southampton sagte vorwurfsvoll: «Es ist doch wohl nicht zuviel verlangt, Will.»

Und Essex sagte zu Southampton: «Es scheint, Henry, daß ein Dichter, wenn er Erfolg hat, alsbald vergißt, auf wessen Schultern er sich stützte.»

«Wir würden gut zahlen», sagte Southampton. Er spie die Worte fast aus. «Wir wissen, wieviel Euch und Euren Freunden am Gelde liegt. Würdet Ihr vierzig Shilling als eine angemessene Entschädigung für den Ausfall an Einnahmen betrachten?»

Will rief hitzig: «Bietet mir kein Geld an, gnäd'ger Herr.» Dann fuhr er ein wenig ruhiger fort: «Ich würde meine Truppe gern überreden, jedes andere Stück für Euch zu spielen. Aber ‹Richard der Zweite› darf es nicht sein.»

«Und warum nicht?» fragte Southampton barsch.

«Die Königin würde es übelnehmen, Ihr Herren.»

«Die Königin?» fragte Southampton höhnisch.

«Die Königin! Dieser lebende Leichnam!» zischte Essex wütend.

Will war entsetzt. Auch er liebte die Königin nicht sehr, aber sie war Englands Herrscherin von Gottes Gnaden. Und plötzlich wußte er, was diese zwei törichten jungen Männer versuchen wollten. «Ihr Herren», sagte er, «wenn Ihr mir einst so zugetan wart, wie ich glaube, erlaubt mir ein offenes Wort.»

Essex warf sich verdrossen in einen Sessel. Southampton blickte ruhig vor sich hin. Gedankenvoll? Sorgenvoll? Oder kummervoll? Will sagte: «Ich weiß nicht, was Ihr vorhabt, Ihr Herren. Aber – vergeht Euch nicht gegen den Staat oder gegen die Königin oder gegen die göttliche Ordnung.»

«Er hält uns eine Predigt! Gott behüte!» murmelte Essex. Aber sein Freund hörte aufmerksam zu.

«Gott läßt sich nicht spotten», sagte Will. Er dachte an seine eigene Erfahrung. «Und der Staat kennt keine Gnade. Alles, was sich ihm in den Weg stellt, zermalmt er.» Ein kalter Schauer lief ihm den Rücken hinunter.

Essex sagte verächtlich: «In Tagen wie diesen werden Männer gebraucht, Master Shakespeare. Nicht Memmen.»

Aber Southampton sagte traurig: «Ihr wollt uns also nicht helfen, Will?»

Will schwieg. Schließlich schüttelte er den Kopf und sagte: «Ich *kann* Euch nicht helfen, gnäd'ger Herr.»

Southampton trat an die Tür und öffnete sie. «Begleite Master Shakespeare zum Haupttor», sagte er zu dem Wächter. Will verneigte sich tief vor den beiden Grafen. Aber beide blickten weg.

Er folgte dem Söldner durch den dunklen Flur. Plötzlich war der Mann wie vom Erdboden verschwunden.

Und *sie* stand da.

Sie wartete auf ihn. Ohne zu lächeln, ohne zu blinzeln, sah sie ihm starr in die Augen.

Ihr Anblick überwältigte ihn. Die Welt war hart und grausam gegen ihn gewesen. In *ihren* Armen, die er fürchtete, fand er Trost und Geborgenheit. Ihre Umarmung war ein Himmel auf Erden, wo es weder Gedanken noch Ängste, noch Erinnerungen gab.

Sie standen dicht voreinander und sahen sich an. «Komm», sagte sie schließlich. Sie führte ihn durch eine Tür, durch Gänge, in denen bewaffnete Krieger geschäftig auf und ab schritten, eine kleine Wendeltreppe hinauf und dann durch den stillen Flur zu einer Kammer, die unter dem großen Dach lag. Sie behielt ihn den ganzen Tag dort. Alles, sogar sein ‹Hamlet›, war vergessen. Und als er endlich das Haus des Grafen von Essex verließ – niemand versperrte ihm den Weg –, taumelte er wie jemand, der beinahe in einer stürmischen See ertrunken wäre. Diesmal empfand er keinen Ekel vor sich selbst. Nur eine tödliche Leere.

Draußen war es dunkel.

Der Prinz von Dänemark, in dem so viel von ihm selbst steckte, war längst von der Bühne abgetreten. Und die Zuschauer würden mit ihren Freunden beisammensitzen und ihnen von Master Shakespeares neuestem Stück berichten. Es gab nur eine Möglichkeit, zu erfahren, wie alles verlaufen war: er mußte seine Gefährten in der Taverne aufsuchen.

Er ging nicht gern in die Taverne. Und gerade heute abend wäre er lieber allein gewesen, um diesen seltsamen Tag noch einmal zu durchleben. Es gab so viele Fragen, auf die er eine Antwort suchen mußte. War es ein Zufall, daß er sie so unerwartet wiedergesehen hatte? Er konnte es kaum glauben. Fast sah es so aus, als habe man ihn überlistet, ihn in dem Haus des Grafen festgehalten – nicht mit Schwertern, sondern mit den Fesseln seiner eigenen Begierden. Aber warum? Ein schrecklicher Verdacht kam ihm. Doch nein! Southampton konnte nicht so niederträchtig sein. Und die Schauspieler waren nicht so dumm.

Oder vielleicht doch?

Er eilte zur Taverne, trat ein. Burbage und Heminge waren da. Sie saßen mit dem Rücken zu ihm. Er trat hinter ihre Stühle. «Nun?» fragte er mit einer heiseren, barschen Stimme, die ihm selber fremd klang. «Wie war mein ‹Hamlet›?»

Sie fuhren herum und sahen ihn verdutzt an. Burbage stand zögernd auf. «Will, was ist? So setz dich doch.»

Noch einmal fragte er, und diesmal schrie er fast: «Wie war mein ‹Hamlet›?»

Sie warteten, bis er sich gesetzt hatte. Und plötzlich hatte er das sonderbare Gefühl, daß er eine Rolle in einem Stück spielte. Er wußte genau, was gesprochen werden würde, noch ehe einer den Mund auftat.

«Wir haben nicht den ‹Hamlet› gespielt», sagte Burbage.

«Warum nicht?» fragte er.

«Man hat uns vierzig Shilling geboten, wenn wir ein anderes Stück spielten», erwiderte Heminge.

«Welches Stück war es?» fragte er.

«Dein ‹König Richard der Zweite›», sagte Burbage.

Das langweilige, vorherbestimmte Frage- und Antwortspiel war zu Ende. Will sprang auf. «Ihr ... Ihr habt doch nicht im Ernst ‹Richard der Zweite› gespielt?»

«Sei doch vernünftig, Will», sagte Burbage. «Du warst nirgendwo zu finden. Phillips hätte unvorbereitet einspringen und an deiner Stelle den Geist von Hamlets Vater spielen müssen. So haben wir, als diese Herren mit ihrem Angebot kamen, natürlich zugesagt. Vierzig Shilling, Will! Die konnten wir uns doch nicht entgehen lassen.»

Bebend vor Zorn, hinter dem sich die Angst verbarg, fragte er: «Und wer waren diese Herren?»

Burbage schätzte es nicht, verhört zu werden. Gekränkt sagte er: «Heminge hat mit ihnen verhandelt.»

«Der eine», sagte Heminge, «war ein Waliser. Ich hätte nie gedacht, daß ich je mit einem Waliser ein Geschäft abschließen würde. Aber dieser hielt vierzig Shilling in der Hand.»

«Und wie hieß er?» fragte Will.

«Oh, das weiß ich nicht», antwortete Heminge ungeduldig. Auch er mochte Will sehr gern, aber manchmal, fand er, war Will unausstehlich.

Will sagte kalt: «Ich will es euch verraten. Es war sicherlich Sir Gilly Meyricke.»

Sie sahen ihn überrascht an. «Und wer ist dieser Sir Gilly Soundso?» fragte Richard Burbage.

«Der Verwalter von Robert Devereux, dem Grafen von Essex», sagte Will, und jedes Wort klang wie eine ärgerlich auf den Tisch geworfene Münze.

Burbage und Heminge schwiegen. Sie kannten die Gerüchte. Aber sie begriffen noch immer nichts. Man konnte einen Mann doch nicht vor den Kopf stoßen, weil sein närrischer Herr mit dem Säbel rasselte. Heminge brach gereizt das Schweigen. «Aber vierzig Shilling, Will! Die konnten wir uns doch nicht entgehen lassen.»

«Für vierzig Shilling habt ihr unser Leben aufs Spiel gesetzt. Unser kostbares Leben.»

Heminge und Burbage erbleichten. Noch nie hatten sie Will Shakespeare so scharf und bitter reden hören. Und nun begriffen sie auch, wovon er sprach.

«Ihr Narren!» sagte Will. «Was habt ihr uns allen angetan. Ich hab euch gesagt, ich hab euch von Anfang an gesagt, daß die Königin in diesem Stück Verrat sieht. Und Verrat liegt zur Zeit in der Luft. Ich sage euch: in spätestens einem Monat wird der Kopf des Grafen von Essex auf der Themsebrücke prangen. Und wir werden ihn beneiden. Denn wir, die Handlanger, werden erst einmal verhört und gefoltert werden, ehe man uns hinrichtet.»

Burbage und Heminge sanken in sich zusammen und starrten vor sich hin. Sie krümmten sich, als hätten sie die Folter schon zu spüren bekommen. Will saß ihnen gegenüber. Und als er sie so verzagt dasitzen sah, kam seine Güte wieder zum Vorschein. Er ergriff ihre Hände, und er brachte sogar ein Lächeln zustande. «Blickt nicht so düster drein.» Und mit einer Spur Bitterkeit fügte er hinzu: «Schließlich habt *ihr* ja das Stück nicht geschrieben.»

Heminge sah ihn flehend an. «Wo warst du, Will?» Es klang, als wollte er sagen: ‹Wärst du dagewesen, wäre das Unglück nicht geschehen.›

Ja, wo war er gewesen? Alles war seine Schuld. Gott ließ sich nicht spotten. Er hatte ihm seinen Sohn genommen, hatte ihm Anne entfremdet, und nun hatte er ihn in höchste Gefahr gebracht. Während er bei der dunklen Dame gewesen war, hatten seine unschuldigen, närrischen Freunde durch eine Dummheit nicht nur sein, sondern auch ihr eigenes Leben aufs Spiel gesetzt.

Er hätte sie davon abhalten können. Wenn er bei ihnen gewesen wäre. Nein, es war nicht ihre Schuld. Es war allein seine Schuld.

Sie saßen bis tief in die Nacht hinein in der Taverne. Sie waren so verzagt und verzweifelt, daß sie nicht auseinandergehen mochten. «Vielleicht –» sagte der eine. Und der andere sagte: «Vielleicht nimmt Essex Vernunft an.» Sie glichen drei Hungernden, die verzweifelt eine Schale auskratzen, die Schale der Hoffnung.

Aber die Schale war fast leer.

In jener Nacht konnte Will nicht schlafen. Ein neues Stück beschäftigte ihn. Aber es war keines für die Bühne. Es war das Stück, in dem sie alle mitspielen mußten, ob sie wollten oder nicht. Deutlich sah er vor sich, wie Essex und Southampton ihre Rotten beim Sturm auf den Palast anführten und wie der Aufstand schnell und grausam niedergeschlagen wurde. Dann die Hetzjagd, die Verhöre, die Aussagen, die besessene Suche nach dem Körnchen Wahrheit in den Lügen zu Tode erschreckter Männer. «Euer Name ist William Shakespeare? Ihr wart am Samstag, dem siebten Februar, den ganzen Tag im Haus des Grafen von Essex? Und sorgtet dafür, daß am Abend Euer Stück ‹Richard der Zweite› aufgeführt wurde? Zu welchem Ziel? Ich will es Euch sagen: um das Volk auf die Entthronung der Königin von England vorzubereiten! Habt Ihr nicht dem Grafen von Southampton ein Poem gewidmet? Ihr verehrtet ihn! Verehrt Ihr ihn immer noch, Master Shakespeare?»

Und das Stück begann, wie Will es sich vorgestellt hatte.

Er lag noch im Bett und hörte, wie die Kirchenglocken friedlich den Sonntag einläuteten. Am liebsten wäre er den ganzen Tag im Bett geblieben. Aber er mußte wissen, was geschah. Mit bebenden Händen kleidete er sich an. Frühstück? Er schätzte ein ordentliches Frühstück mit Rindfleisch und Bier. Aber heute würde er keinen Bissen hinunterbringen.

Es war ein rauher Februartag – ein guter Grund, sich in seinen Mantel zu mummen und den Hut tief ins Gesicht zu ziehen.

Er ging zum Strand. Wollte er sich wie eine Motte die Flügel an den Flammen verbrennen? Er trat in einen Torweg und beobachtete aus sicherer Entfernung das Haus des Grafen von Essex.

Männer drängten hinein, Scharen mit Piken, Schwertern und Pistolen, mit Forken und Sicheln bewaffneter, lärmender und fluchender Männer.

Angstvoll behielt er das Haus im Auge. Und um elf Uhr begann die sinnlose Tragödie. Ihre Schwerter schwingend und nach Rache schreiend kamen sie hervorgestürmt. Und in ihrer Mitte, gegen seinen Protest auf Schultern getragen, schwankend wie ein Korken auf einer Woge, der Graf von Essex.

Eine brodelnde Horde Unzufriedener, die sich mangels entschlossener Führung kopfüber in ein zielloses Abenteuer stürzten.

Für Will, der die Ordnung der Welt, die Gerechtigkeit und den Frieden liebte, war es erschreckend anzusehen, wie angestauter Groll sich in Gewalt entlud, wie alle Dämme brachen und eine Flut der Willkür und des Wahnsinns die Welt überschwemmte.

Draußen auf der Straße liefen die Männer wild und unentschlossen hin und her wie Ameisen, denen man ihren Bau zerstört hat. Die einen deuteten mit ihren Schwertern nach Westen und riefen: «Zum Hof! Stürmt den Palast!» Die anderen wiesen nach Osten. «Zuerst in die Stadt! Wiegelt die Leute auf! Tausende werden uns folgen. Und dann marschieren wir zum Palast.»

Essex stand da und biß sich auf die Lippen. Dann zog er sein Schwert und wies wie ein Feldherr nach Osten. Ein heftiger Streit entbrannte, aber schließlich setzte sich die Menge lärmend in Bewegung.

Will sah ihnen traurig nach. All diese törichten, zum Tode verurteilten Männer, die öffentlich ihren Verrat verkündeten!

Fröstelnd wartete er. An diesem unheilvollen Tag war es gefährlich, auch nur in der Nähe des Hauses des Grafen von Essex gesehen zu werden. Die meisten Leute blieben in ihren Häusern, hinter verriegelten Türen und zugezogenen Vorhängen. Aber Will wollte sehen, was geschah. Würde es Essex gelingen, die Stadt aufzuwiegeln? Würde ein Strom bewaffneter Bürger sich hier vorüberwälzen und den Palast von Whitehall überschwemmen? Oder würden die Leute still in ihren Häusern bleiben – wie Kaninchen in ihren Löchern, wenn draußen der Fuchs umherschleicht?

Hoffnung bestand für ihn nur, wenn Essex und Southampton siegten und die Königin entthronten. Und doch konnte er sich das nicht wirklich wünschen. Er konnte sich nicht wünschen, daß abermals Unordnung und Leid über sein Land kamen, nur damit er seine Haut retten konnte.

Es war bitterkalt. Der Himmel war ein einziges graues Tuch. In den menschenleeren Straßen herrschte eine unheimliche Stille. In der Ferne hörte er ein paar Schüsse.

Die Regierung schien nichts zu unternehmen. Doch in Whitehall herrschte jetzt sicherlich eine fieberhafte Tätigkeit. Die alte Königin würde sich über jeden Schritt unterrichten lassen und lauernd abwarten – wie eine Spinne in der Mitte ihres Netzes. Und der kluge, gewitzte Robert Cecil und die Männer des Kronrats würden das gleiche tun. Sie würden beobachten und abwarten. Und es den anderen überlassen, zu handeln – und die Fehler zu machen.

So war es in all den Jahren der glorreichen Herrschaft der Königin gewesen. Elisabeth von England hatte stets im windstillen Mittelpunkt der Stürme gestanden, ein unerschütterlicher Fels in der tobenden See.

Die Aufrührer kamen zurück.

Essex ging ihnen jetzt voran. Aber es war keine Armee rachsüchtiger Bürger, sondern eine klägliche Schar, die seit ihrem Aufbruch die Hälfte ihrer Mitglieder eingebüßt und jede Richtung verloren hatte.

Will erkannte Southampton in den gelichteten Reihen. Er sah aus, als starrte er schon auf das Henkersbeil. Aber Essex bot einen noch schrecklicheren Anblick. Er schwankte vor Erschöpfung und mußte sein Schwert als Stütze benutzen. Er hatte seinen Hut verloren. Mit wirrem Haar und irrem Blick sah er sich hilfesuchend um, als täte sich vor ihm die Hölle auf. Er führte die Männer in sein Haus. Das große Tor schlug hinter ihnen zu.

Und jetzt handelte die Königin. Plötzlich wimmelte die Straße von Soldaten. Sie umzingelten das Haus des Grafen, rollten Kanonen heran und richteten die Rohre auf das Gebäude, augenscheinlich bereit, es dem Erdboden gleichzumachen.

Das Tor öffnete sich. Essex und Southampton kamen heraus und wurden sogleich von Pikenträgern umringt und abgeführt. Dann stürmte ein Trupp Soldaten das Haus. An allen Türen wurden sofort Wachen aufgestellt. Jemand sprang aus einem der oberen Fenster. Will hörte den dumpfen Aufprall auf dem Pflaster.

Will hatte mehr gesehen, als er ertragen konnte. Dennoch konnte er sich nicht losreißen. Nun wurden die Rebellen aus dem Haus getrieben. Sie wurden geschlagen, getreten, mit Schwertern und Piken gestoßen und schließlich in Gruppen fortgeschafft.

Die frühe Dunkelheit eines frostigen Winternachmittags brach herein. Mit weichen Knien und wie betäubt machte Will sich schließlich auf den Heimweg.

In dieser Nacht tastete er sich durch die dunklen Tiefen seiner Seele.

Für die Richter war er der Freund eines Verräters und der Verfasser eines verräterischen Schauspiels. Und seinetwegen würden auch seine besten Freunde, die Schauspieler, verurteilt werden. Sogar seine Frau, seine Kinder und seine Eltern waren nun nicht mehr sicher.

Wenn das Leben eines Menschen, wie er glaubte, in hohem Maße durch seinen Charakter bestimmt wurde – welche Makel hatten ihn dann in diese Lage gebracht?

Ehrgeiz? Feigheit? Wollust?

Feigheit – oh, man konnte es auch Vorsicht nennen –, die Angst, es mit Southampton zu verderben, hatte ihn bewogen, der Einladung in das Haus des Grafen von Essex zu folgen. Und seine Wollust war schuld daran, daß er sich dort hatte festhalten lassen, während die Schauspieler einen Beschluß faßten, der sie nun alle vernichten würde.

Sein Ehrgeiz hatte ihn dazu verführt, sein Poem Southampton zu widmen. Von Ehrgeiz getrieben war er nach London gekommen, war er der Freund der Rebellen geworden. Sein Ehrgeiz hatte die arme Anne um ihr Glück gebracht.

Er dachte an die Aufrührer im Tower und in den Gefängnissen. Die ganze Nacht hindurch würde man sie unbarmherzig verhören. Und jedesmal, wenn einer der Unglücklichen im Angesicht der Folterwerkzeuge einen Namen preisgab, würde gleich darauf ein Offizier mit ein paar Soldaten durch die nächtlichen Straßen reiten, um den Verdächtigen herbeizuschaffen. Ein Hämmern an der Tür, die kreidebleichen Gesichter am Fenster, die im Fackellicht feindlich funkelnden Waffen.

Wie lange mochte es noch dauern, bis jemand auf den Gedanken kam, Master Shakespeare in die Zange zu nehmen?

Das Unglück nahte beim letzten Akt von ‹Was ihr wollt›.

Es war eine bezaubernde Aufführung gewesen. Unter dem drohenden Schatten des Todes hatten die Schauspieler mit der Heiterkeit der Verzweiflung gespielt. Die Zuschauer, die sich aus der vergifteten Atmosphäre Londons in die Traumwelt Illyriens geflüchtet hatten, waren entzückt. Sie schrien, schluchzten, klatschten, tobten.

Die Abenddämmerung eines trüben Februartages senkte sich über das Schauspielhaus. Man hatte die Fackeln angezündet. Und nun stand Robert Armin allein auf der Bühne und sang sein Liedchen vom Regen und Wind. Das flackernde Licht spiegelte sich in seiner Laute, zuckte über seine bleichen, traurigen Züge und über die ergriffenen Gesichter der Zuschauer in den vorderen Reihen.

Doch da zerbrachen Waffengeklirr und dröhnende Schritte den Zauber von Musik und Poesie. Ein Offizier und drei Soldaten bahnten sich ihren Weg durch die Menge.

«Denn der Regen, der regnet jeglichen Tag.» Robert Armin sang unverdrossen weiter. Die Soldaten gingen in die Schauspielergarderobe. Einige besonders vorsichtige Zuschauer schlichen sich heimlich davon. Wenn die Soldaten herumliefen, war man in diesen schlimmen Tagen am besten bei sich daheim aufgehoben. Der Zauber war gebrochen, das Zaubergewebe zerrissen. Der kalte Wind des Alltags wehte herein.

«Wirklich ein gutes Stück!» sagte Richard Burbage, der den Malvolio gespielt hatte, zu Will, der als der Herzog von Illyrien aufgetreten war. Richard staunte immer wieder über Wills Stücke. Sooft man darin mitspielte, jedesmal entdeckte er etwas Neues, jedesmal stieß er auf eine neue Schicht.

Will strahlte. Er konnte sich wie ein Kind freuen, wenn jemand seine ‹lustigen Bagatellen› lobte. «Es war –» begann er.

«Master Shakespeare?» fragte eine Stimme höflich, aber kühl.

Will fuhr herum. Vor ihm stand ein Offizier. Er trug einen Brustharnisch, lederne Kniehosen und auf dem Kopf einen breitkrempigen Hut. Seine Hand ruhte auf dem Knauf seines Schwertes.

Will nickte beklommen.

«Habt Ihr ein Stück geschrieben, das ‹König Richard der Zweite› heißt?» Wieder nickte Will mit dem Kopf.

«Und habt Ihr veranlaßt, daß es am Sonnabend, dem siebten Februar dieses Jahres unseres Herrn, hier, in diesem Schauspielhaus, aufgeführt wurde?»

Will wollte gerade wieder kläglich nicken, als der stille, bescheidene Augustine Phillips mit fester Stimme sagte: «Nein, das hat er nicht. *Wir* haben es angesetzt.»

«Wir? Was heißt das, Herr?»

Phillips wies mit einer ausladenden Handbewegung auf die anderen Schauspieler in der Garderobe. «Wir, Herr. Wir alle. Mit Ausnahme von Shakespeare. Er hatte nichts damit zu tun.»

«In diesem Fall wird man Euch, Herr, ersuchen, Euch vor dem Kronrat zu rechtfertigen», sagte der Offizier.

Phillips schluckte. Doch dann hob er mutig den Kopf. «Sagt Euren Herren, daß es schlecht um das Theater bestellt ist, solange der Staat sich in die Obliegenheiten der Dichter und Schauspieler einmischt.»

«Sagt es ihnen nur selbst», erwiderte der Offizier und fügte gehässig hinzu: «Ihr werdet reichlich Gelegenheit dazu haben.»

Vielleicht war es gut, daß Augustine Phillips und nicht der sanfte, zaghafte Will die Sache der Schauspielertruppe vor dem Kronrat vertrat. Jedenfalls wurde die Anklage zu aller Überraschung fallengelassen. Viele Männer wurden, nur weil sie Freunde oder Diener eines der Aufrührer waren, grausam zu Tode gemartert. Doch irgendwie hatte Augustine Phillips mit seiner unerschütterlichen Ehrlichkeit das Feld behauptet.

«Ich habe ihnen meine Meinung gesagt», berichtete er, als ihn die anderen Schauspieler nach seiner Rückkehr besorgt umringten. «Ich wartete nicht, bis sie uns angriffen. Ich habe sie angegriffen.»

Verwundert zollten sie ihm Beifall. «Und wie hast du sie angegriffen?»

«Ich sagte ihnen, daß ein Schriftsteller, solange er keine Redefreiheit hat, nichts Wertvolles schreiben kann. Ich sagte ihnen, daß der Lord-Kämmerer und der Zeremonienmeister nicht besser sind als früher die alten römischen Zensoren.»

«Und sie haben dich angehört?» Jetzt lächelten sie, und dann lachten sie schallend und schlugen sich auf die Schenkel.

«Und ob sie mich angehört haben! Ich sagte: ‹Denkt zum Beispiel an Will Shakespeare!›» Will machte ein Gesicht, als wäre es ihm lieber gewesen, wenn Phillips seinen Namen nicht erwähnt hätte. «‹William Shakespeare ist ein vielversprechender Stückeschreiber. Aber er wird nie ein bedeutendes Stück schreiben, solange er unter der tödlichen Fuchtel eines Zensors steht.›»

Will bemühte sich, nicht allzu finster dreinzublicken. Er fand, er hatte schon einige recht bedeutende Stücke geschrieben! Doch außerdem war er beschämt. Der Gedanke, er sei als Dichter gehandikapt, da er nicht alles schreiben durfte, was er wollte, war ihm nie gekommen. Anscheinend war er kein sehr empfindsamer, scharfsichtiger Mensch.

Augustine Phillips lachte. «Nein, Freunde, nicht meine Redekunst errang den Sieg. Wir sind einfach eine zu gute Schauspielertruppe. Sie können uns nicht entbehren. Was sollten sie sagen, wenn die Königin eine Aufführung bei Hofe wünscht?»

Und tatsächlich wurden sie ein paar Tage später an den Hof befohlen, um vor der Königin zu spielen. Es war der Abend vor der Hinrichtung des Grafen von Essex. Und das Stück? ‹König Richard II.›. Die alternde Monarchin hatte noch immer die Gabe, das zu tun, was man am wenigsten von ihr erwartete.

Alle am Hofe – außer der Königin, wie es schien – waren bedrückt an diesem Fastnachtsdienstag. Alle dachten an Essex, der jetzt vom Tower aus zum letztenmal die Sonne untergehen sah. An Essex, für den die letzte Nacht auf Erden anbrach. Der Gedanke an seinen Tod bewegte aller Herzen. Und es gab wohl kaum jemanden in dieser erlauchten Gesellschaft, der nicht daran dachte, daß er selbst auch eines Tages dort liegen konnte, wo Essex jetzt lag, mit den gleichen Ängsten, die Essex jetzt heimsuchten. Ein unbedachtes Wort, eine Torheit genügten, um in die gleiche Lage zu geraten.

Die Schauspieler waren unruhig. Sie fürchteten eine Falle, fürchteten einen königlichen Zornausbruch, während sie das verräterische Stück aufführten. Den Höflingen war beklommen zumute. Morgen würde einer aus ihrer Mitte die größte aller Entdeckungsreisen antreten – eine Reise, die früher oder später jeder von ihnen machen mußte, und jeder allein. Aller Augen waren auf die Königin gerichtet.

Da saß sie, alt, murmelnd, majestätisch. Manchmal schien sie einzunicken, aber jeder wußte, daß ihren halbgeschlossenen Augen nichts entging, weder was auf der Bühne noch was im Saal geschah.

Es war eine steife Aufführung. Und jeder atmete erleichtert auf, als sie zu Ende war.

Die Schauspieler verbeugten sich. Sie wußten, dies war der entscheidende Augenblick, und sie waren auf alles gefaßt: auf ein paar huldvolle Worte des Lobes wie auf einen Zornausbruch oder eine Anklage auf Verrat.

Aber es geschah nichts dergleichen. Die Königin blieb sitzen, die Augen halb geschlossen, die einst so schönen Hände im Schoß gefaltet.

Dann erhob sie sich langsam, und alle blickten zu ihr auf. Und nun zeigte sich, daß auch ihre Gedanken bei demjenigen weilten, der sich zu seiner letzten Reise anschickte. Ihre Lippen bewegten sich. «*Er* ist kein Bolingbroke», sagte sie zornig. Und plötzlich reckte sie das Kinn, und ihre Augen blitzten. «Und bei Gott, *ich* bin kein Richard Plantagenet», rief sie und rauschte aus dem Saal. Es war eine Warnung gewesen! Sie war Elisabeth Tudor. Der einzige Usurpator, der stark genug war, sie zu entthronen, war der Tod. Und auch er würde kein leichtes Spiel haben.

Am folgenden Morgen wurde der Graf von Essex enthauptet – unter Ausschluß der Öffentlichkeit, wie er gebeten hatte.

Southampton wurde zu lebenslänglicher Haft begnadigt.

William Shakespeare hörte erschaudernd das Glockengeläut. Er erinnerte sich daran, wie er die beiden Freunde das erste Mal gesehen hatte: hochmütig, reich, mächtig – schlank und schön wie junge Hengste. Und nun? Ein blutiger Kopf, von derben Händen emporgehoben und grob auf eine der Eisenspitzen der großen Brücke gespießt.

Vor Ekel wurde ihm schwarz vor Augen. Und der andere Freund? Er blieb zwar am Leben, aber eingekerkert, ohne Sonnenlicht, ohne Liebe und ohne Hoffnung.

Wie viele Londoner an diesem grauen Aschermittwoch ging er zum Tower. Da stand sie, die alte Zitadelle. Die Wasser der Themse bespülten ihre Mauern. Und irgendwo hinter diesen grimmen Steinen lag sein Freund Southampton. Gewiß hörte er die hallenden Schritte. Und gewiß hörte er die Gebete und die gesungenen Psalmen, das unerläßliche Zeremoniell bei der Hinrichtung einer Person von Stand.

Doch hinter den gleichen Festungsmauern wurde mit Sicherheit auch eine Urkunde verwahrt, in der geschrieben stand, daß zu den Freunden der Verräter Essex und Southampton auch ein gewisser William Shakespeare gehörte, gegen den man bisher noch nicht vorgegangen war, den man aber im Auge behalten mußte.

Es war erschreckend und bedrückend, sich sagen zu müssen, daß der eigene Name, mit einem ungünstigen Vermerk versehen, in einem solchen Schriftstück verzeichnet war. Er war gebrandmarkt. Niemand, nicht einmal Richard Field, würde es wagen, ein Poem von einem Freund der Verräter zu drucken. Und seinen Stücken würde man mit Argwohn begegnen. Er haßte London und die kränkliche Königin, die jetzt so gefährlich war wie eine wütende Wespe und sich mühsam durch die Gemächer von Whitehall oder Greenwich schleppte. Er haßte diese drohende Festung am Fluß und die stinkenden Gassen mit ihren überhängenden Häusern. Er fürchtete diese grausame, rachsüchtige Stadt. Er hatte die Schauspieler nicht im Stich gelassen, als sie in Gefahr schwebten, und darauf war er fast noch stolzer als auf sein Familienwappen. Er hatte seine Ehre gewahrt und sich, was vielleicht noch wichtiger war, die Liebe seiner Freunde erhalten.

Aber nun konnte er London nicht schnell genug verlassen. Sein Herz sehnte sich nach den stillen Wegen in der Grafschaft Warwick. Er würde sich ein friedliches Fleckchen suchen, von schattenspendenden Bäumen beschirmt und mit einem Teppich aus Gras und hübschen Butterblumen bedeckt, und dort würde er sitzen und seine Tage verbringen. Von nun an würde das Schauspiel der wechselnden Jahreszeiten sein Theater sein, und der Friede in seinem Herzen würde ihn für alle Mühen reich belohnen.

So glaubte er in dem unbarmherzigen Tumult der großen Stadt.

14

Das Stück ist nun aus ...

Aber als er durch den ländlichen Frieden heimwärts schritt, brachen sich andere Gedanken Bahn. Wie war er seit Hamnets Tod gealtert! Und wie wenig Glück und wieviel Leid hatte er seither erfahren! Nun, manches Versäumte konnte er jetzt nachholen – doch nur, wenn Anne mit ihm nach New Place ziehen würde. Ja, dachte er, nun brauchte er Anne. Als sie geheiratet hatten, war er noch zu jung für die Ehe gewesen. Das war nun anders. Nun war er bereit. Aber alles hing von Anne ab. Und Anne hatte ihren eigenen Willen. Er wollte sie demütig und sehr herzlich bitten.

Er zügelte sein Pferd vor dem Häuschen und stieg ab. Im Garten lag noch das Herbstlaub, naß vom gerade getauten Schnee.

Er klopfte an die Tür. Nichts regte sich. Er spähte durch die Fenster. Das Haus schien verlassen.

Will erschrak. Oft raffte die Pest ganze Familien dahin und nur das Haus blieb – ein stummer Zeuge wie das Gehäuse einer toten Schnecke.

Zur Henley Street! Er mußte wissen, was geschehen war. Er sprang auf sein Pferd und trabte davon. Anne! Wo war sie? Er bedurfte ihrer Nähe. Und nun war sie nicht da!

Sein Weg führte ihn an New Place vorbei, dem Herrenhaus, auf das er so stolz war. Aber er beachtete es kaum und wäre wohl, ohne hinzusehen, vorbeigeritten, hätte nicht an diesem dunklen Februartag in einem der Fenster eine Lampe gebrannt.

Licht? In New Place?

Erregt stieg er vom Pferd und klopfte an die Tür.

Er wartete, klopfte abermals.

Langsame, schlurfende Schritte näherten sich der Tür. Nein, das konnte nicht Anne sein. Aber wer sonst?

Er hörte, wie der Riegel zurückgeschoben und der Schlüssel im Schloß gedreht wurde. Endlich öffnete sich die Tür. Sein Vater.

Der alte Mann sah ihn aus trüben Augen an.

«Vater», rief Will. «Was tust du hier? Und wo ist Anne?»

John Shakespeare starrte ihn verstört an. «Wer seid Ihr?»

«Ich bin's – Will, dein Sohn.»

«Wer?»

«Will, dein Sohn.» Er trat ins Haus, und von Rührung überwältigt, umarmte er seinen greisen Vater und küßte ihn auf seine weiße Stirn. «Aber wo ist Anne?»

«Will?» John Shakespeare sah ihn mit wirren Blicken an. «Nein, das ist nicht möglich.»

Will versuchte ihn zu beruhigen: «Aber doch, Vater, es ist wahr.»

«Will!» rief eine Stimme hinter ihm.

Er drehte sich um. Es war Anne. In Mantel und Hut und mit einem Einkaufskorb am Arm stand sie vor ihm und starrte ihn an, als wäre er ein Gespenst. Sie war totenbleich im Gesicht und schien einer Ohnmacht nahe.

«Anne», sagte er zärtlich und nahm sie in die Arme. «Anne!»

Sie sah ihn ernst an. «Bist du es wirklich? O Will, wir hörten, du seist tot. Es hieß, beim Aufstand des Grafen Essex habe es eine große Schlacht in den Straßen Londons gegeben und du seist dabei erschlagen worden ...»

«Du weißt, ich bin kein großer Kämpfer», sagte er lachend und küßte ihre Stirn, ihre Augen, ihren Mund. «O Anne, ich bin heimgekehrt!»

Sie blickte ungläubig, aber hoffnungsvoll zu ihm auf. «Doch nicht ... für immer?»

Er nickte. Anne schmiegte sich an ihn, und wieder schloß er sie in die Arme. John Shakespeare betrachtete es kopfschüttelnd. «Es kann nicht sein», murmelte er dumpf vor sich hin. «Unser Will kämpfte an der Seite der Rebellen und wurde erschlagen. Es war töricht, sich mit Essex einzulassen. Doch freilich war der Graf ein ehrenwerter Mann. Ein edler Mann aus edlem Hause, ein Devereux.»

«Bist du es wirklich, Will?» Seine Mutter kam durch die Halle auf ihn zugeeilt, obwohl das Gehen ihr sichtlich Schmerzen bereitete. «Ich hatte mich ein wenig hingelegt und hörte deine Stimme. Du wurdest also nicht getötet, mein hübscher Junge! Nun, es erstaunt mich nicht. Ich sagte gleich, unser Will würde sich doch nie ins Kampfgetümmel stürzen!»

«Sehr liebenswürdig, Mutter», sagte er ein wenig gekränkt. Aber dann küßte er sie zärtlich.

Es gab so viel zu erzählen, daß niemand etwas sagte. Aber eines mußte Will sogleich wissen. «Du sagtest damals, du wolltest nie hier leben, Anne», sagte er leise.

«Deine Mutter hat mich überredet. Sie hat mir gezeigt, daß ich undankbar war, Will.»

«Und wir sind mit ihr eingezogen», sagte seine Mutter. «Allein mit den beiden Mädchen hätte Anne sich nicht wohl gefühlt in dem riesigen Haus. Und dein Vater genießt den Glanz und die Pracht. Er kommt sich hier vor, als wäre er schon im Himmel!»

Nun redeten und lachten sie alle gleichzeitig. Und dann stand plötzlich ein blühendes junges Mädchen vor ihm, nicht mehr Kind und noch nicht ganz Frau. Er sah sie verwundert an. Sie lächelte liebreizend und küßte ihn auf die Wange. «Vater», sagte sie.

«Susanna!» *Seine* Tochter! Er konnte es nicht fassen. Welch ein entzückendes Geschöpf!

Und da war auch Judith. Eine veränderte Judith, die ihn zutraulich ansah, mit Augen, die vor Freude strahlten.

Er liebte sie alle. Oh, es war gut, daheim zu sein.

Daheim! Nicht mehr ein Logis, wo er nur schrieb und schlief und ein karges Mahl zu sich nahm. Und nicht mehr ein Gefängnis, wie es das Häuschen zuweilen für ihn gewesen war. Sondern ein Heim, das er lieben und hegen würde, wo er Freunde empfangen und für seine Töchter sorgen könnte. Und, ja, ein Heim, wo er seiner Frau etwas von dem Glück schenken wollte, das er ihr so lange vorenthalten hatte. Er nahm Anne bei der Hand. «Zeig mir das Haus.»

Glückstrahlend zog sie ihn davon. Es war ein schönes Haus, und mit Marys Hilfe hatte sie es so eingerichtet, wie es sich für einen Edelmann gebührte. Doch ohne Will war es nur eine leere Schale gewesen.

Aber nun war Will da. Ihr tot geglaubter Will war heimgekehrt. Hatte sie dem Gerücht geglaubt? Sie wußte es nicht. Sie wußte nur, daß die Last des Kummers von ihr abgefallen war. Befreit atmete sie auf und ging mit festen Schritten weiter.

Den ganzen Tag über war es grau und stürmisch gewesen. Aber gegen Abend gelang es dem Wind, die schweren Wolken zu zerreißen, und die schimmernde Helle der länger werdenden Tage brach hervor. Am westlichen Himmel funkelte der Abendstern. Es war, als hätte jemand den grauen Wintervorhang aufgezogen, um den Blick auf eine hoffnungsvolle Welt freizugeben.

Will und Anne standen in einem hohen, leeren Zimmer unter

dem Dach des Hauses. Sie lehnten sich auf den Fenstersims und betrachteten die über den Himmel jagenden Wolkenfetzen, die goldenen Strahlen der untergehenden Sonne, den angeschwollenen Fluß, die empörten, vom Wind zerzausten Krähen auf den Feldern und die rauschenden Ulmen.

Es war ein erster Blick in den nahenden Frühling. In einer Stunde würde es dunkel sein. Morgen saß vielleicht der Winter wieder fest im Sattel und verhüllte die Sonne mit einer grauen Wolkendecke.

So war es ein kostbarer Augenblick. Schweigend betrachteten sie das Schauspiel. Dann richteten sie sich auf und sahen einander an.

Will war voller geworden. Verantwortung, das Ringen und der Ruhm hatten ihm Reife und Würde verliehen. In seinem kastanienbraunen Haar und seinem sorgfältig gestutzten Bart zeigten sich einzelne graue Haare. Er wirkte ernst und besorgt. Doch nun lächelte er – unsicher, als hätte er keine Übung mehr im Lächeln. Und nachdenklich sagte er: «Ich war dir ein schlechter Ehemann, Anne. Aber ich ...» Er zuckte hilflos mit den Schultern. «Ich will mir alle Mühe geben, mich zu bessern.» Nach einer Pause fügte er ein wenig verlegen hinzu: «Vielleicht bin ich nun endlich erwachsen geworden.»

Sie drückte seinen Arm und blickte wieder hinaus in den schwindenden Tag. Die untergehende Sonne flammte wie ein erlöschendes Feuer noch einmal auf und beleuchtete ihr Gesicht.

Auch sie hatte sich verändert. Nichts erinnerte mehr an das unbeholfene Mädchen vom Lande, nichts an die gramgebeugte, verbitterte Frau. Sie war jetzt die Herrin von New Place, die Frau eines Edelmanns, und auch sie hatte an Reife und Würde gewonnen. Doch im Unterschied zu ihrem Mann stand sie mit beiden Füßen fest auf der Erde. Zwar hatte sie gelernt, ihrem Stande gemäß zu leben, als ihre Schwiegermutter ihr gesagt hatte, daß dies ihre Pflicht sei. Doch wäre sie auch jetzt noch in ihrer kleinen Kate glücklicher gewesen. Sie hätte am liebsten so schlicht und unauffällig gelebt wie die Wiesenblumen. Sie wollte nichts anderes vom Leben als die Liebe ihres Mannes.

Den Blick noch immer auf die untergehende Sonne gerichtet, sagte sie: «Ich fürchtete schon, ich hätte dich für immer vertrieben – damals, nach Hamnets Tod. Und als deine Mutter mir dann klarmachte, wie töricht ich mich benommen hatte, beschloß ich, dir hier ein Heim zu bereiten.» Sie rieb ihre Wange an seinem Ärmel. «Aber ich fürchtete, es sei vielleicht zu spät.»

Die Sonne berührte nun fast den Horizont. Der Himmel hatte sich wieder mit Wolken bedeckt. Anne lachte leise vor sich hin. «Ich glaube fast», sagte sie, «hier, in diesem kleinen Zimmer mit dir zu stehen und die Sonne und die Wolken zu betrachten ...» Sie hielt inne.

«Nun?» fragte er.

«Ich glaube fast, das ist für mich das Schönste, was ich je in meinem Leben getan habe», sagte sie langsam. Und plötzlich lag sie in seinen Armen und weinte heiße Tränen.

Wills Truhen und Kisten kamen mit der Postkutsche: Kleider, Bücher, Kerzenleuchter, Gänsekiele und Tintenfässer. Anne und Susanna nahmen neugierig seine Kleider in Augenschein. Mary betrachtete seine Bücher: Plutarch, Ovid, Seneca, die ‹Chroniken› von Holinshed und ein Buch mit über hundert Novellen in italienischer Sprache von einem Mann namens Cinzio. Was Will alles las! Sie staunte.

Er hatte sich also tatsächlich seine Truhen schicken lassen, dachte Anne, und fragte: «Willst du wirklich bleiben, Will?»

Alles, ihr ganzes Leben hing von seiner Antwort ab.

Wollte er bleiben? Das Leben in seinem neuen Heim gefiel ihm. Er hatte eine liebende Frau, eine schöne, von ihrem vornehmen, höflichen Vater sichtlich entzückte Tochter und eine zweite Tochter, die zwar nicht hübsch, aber ihm treu ergeben war. Er hatte schon einige Freunde gewonnen, und die angesehensten Bürger von Stratford machten ihm ihre Aufwartung. Er konnte, wenn er wollte, den ganzen Tag lang spazierengehen. Und vor allem lagen neunzig Meilen zwischen ihm und der Königin, dem Kronrat, dem Tower.

Aber trotz allem waren seine Gedanken schon wieder in Aufruhr. Da gab es zum Beispiel bei Cinzio eine Geschichte über einen Mohren, der geglaubt hatte, seine Frau sei ihm untreu geworden. Das war der richtige Stoff für ein Stück! Und Holinshed berichtete eine blutige Geschichte von einem Schotten namens Macbeth. Es juckte ihn in den Fingern. Am liebsten hätte er sogleich nach dem Gänsekiel gegriffen.

Ja, warum sollte er nicht in Stratford schreiben können? Später, wenn die Ereignisse ein wenig in Vergessenheit geraten waren, könnte er ja wieder einmal nach London fahren.

Nein. Die Ereignisse würden nie in Vergessenheit geraten. Jedenfalls nicht, solange die alte Königin lebte.

Er nahm Annes Hand und sagte lächelnd: «Ich bin nach Stratford gekommen, um hier zu leben und zu sterben.»

Sie sah ihn sorgenvoll an. Wenn es nur bei dieser klaren Antwort bliebe! Aber nein. Sie wußte, er würde seine Zusage einschränken, und vor Angst stand ihr das Herz still.

«Es ist möglich», sagte er, «daß ich, wenn die Königin einmal stirbt, gelegentlich nach London reisen muß. Aber bestimmt nicht, solange sie noch lebt.»

Anne lächelte und ließ sich ihre bittere Enttäuschung nicht anmerken. «Dann werde ich beten, daß der Königin ein langes Leben beschieden sein möge», sagte sie. «Denn ich möchte dich immer bei mir haben.»

Es tat wohl, so geliebt zu werden. Anne kannte seine Fehler, aber sie liebte ihn trotzdem, und das stärkte seine angekränkelte Selbstachtung.

Wenn die Königin stirbt, dachte Anne bei sich, wird er fortgehen. Sie machte sich keine falschen Hoffnungen. Vielleicht würde er nicht mehr für so lange Zeiten nach London gehen. Er war nicht mehr jung, und er schätzte seine Bequemlichkeit. Das Leben in New Place behagte ihm. Sie sah es ihm an. Das vornehme, stattliche Haus, die Schönheit der Umgebung – das alles gefiel ihm, und er fühlte sich hier daheim.

Der liebe Will! Er hatte immer gern wie ein Edelmann leben wollen. Nun, da er es erreicht hatte, würde es ihm nicht leicht fallen, ein solches Leben wieder aufzugeben. Sie selbst hatte sich in dem alten Häuschen heimischer gefühlt. Oft stand sie am Fenster und blickte wehmütig zu ihrer kleinen Kate hinüber. Es war töricht, sie wußte es. Die Vergangenheit war für immer begraben, tiefer noch als Hamnet in seinem kleinen Grab.

Und wie würde die Zukunft aussehen, wenn Will ihr abermals entglitt? Nein, sie wollte nicht darüber nachdenken. Was zählte, war die Gegenwart. Und die Gegenwart war so schön und strahlend! Es tat ihr wohl, Will so glücklich zu sehen. Nachmittags ging er oft mit Susanna spazieren oder vertrieb sich die Zeit beim Kegelspiel, und abends trank er meist mit seinem Vater einen Becher gezuckerten Weines. Nach dem Abendessen holte er die Notenbücher hervor, und Susanna nahm ihre Laute, und dann sangen sie Lieder und plauderten, bis es Zeit war, zu Bett zu gehen. Eine liebende Frau, zwei Töchter, ein schönes Haus, ein behagliches Leben – was mehr hätte ein Mann sich wünschen können?

Im September legte der alte Mann sich zum Sterben nieder.

Es war ihm eine große Genugtuung, in einem prächtigen Herrenhaus, von seiner Frau und seinen Kindern umgeben, dem Tod entgegenzusehen.

Joan war die einzige, die untröstlich weinte. Eine gute Tochter, dachte John Shakespeare. Seine Söhne dagegen hatten ihn immer enttäuscht. Gilbert war ein Narr, und Richard und Edmund würden es nie zu etwas bringen.

Und der hübsche Will mit seinem kastanienbraunen Bart, seinen traurigen Augen und seinem gütigen Blick? Nein, von einem Sohn, der das Herrenhaus New Place erworben hatte, konnte man nicht sagen, daß er eine Enttäuschung war. Freilich, wenn Will damals in Stratford geblieben wäre und das Geschäft übernommen hätte, dachte er, dann hätte er beides haben können: New Place *und* das Ansehen eines ehrenwerten Bürgers. Statt dessen war er ein vagabundierender Schauspieler geworden, der in seiner freien Zeit Stücke schrieb. Eine eigentümliche Art, sich sein Leben zu verdienen. Nicht sehr solide, dachte John Shakespeare, der das Solide liebte. Was war ein Schauspiel? Ein Zeitvertreib für einen Nachmittag – kaum gesehen, schon vergessen. Ein Paar hübscher und gutgearbeiteter Handschuhe dagegen ...

Judith brachte dem alten Mann ein Sträußchen Wiesenblumen. Aber es war schon zu spät. Sie weinte bitterlich, aber Kindertränen sind wie Aprilregen. Schon wenig später lief sie wieder hinaus und spielte vergnügt im Sonnenschein.

Immer wieder ging das Gerücht, die Königin sei gestorben. Aber Elisabeth von England lebte. Und es gab viele weise und gelehrte Männer, die erklärten, sie seien zu der Erkenntnis gekommen, daß die Königin wahrscheinlich ewig leben werde.

Es war ein beschwerliches Leben. Sie aß fast nichts anderes als Zichoriensuppe und fand nachts keinen Schlaf. Oft saß sie lange schweigend und geistesabwesend da und hielt einen goldenen Becher an ihre Lippen. Dann wieder saß sie viele Stunden lang in einem verdunkelten Gemach und weinte um Essex, ihren bezaubernden Robert, den sie – mit Recht, wie sie fand – hatte enthaupten lassen. Robert, der sie geliebt und sich dann gegen sie erhoben hatte. Tränen strömten über ihre Wangen. Durch seinen Verrat hatte er ihre Seele gemordet. Die Musik, der Liebe Nahrung, war verstummt. Die Tage der heiteren Feste und fröhlichen Tänze waren vorüber.

Oder doch nicht? Am Abend eines trüben Wintertags warf Lord Sempill einen Blick durch ein Fenster und erschrak. Er sah, wie die hagere Königin und die Gräfin Warwick, ihre getreue Hofdame, sich im Schein einer einzigen Kerze zu den dünnen Klängen eines Dudelsacks ungelenk und feierlich im Tanze drehten. Es war ein gespenstisches Bild. Lord Sempill hatte etwas gesehen, wovon niemand je etwas erfahren durfte! Er eilte in seine Kanzleigemächer zurück und bat Gott flehentlich, diesen trostlosen Anblick aus seinem Gedächtnis zu tilgen.

Der Sommer kam und ging. Man glaubte, die Königin würde den Winter nicht überleben. Aber sie überlebte auch noch den folgenden Sommer. Und den darauffolgenden Winter. In Schals gehüllt, saß sie murmelnd am Kamin und hielt ihre knöchrigen Hände über das Feuer.

Auch Anne Shakespeare glaubte allmählich, die alte Königin sei unsterblich. Und sie hoffte, Will würde für immer in Stratford bleiben.

Immer wieder hörte Will das Rauschen der Brandung an den unentdeckten Gestaden. Und immer wieder, selbst wenn er der rollenden Kegelkugel nachblickte oder abends Lieder und Madrigale sang, sah er wie durch einen Nebelschleier mächtige und schreckliche Gestalten auf der Bühne seiner Phantasie: Othello, Macbeth, König Lear. Manchmal, wenn er allein war, hob sich der Nebel, und dann fröstelte ihn. Durfte er sich an diese gewaltigen Figuren heranwagen und ihnen in seinen Stücken Leben verleihen?

Sie warteten darauf, Gestalt anzunehmen. Und er vertat seine Zeit! Wo war die Lust auf jene Entdeckungsreisen geblieben, von denen er und Richard Burbage so begeistert gesprochen hatten? Das Leben ging weiter. Andere Stückeschreiber würden nur zu begierig die Lücke auszufüllen versuchen, die Master Shakespeare hinterlassen hatte.

Aber das müßige Leben hier war so schön, so wohlgeordnet und angenehm! Und er war in Stratford ziemlich sicher, während in London so viele Gefahren lauerten. Southampton, erfuhr er, schmachtete noch immer im Tower. Und vielen der anderen Aufrührer erging es sicher nicht besser. Es brauchte nur einem der Gefangenen im Schlaf der Name William Shakespeare zu entschlüpfen, und schon würden die Häscher nach ihm suchen, um ihn hinter dieselben Mauern zu bringen. Gewiß, sie konnten ihn auch in Stratford finden, darüber gab er sich keinen Selbsttäuschungen hin. Aber er fühlte sich hier, wo er ein unauffälligeres Leben führte als in London, doch sicherer.

Überdies hatte er Anne versprochen, bei ihr zu bleiben – solange die Königin lebte. Er durfte sie nicht schon wieder enttäuschen. Sie war so glücklich. Manchmal beobachtete er sie, wenn sie morgens erwachte, wie sie, noch halb im Schlaf, die Stirn runzelte, dann die Augen aufschlug, sah, daß er wirklich bei ihr war, und strahlend lächelte, als tue sich das Paradies vor ihr auf. Und bei Tisch fühlte er zuweilen ihren Blick auf sich ruhen, so als wollte sie sich vergewissern, daß er wirklich dort saß und nicht ein Traumbild war, das sich beim Erwachen verflüchtigte.

Nein, er durfte sie nicht verlassen. Nicht, solange die alte Königin noch lebte.

Würden vertraute Gestalten sie erwarten? Der alte, besonnene Burghley? Ob im Himmel oder in der Hölle, *er* würde sich auskennen. *Er* würde Rat wissen. «Wenn Eure Majestät gestatten, so würde ich empfehlen ... Es ist mir gelungen, einen Thron für Eure Majestät freizuhalten. Zwar sind Majestät Besseres gewohnt, aber als Protestantin ...»

Und Philipp von Spanien, der so gelassen und geduldig um sie geworben hatte? Nein, Philipp würde sie nicht wiedersehen. Er weilte sicherlich in einem vornehmeren Himmel, der Aposteln, Päpsten und katholischen Königen vorbehalten war.

Und ihre muntere, ungestüme Mutter, die ihr Vater hatte enthaupten lassen? Und Robert Dudley, ihren ‹Robin›? Würde er so schlank und aufrecht, so stolz und fröhlich sein wie auf Erden? Vielleicht konnten sie auch im Himmel Rehe jagen wie einst in den Wäldern von Kenilworth! Und die Nächte durchtanzen und lachen wie in den alten Tagen! Wenn auch eifersüchtig beobachtet von seinen verdammten Frauen, dachte sie düster.

Um die Jahreswende verfiel sie in eine tiefe, düstere Schwermut. Aber noch immer hielt sie am Leben fest. Erst am 23. März erklärte sie mit wahrhaft Tudorscher Anmaßung, sie habe beschlossen zu sterben. «Ich wünsche nicht länger zu leben», sagte sie. «Ich wünsche zu sterben.»

Und sie starb. Um drei Uhr früh am nächsten Morgen.

Im Grunde waren alle erleichtert. Sie hatte ein wenig zu lange ausgeharrt. Man hatte sie zwar geliebt und verehrt, aber es war Zeit für einen Wechsel. Sie hatte ihr Werk beendet, und so war es nur richtig, daß sie ihren Platz freigab. Nun sollte Jakob von Schottland, dem sie ihren Thron versprochen hatte, einmal zeigen, was er konnte.

«Die Königin ist tot. Es lebe der König!»

Nach dunklen Winterwochen hatte ein zeitiger Frühling Einzug gehalten. Sonnenschein, Vogelgezwitscher, das Blöken neugeborener Lämmer, der über die Ufer getretene Avon, der den letzten Winterschnee forttrug, ein heller Himmel voll geballter und zerfetzter Wolken, der Wind, der mit den Lämmern sein Spiel trieb – alles kündete vom Wiedererwachen des Lebens. Will und Anne gingen durch die grünenden Felder und Wiesen bei Shottery. Hier, dachten sie beide, ohne es auszusprechen, haben wir uns geküßt, und hier lagen wir, als das Korn reif war, im silbernen Mondlicht und liebten uns. Sie gingen Hand in Hand und wirkten, aus der Ferne betrachtet, wie ein glückliches junges Liebespaar. Von nahem freilich sah man, daß er ein reifer, wohlhabender Mann und sie eine ältere Frau war, die auf die Fünfzig zuging. Zwei nicht mehr junge Liebesleute, die versuchten, die verlorenen Jahre nachzuholen und ‹der süßen Welt Geschmack› voll auszukosten.

Am Abend dieses schönen Tages loderte ein behagliches Feuer im großen Kamin von New Place. Freunde waren zu Besuch gekommen: die Sadlers und die Quineys. Sie musizierten und lachten. Und das waren die zwei Dinge, die Will, der an vielem Freude hatte, am meisten genoß. Wärme, der helle Schein des Feuers und der Kerzen, Liebe und Freundschaft umgaben ihn.

Sie sangen ‹Johnny, komm und küß mich jetzt›, ‹Am zwölften Tag im Christusmonat› und, unter viel Gelächter und Gestotter, den Kanon ‹Halt's Maul, du Schelm›.

Danach ging Will mit dem Weinkrug herum und füllte freundlich lächelnd die Gläser. Langsam verebbten der Lärm und das Gelächter. Und da hörten sie es: das dunkle, getragene Läuten einer einzelnen Glocke.

Und von der Straße her ein Gemurmel: «Die Königin, die Königin, die Königin.» Es klang wie im Winde raschelndes Schilf und erinnerte Will an den nebligen Tag, an dem er als kleiner Junge in Kenilworth gewesen war.

Und dann schallte vom Marktplatz der Ruf herüber: «Die Königin ist tot. Es lebe der König!»

Eine Woge der Erregung und auch der Furcht erfaßte ihn, und er wußte, sie würde ihn forttragen. Wohin? Auch das wußte er: nach London. In die Nähe des Towers und des Theaters. Zu den Schauspielern! Er dachte an die Entdeckungsreisen, und irgend etwas in ihm spannte sich plötzlich wie eine Feder. Er fühlte, wie eine neue Kraft in ihn strömte, ein schreckliches Wissen von den hellen und dunklen Mächten in den Seelen der Menschen.

Er empfand eine neue, unendliche Güte und zugleich eine unendliche Demut. Wer war er, daß er sich anmaßte, Giganten zu erschaffen?

«Die Königin ist tot. Es lebe der König!»

Anne blickte zu Will hinüber. Da stand er, den Weinkrug und ein Glas in den Händen, und starrte in eine Ferne, die nur seine Augen sahen.

Sie kannte diesen Blick. Seine andere Welt rief nach ihm. Sie wußte, es würde nicht mehr lange dauern, und ihr Will würde ihr wieder entgleiten. Oh, er würde zurückkommen. Es würde ihn zurückziehen, wenn nicht zu ihr, so doch zu seinem Haus, nach Stratford und seiner friedlichen Umgebung, in der er jetzt genauso tief verwurzelt war wie sie.

Was hatte sie gehabt? Einen Ehemann, den sie liebte, aber nie ganz kennen würde. Vermutlich gab es viele Frauen, die gern Master Shakespeares Ehefrau gewesen wären. Frauen, die verstanden hätten, was er erreichen wollte, und die ihm dabei auf mancherlei Art geholfen hätten. Schöne Frauen, die sein Geld dazu verwendet hätten, sich noch schöner zu machen. Und Will wäre vielleicht stolz auf eine solche Frau gewesen und hätte sie seinen adligen Freunden vorgestellt. Eine Frau, die imstande gewesen wäre, fröhlich und geistreich zu plaudern, anmutig zu tanzen und das Spinett zu spielen. Will hätte sie in sein Herz geschlossen, und er hätte sie an seinen Gedanken teilnehmen lassen, wie er es bei ihr nie getan hatte. Wie wunderbar müßte es sein, mit Will wirklich sprechen zu können, nicht nur über den Haushalt und die Familie, sondern auch über Bücher und jene ganze Welt, die ihr verschlossen war.

Hatte sie ihn enttäuscht? Vielleicht, dachte sie, hätte sie versuchen sollen, mit ihm Schritt zu halten. Aber sie hatte es nicht versucht. Sie hatte ihn nur geliebt. Es kam ihr nicht in den Sinn, daß eine solche Hingabe, eine so selbstlose Liebe etwas Seltenes und

Kostbares im Leben war. O Will, dachte sie. Ohne ihn gab es weder Licht noch Geborgenheit für sie. O Will! Komm zurück, bevor ich alt bin. Bring die Sommertage wieder.

Ja. Er würde zurückkommen. Sie wußte es. Sommer und Winter würden vergehen, aber jenseits der Sonnenglut und des Schnees leuchtete Hoffnung. Das Glück würde wiederkehren, das gemeinsame Glück, das Glück des Abends, ehe die lange Nacht anbrach.

Nachbemerkung des Autors

Es gibt nur eine wichtige Begebenheit in diesem Buch, die ich er-
funden habe, und das ist die Aufführung eines Stückes von William
Shakespeare auf Schloß Kenilworth und die sich daraus ergebende
Flucht des jungen Dichters nach London.

E. M.

ERIC MALPASS

Die Gaylord-Romane
Morgens um sieben ist die Welt noch in Ordnung
Wenn süß das Mondlicht auf den Hügeln schläft

Sonderausgabe. Deutsch von Brigitte Röseler und Margret Schmitz.
440 Seiten. Geb.

Morgens um sieben ist die Welt noch in Ordnung
Roman. rororo 1762

Wenn süß das Mondlicht auf den Hügeln schläft
Roman. rororo 1794

Fortinbras ist entwischt
Eine Gaylord-Geschichte. Mit Zeichnungen von Wilhelm M. Busch.
Deutsch von Susanne Lepsius. rororo 4075

Lieber Frühling komm doch bald
Wieder ein Gaylord-Roman. Deutsch von Anne Uhde. 246 Seiten. Geb.
und als Taschenbuchausgabe: rororo 4745

Schöne Zeit der jungen Liebe
Roman. Deutsch von Anne Uhde. 221 Seiten. Geb.

Als Mutter streikte
Roman. Deutsch von Anne Uhde. 167 Seiten. Geb.
und als Taschenbuchausgabe: rororo 4034

Und der Wind bringt den Regen
Roman. Deutsch von Anne Uhde. 345 Seiten. geb.

Beefy ist an allem schuld
Ausgezeichnet mit der «Goldenen Palme des Humors»
Roman. Deutsch von Susanne Lepsius.
220 Seiten. Geb. und als Taschenbuchausgabe: rororo 1984

Liebt ich am Himmel einen hellen Stern
Ein Roman um William Shakespeare und Anne Hathaway
Deutsch von Susanne Lepsius. 297 Seiten. Geb.

Unglücklich sind nicht wir allein
Ein Roman um William Shakespeare und seine Zeit
Deutsch von Susanne Lepsius. 279 Seiten. Geb.

Hör ich im Glockenschlag
der Stunden Gang
Ein Roman um William Shakespeares letzte Lebensjahre
Deutsch von Susanne Lepsius. 226 Seiten. Geb.

Liebe blüht zu allen Zeiten
Roman. 336 Seiten. Geb.

Rowohlt

Richard Gordon

«Seine Bücher sind so munter und mit
so viel ungezwungenem Witz geschrieben, daß auch
der Anspruchsvolle sie mit Freude und Genuß liest.»
Darmstädter Tageblatt

Aber Herr Doktor!
Ein tolldreister Roman · rororo Taschenbuch Band 176

Doktor ahoi!
Aber Herr Doktor! – Auf hoher See · Ein tolldreister Roman
rororo Taschenbuch Band 213

Hilfe! Der Doktor kommt
Ein tolldreister Roman · rororo Taschenbuch Band 233

Dr. Gordon verliebt
Ein tolldreister Roman · rororo Taschenbuch Band 358

Dr. Gordon wird Vater
Ein tolldreister Roman · rororo Taschenbuch Band 470

Doktor im Glück
Roman · rororo Taschenbuch Band 567

Eine Braut für alle
Roman · rororo Taschenbuch Band 648

Doktor auf Draht
Roman · rororo Taschenbuch Band 742

Onkel Horatios 1000 Sünden
Roman · rororo Taschenbuch Band 953

Finger weg, Herr Doktor!
Roman · rororo Taschenbuch Band 1694

Wo fehlt's, Doktor?
Roman · rororo Taschenbuch Band 1812

Machen Sie sich frei, Herr Doktor!
Roman · rororo Taschenbuch Band 4042

Käpt'n Ebbs – Seebär und Salonlöwe
Roman · rororo Taschenbuch Band 4435

Gesundheit, Herr Doktor!
Roman · rororo Taschenbuch Band 4610

Sir Lancelot und die Liebe
Roman · rororo Taschenbuch Band 4638

55/12